ROBERT LANGE
PAUL NEARO

Les Éditions du Sagittaire

Pour information, s.v.p. s'adresser à :
        Éditions du Sagittaire
        C.P. 253, Haute Ville
        Québec, Qc G1R 4P8

Dépôt légal – Bibliothèque nationale du Québec, 1995
Dépôt légal – Bibliothèque nationale du Canada, 1995

Ceci est une œuvre de fiction, la plupart des personnages, sociétés ou
situations sont fictifs et toute ressemblance à la réalité est fortuite. En ce qui à
trait aux quelques références à des personnages, sociétés ou situations réelles,
elles sont romancées et utilisées sans l'intention de les décrire réellement. Les
auteurs et l'éditeur ont pris le meilleur soin pour s'assurer de l'exactitude de
l'ensemble des prémisses et faits sur lesquels se greffe ou s'inspire le roman,
mais nous n'assumons aucune responsabilité pour des erreurs, imprécisions,
omissions ou incohérences qui peuvent s'y être glissées.

ISBN 2-9804511-0-X

IMPRIMÉ AU CANADA

À : Maud
et
Marie-José

Note au lecteur :

Le lecteur pourra, en cours de récit, se reporter à la carte du Moyen Orient et à la liste des principaux personnages, lesquelles se trouvent à la fin du volume.

PREMIÈRE PARTIE

ANNÉE 1998

1

New York, New York

Gerry savait que le Learjet en route de Détroit à New York serait à La Guardia pour midi, ce qui lui laissait une marge confortable avant son rendez-vous à la Banque qui avait été fixé à 14h30 très exactement.

Miss Francis, sa fidèle secrétaire, arrangeait toujours son planning, quand il allait à New York, pour qu'il puisse prendre son déjeuner au grill du Four Seasons[1], le restaurant bien connu des hommes d'affaires de la Cité. Il n'y aurait pas d'exception cette fois encore, une table lui était réservée à la mezzanine, son coin préféré. Le temps du repas était un moment qu'il privilégiait dans une journée. Celui des alliances. Dans un cadre agréable, les bons vins avec les bons mets, sans oublier l'essentiel : une bonne compagnie pour les partager.

Aujourd'hui, c'est avec son vieux copain Ray qu'il irait manger au Four Seasons. Ils avaient tous les deux débuté et fait leurs griffes dans la jungle de ceux qui seraient bientôt les futurs patrons de la toute puissante industrie de l'automobile de Détroit ; et avaient su en émerger ! Ray possédait la plus grosse flotte de véhicules de location du monde, et c'est sur Gerry que tous les magnats de l'Automobile avaient compté pour structurer et coordonner leur riposte, face à l'invasion japonaise des années '80-90.

Les deux amis se retrouvent autour d'une salade aux truffes fraîches, qui est mieux qu'un faire-valoir pour le pigeon à la gousse d'ail qui allait suivre. Le tout arrosé d'un petit vin roumain se voulant l'égal d'un Margaux. Le dessert est vite expédié, tout en légèreté. Puis vient le rituel de l'expresso que Gino se fait toujours un plaisir de leur servir personnellement.

---

1. Table réputée ayant la particularité de changer sa carte à chaque saison.

À 14 heures, l'intermède amical terminé, Gerry monte dans une grosse limousine noire qui l'attendait devant le restaurant. Au milieu d'un flot de yellow cabs[1], l'imposante conduite intérieure se fraye un chemin jusqu'à la Banque à quelques blocs de là. «Ne jamais faire attendre son banquier... même si ce dernier n'est qu'une ombrelle pour se protéger d'un soleil brûlant.» C'était un excellent souvenir des bons vieux jours!

Bien calé dans le cuir moelleux de la banquette arrière, appréciant le confort raffiné et climatisé de ce salon roulant, Gerry profite de cette petite pause pour mettre un peu d'ordre dans ses idées. Il n'avait pas le moindre indice pouvant l'éclairer sur la nature de cette mystérieuse réunion à laquelle on l'avait convié, et cela excitait sa curiosité. D'autant qu'il n'était pas dans les habitudes de Miss Francis d'accepter un rendez-vous pour son patron, sans en savoir plus. Mais refuse-t-on de rencontrer le plus puissant banquier de New York?... surtout quand c'est lui qui vous fait demander?

L'ouverture un peu brusque de la portière, par quelqu'un de l'extérieur, l'empêche d'aller plus avant dans le fil de sa réflexion. Le voilà au pied de l'imposant building de la Banque. Par sa réputation et le caractère exclusif des services qu'elle propose, elle peut se permettre le luxe de laisser aux autres l'impérieuse nécessité pour une institution financière d'avoir son siège sur Park Avenue. Là où, d'habitude, il faut être. C'est un peu à l'écart sur la 2e Avenue, entre la 62e et la 63e Rue, que le gratte-ciel de la Banque jette dans les cieux d'Eastside Manhattan, ses étages de verre et de fer.

Dans le hall immense, un fondé de pouvoir attendait Gerry et le dirige poliment vers une porte dérobée, celle de l'ascenseur express conduisant à la suite directoriale. D'une traite douce et coulée, le sommet de l'édifice est atteint. En arrivant, la porte coulisse et finit son mouvement d'un petit claquement pneumatique feutré. Dans un timing parfait, son ami John s'avance vers lui, les bras ouverts, le sourire affable, tout en le fixant par-dessus ses verres demi-lune. Sa silhouette se détache avec élégance sur l'arrière-plan plus clair du panorama aérien si particulier des tours de Manhattan que l'on voit au travers des grandes baies vitrées.

Quand on arrive ici, on entre dans le domaine particulier du maître et seigneur du lieu, John Matthews. Il est la tête de ce centre névralgique duquel partent les grandes décisions. C'est là que se trouve le véritable coffre-fort de cette banque si spéciale, sans comp-

---

1. Taxis new-yorkais.

toir ni guichet. John en connaît tous les rouages et en a gravi tous les échelons, depuis son arrivée comme jeune diplômé d'Harvard, jusqu'à sa nomination, il y a quatre ans, au poste de président général, à l'âge de 45 ans.

Gerry le charrie tout de suite un peu pour l'enveloppe mystérieuse qui avait accompagné son invitation. John esquive adroitement son interrogation en le poussant avec fermeté vers l'entrée de sa salle de conférence personnelle.

– Ne faisons pas attendre ces messieurs, lui dit-il, tandis que Gerry découvre les quatre autres invités.

Tous ne lui sont pas inconnus.

Le premier en entrant est Kiyomi Ogura, le patron d'Ogura Securities de Tokyo, personnage incontournable de la haute finance internationale. Ils se sont déjà rencontrés à plusieurs reprises et échangent une poignée de mains et des salutations.

En suivant, John lui présente Michael McDougall. Il faut quelques instants à Gerry pour se faire à l'idée qu'il serre la main de celui auquel les dieux de l'Informatique avaient bien dû penser, au beau milieu des années '70, juste avant que nos vues et nos vies soient envahies d'écrans et de claviers accouplés. Plus tard on apprit même qu'ils étaient bourrés de puces!

Puis c'est Tom Luce, qui n'attend même pas que John le nomme. Il ébauche une station debout et marmonne, sans ôter un gros cigare de sa bouche:

– Tom Luce, Dallas, Texas.

Comme si, pour les personnes de l'assistance, cette précision était nécessaire! Son costume typique, avec un lacet-cravate noué autour du cou et les pointes de sa chemise alourdies de deux plaquettes dorées ouvragées, parlait déjà de son origine avant même que son accent ne la confirme. Mais il est rare de rencontrer un Texan qui ne soit pas fier de l'être!

Le dernier participant ne s'est pas assis à la table; on comprend qu'il n'assiste pas à la réunion tout à fait au même titre que les autres invités. Avant de s'asseoir lui-même, John l'introduit en ces termes:

– Max Kopel est astro-physicien, directeur d'études et de recherches à la NASA; actuellement en disponibilité sabbatique de cette administration. Il doit nous entretenir d'un projet de la plus haute importance.

Chaque invité a, devant lui, une pochette bleue sur laquelle est titré en gros caractères jaunes: UTOPIA.

Les vitraux photo-sensibles sont activés et dans un decrescendo subtil, la pièce devient obscure avec un léger halo crépusculaire qui subsiste. John confie une clé électro-magnétique à Max qui l'insère dans un boîtier de commande au mur.

– C'est à vous, Max. Nous vous écoutons.

Tandis que des écrans muraux s'abaissent, les rayons lasers désordonnés et multicolores clignotent et scintillent dans la pénombre. Les ordinateurs achèvent leurs mises au point et bientôt une image de synthèse en trois dimensions se forme puis se stabilise face à un auditoire très attentif. Présentateur aguerri, Max ne commencera sa présentation qu'après une brève période de silence savamment dosée.

– Voici une colonie spatiale sur le modèle d'une ville satellisée de 25 000 habitants en orbite géostationnaire autour de la Terre. Ce prototype, c'est UTOPIA.

Suspendue en l'air comme par des fils invisibles, la maquette ainsi projetée en relief fait penser au célèbre Atomium de Bruxelles; ou encore à la représentation graphique d'une molécule chimique. De grosses bulles transparentes revêtues d'une couche externe irisée sont reliées entre elles par un réseau tubulaire assez fin. En fondu-enchaîné, celle qui était la plus haute grossit, puis semble crever comme une bulle de savon, libérant tout son contenu.

– Ici se situera le quartier résidentiel.

L'image virtuelle s'anime et donne l'illusion qu'on se promène dans une enfilade de rues, toutes d'égale importance, avec de temps en temps une petite place et une fontaine, un jardin avec des fleurs et des bancs pour se reposer. Le décor typique d'une ville-nouvelle ayant bourgeonné au pourtour d'une grande cité urbaine. Puis on passe à une autre des six sphères. Un peu plus petite que la précédente.

– Là se trouveront les commerces, lieux de détente et tout ce qui se rapportera à la vie communautaire.

De la même manière, quelques magasins, un terrain de sport, une salle de spectacles et une petite chapelle se côtoient dans un environnement coquettement paysagé.

– Et celle-ci, la plus importante par son volume, renferme l'atelier. C'est la zone industrielle avec ses laboratoires de recherche, l'espace manufacturier, le magasin de stockage.

Puis, pour les trois autres boules, de tailles inégales, Max va plus vite et ne fait que les citer.

14

– Voici la ferme; puis l'aire spatioportuaire avec sa zone de transit et, pour terminer, la centrale énergétique, véritable ensemble cœur-poumon du satellite.

John avait déjà eu auparavant la primeur de cet exposé et pendant que Max parle, il s'intéresse bien plus aux réactions des invités qu'à ses explications. Il avait prévu dans sa tactique que quelqu'un interviendrait à ce stade; et comme il l'aurait parié, c'est Gerry qui se montre le plus rapide.

– Hé, John! On est où, là? Hollywood ou Houston? On sait que les deux vont mal, mais ne me dis pas que tu veux les racheter! C'est un peu gros, non?!

Cette intervention ironique de la part de Gerry ne pouvait tomber mieux pour lancer la discussion et tenter de lever le voile de mystère qui commençait à peser pour chacun. L'atmosphère se détend et, à voix basse, quelques commentaires ponctués de rires entendus s'échangent. Cette courte pause concédée, John décide de reprendre le contrôle de la discussion en tapant de manière autoritaire le dessus de la table avec l'ongle de son index.

– Messieurs, rassurez-vous, je n'ai souhaité vous voir ni pour vous parler du prochain film de Spielberg ni pour commenter les déboires que connaît la NASA. Le sujet est autrement plus sérieux. Il n'est question de rien moins que de notre avenir et celui de nos enfants... sans même aller chercher plus loin. La conjoncture mondiale est catastrophique au sens propre du mot. Et c'est juste à ce moment-là que les grandes institutions scientifiques des grandes puissances ne reçoivent plus les moyens de donner corps aux projets ambitieux qui amèneraient sûrement la lumière. Surtout depuis que les Russes sont hors course, personne n'est disposé à faire les efforts nécessaires allant dans ce sens. Or, dans l'état actuel de nos connaissances – Max est bien placé pour vous en parler et il le fera – la mise en place d'une colonie spatiale n'est plus du domaine de la science-fiction. Ce n'est plus qu'un problème de choix politique. Laissons Max poursuivre, car nous l'avons justement interrompu au moment où il allait nous décrire les retombées technologiques fabuleuses que nous sommes en droit d'attendre d'un tel outil; puis il les rapprochera ensuite des grands maux qui font déjà plus que nous menacer ici-bas. Je suis convaincu qu'à l'issue de son exposé, votre opinion aura changé sur la question.

La remarque sérieuse de John a produit son effet sur l'auditoire. La lumière dans la pièce a progressivement crû tandis que le modèle virtuel s'estompait. Max oriente un rétroprojecteur dans lequel il introduit un plastique transparent couvert de courbes, de graphiques et de schémas.

— Voyez-vous, étant astro-physicien je suis un peu aussi l'historien et le médecin de notre belle planète. Et ce que j'ai à vous dire sur le sujet n'est pas des plus réjouissant. À l'aube du troisième millénaire, nous ne pouvons nier que notre bonne vieille Terre soit bien malade.

Max appuie ses dires par les documents qu'il projette. Puis il continue :

— Catastrophes climatiques répétées, troubles des écosystèmes, pollutions et nuisances non maîtrisées... la liste de tous les symptômes serait longue. Et à chaque fois l'*Homo sapiens* trinque et paie l'addition... de plus en plus cher. Des épidémies prolifèrent un peu partout, sans que l'on sache les enrayer. De nouvelles formes de cancer sont apparues, encore plus terribles que ce que les plus pessimistes avaient pu imaginer. Personne n'est vraiment à l'abri ; les individus les plus forts sont inquiets, les faibles basculent et sombrent dans l'angoisse la plus noire. Tout cela se retrouve au plan collectif social... et amplifie encore le phénomène. Voyez le terrorisme et l'intégrisme qui partout montent et échappent à tout contrôle. Mises bout à bout, toutes les petites guerres qui éclatent et perdurent un peu partout équivalent en cette fin du XXe siècle à une troisième guerre mondiale non avouée. Et dans ce domaine, le bout du tunnel n'apparaît pas, tant s'en faut !

Il marque un temps d'arrêt, question de s'assurer que ses paroles portent, et reprend :

— Il devient impératif d'envisager des contre-mesures à tous ces maux et nous comptons bien sur UTOPIA pour nous donner les moyens de le faire. Bien sûr, nous savons que nous n'inverserons pas le sens de rotation de la Terre ! Mais juste un petit coup de pouce, au bon moment, dans la bonne phase... une petite bouffée d'oxygène... juste de quoi reprendre le tour de caresser la bête dans le sens du poil. Pour ma part, mon choix est fait et depuis que ce projet est sorti, j'y adhère corps et âme. Mon désir maintenant serait de le faire partager au plus grand nombre. C'est la raison pour laquelle John vous a convoqués ici aujourd'hui.

Silence général dans l'assemblée. Le réquisitoire de Max est accablant et chacun en prend la mesure à sa manière.

Tom Luce, lui, il l'aime bien sa Terre... et elle a su le lui rendre. C'est de toutes ses richesses à elle qu'il a bâti la sienne, qui est énorme. Il semblait jusque-là n'avoir jamais envisagé qu'une si belle associée aille mal un jour et qu'elle puisse se rebeller. Mais par-dessus tout, il ne peut concevoir qu'elle ne recèle pas en elle-même la solution à tous ses malheurs.

– Et qu'y aura-t-il donc de plus sur ce satellite que nous ne sachions faire sur Terre? demande-t-il à Max.

Le point crucial de la discussion tient dans la réponse qu'il va faire. Max le sait et il s'y prépare avec soin, sans oublier d'y inclure un certain effet théâtral. Il arpente la pièce, devant son auditoire assis en U, les mains dans le dos en hochant la tête; puis il s'arrête, capte les regards un par un et dit en appuyant sur chaque syllabe:

– L'Homme – y – vivra – deux – cents – ans!

Après la curiosité, puis le trouble, voici que la stupéfaction gagne la petite assemblée. Max les laisse un peu mijoter avant d'entreprendre la tâche d'amener toutes ces impressions à se convertir en une certaine forme d'intérêt.

À l'annonce de cette nouvelle stupéfiante, Kiyomi, égal à lui-même, reste de marbre et ne laisse paraître aucune émotion. Mais dans les circonvolutions de son cerveau bien organisé, une clochette vient de tinter; cette nouvelle donne fait l'effet d'un gros coup de vent sur l'eau calme d'un océan. Michael semble parti dans une méditation sans fin. Tom s'est affaissé un peu plus sur son siège; il a le regard perdu dans le vague et psalmodie de manière pratiquement inaudible:

– 200 ans... 200 ans...

John se régale et compte les points. Max coupe le rétroprojecteur et, assuré d'avoir fait mouche, il enchaîne:

– Le Corps médical est unanime à dire qu'en gravitation légère, les méfaits de l'usure tissulaire seront minimisés. Première fonction à en bénéficier: le système cardiovasculaire dont la pathologie représente, sous nos latitudes, la première cause de mortalité! Est-il besoin de vous le rappeler? L'activité cérébrale sera considérablement améliorée. Je laisse à votre appréciation d'imaginer tout ce qu'auraient encore pu produire Mozart, Pascal, Newton, ou plus près de nous Albert Einstein, si, en pleine possession de leurs moyens exceptionnels, ils avaient encore vécu plus d'un siècle et demi! Ajoutez à cela l'apparition de technologies cent fois plus performantes. Dans le vide, les puces électroniques travaillent encore plus vite et l'intelligence artificielle, qui balbutie pour le moment, sera en mesure de résoudre les problèmes les plus complexes et d'en donner la solution en alexandrins! Les cristaux synthétiques que produiront les chimistes seront d'une pureté absolue et leurs pouvoirs curatifs d'une potentialité inconnue à ce jour. C'est dans le vide des espaces interplanétaires que se trouvent les molécules qui soigneront les maladies que nos enfants attrapent, chaque jour un peu plus, ici-bas.

Max finit sa phrase, à l'écoute polie d'un commentaire ou d'une question. Il sent qu'il peut passer à la vitesse supérieure.

– Pour en terminer, permettez-moi de transgresser quelques secondes la barrière du rationnel et d'affirmer que cet environnement pur et infini sera propice à l'immense réflexion que nous devons mener sur les problèmes qui se posent à l'Humanité contemporaine. Je pense qu'à l'heure actuelle, la perturbation cosmo-tellurique et les pollutions chimiques et électromagnétiques sont telles que nous ne pouvons plus envisager la destinée humaine dans de bonnes conditions de manière conventionnelle, avec nos outils actuels. L'arbre a caché la forêt. Pour s'en sortir, il faut s'élever. C'est là-haut que se trouve la solution !

Ce sera le mot de la fin pour Max, qui a conclu son exposé par un geste de l'index désignant le ciel. Il range ses documents en faisant mine de ne pas voir son auditoire, comme si ses paroles suffisaient en elles-mêmes. Kiyomi se charge de ramener tout le monde sur le plancher des vaches, après l'incursion métaphysique de Max. Il prend la parole pour la première fois :

– Dans quel ordre de grandeur se situera l'estimation financière d'une telle entreprise ?

Sans en avoir vraiment décidé, en posant sa question, il s'est imperceptiblement tourné vers John. Et c'est la transition idéale que le banquier avait souhaitée pour développer son plan et dévoiler ses intentions.

– 100 milliards de dollars, lui répond John.

– C'est une somme considérable ! commente Kiyomi.

– C'est bien la raison pour laquelle je vous ai conviés, mes chers amis. Aucun État dans le monde n'est plus capable de concevoir un tel montage financier sur ses fonds propres, en restant cohérent avec la politique qu'il développe. Les États-Unis, l'Europe, le Japon, ensemble et encore moins séparément, n'y arriveraient même pas en rêve. Le monde entier est endetté et des budgets colossaux sont engloutis pour les besoins les plus urgents. Résultat : il ne reste plus que des miettes pour les traitements de fond. Quant aux dépenses de prestige, la conquête de l'inutile... il n'en reste même plus trace. Aucun Congrès ne saurait voter le budget d'un gouvernement qui aurait le courage de sacrifier le présent pour un

18

futur meilleur, parce que cela voudrait dire que l'on va supprimer des hôpitaux, couper des crédits militaires. N'y comptez ni pour demain ni même pour après-demain! À côté de cela, des fortunes vertigineuses voient le jour issues du secteur privé. Avez-vous vu qui entre au *Forbes*?... et qui en sort? Qui aurait pu penser, il y a ne serait-ce que dix ans, que nous verrions arriver des financiers de la Chine réunifiée, de l'Inde... ou de l'ex-URSS... et qu'ils seraient de taille à nous faire peur au point que nous les respections et nous y soumettions? N'est-ce pas, monsieur Ogura? Vous connaissez le problème!

Tout maître de lui qu'il soit, Kiyomi ne peut s'empêcher de lorgner du côté de Gerry. C'était justement le problème qui les avait fait se rencontrer. Gerry, lui, n'a pas bronché et John poursuit comme si de rien n'était:

— Alors, écoutez, j'irai droit au but avec vous. Je suis convaincu que chacun d'entre vous est un leader dans son domaine, et je compte bien sur cela pour que vous soyez les locomotives qui tirent le train vers la lumière. Gerry n'aura aucun mal à persuader les géants des industries automobiles et aéronautiques qu'il est de leur intérêt de venir y accrocher leurs wagons. Michael aura un rôle analogue vis-à-vis du monde de l'informatique et des composants électroniques. Si Tom est avec nous, les pétroliers ne viendront pas... ils accourront, surtout quand on pense à leur situation dans la conjoncture actuelle. Max est la clé de notre introduction dans la sphère très fermée du Gotha scientifique mondial. De cette nouvelle plate-forme d'observation, il pourra affiner sa connaissance du monde extragalactique et avoir la confirmation que les trous noirs de l'Espace ne sont qu'un modèle mathématique et non une réalité physique. Cela lui vaudra certainement — comme nous le lui souhaitons et comme il le mérite, d'ailleurs — de recevoir le prix Nobel de physique. Pour ma part, il me plaît de vous annoncer qu'après examen attentif par notre comité directorial, la Banque avalise le projet.

— Et à part les grandes entreprises? demande Gerry.

— Une prospection grossière nous a déjà permis de constituer un fichier de plusieurs milliers de particuliers prêts à payer à prix d'or le droit d'acheter une concession à vie sur UTOPIA. Nous n'aurons aucun mal à faire le plein, car en plus ce sera un paradis fiscal!

— Je voulais parler d'une participation à un échelon national ou même plurinational, tu m'as mal compris.

– Tu as raison d'en parler. Eh bien, nous proposerons tout d'abord aux États-Unis d'Amérique que cette colonie spatiale devienne le 51e État de l'Union, sous le nom d'UTOPIA. En ce qui vous concerne, maintenant, Messieurs, la Banque a étudié une multitude de candidatures et analysé une masse considérable de documents et de références avant de se fixer sur vous, en première intention. Et j'ai l'honneur, au nom de son conseil d'administration, de vous faire part, mes chers amis... et j'espère bientôt associés, de son désir de vous proposer à chacun d'entre vous un poste de vice-président à la Direction de ce programme. Quant à toi, mon cher Gerry, j'ai proposé qu'on t'en attribue en plus la présidence.

– Que me vaut l'honneur d'une telle distinction? lui demande Gerry un peu surpris.

– Je t'en reparlerai plus tard, lorsque tu auras eu le temps de réfléchir à cette proposition, lui répond John.

*

* *

En vol de retour pour Détroit, Gerry se détend dans le confort rassurant de la cabine pressurisée de son Learjet. À son altitude de croisière de 12 000 mètres, il constate toujours avec étonnement qu'on ne juge plus les choses de la même manière qu'au ras des pâquerettes.

Bien plus bas, dans le soleil couchant défilent montagnes, lacs et vallées de cet immense Nord-Est des États-Unis. Par le hublot, il laisse aller son regard de bas en haut jusqu'à ce qu'il se perde ainsi que ses pensées vers les espaces infinis. Il incline son fauteuil, ferme les yeux et s'assoupit en laissant échapper ce murmure:

– 200 ans, est-ce possible?

Gerry était un homme heureux, autant qu'on puisse l'être sur cette terre. Du poète Victor Hugo il avait retenu cette pensée, «Ceux qui vivent, ce sont ceux qui luttent», et en avait fait son maître-mot. Avant d'être admis au prestigieux M.I.T., le Massachussets Institute of Technology, il en avait bavé des ronds de chapeau pour mener de front ses études et avoir de quoi subsister; ses parents, d'origine modeste, n'avaient jamais admis qu'il y avait une nécessité pour leur fils unique de poursuivre ses études.

À sa sortie du M.I.T., il était directement entré à la General Motors avec le même esprit et le même bon sens que s'il avait repris l'épicerie familiale. Sa progression personnelle dans l'entreprise se confondait avec la courbe de croissance de cette dernière et, pendant les années d'or de l'après-guerre, il en avait profité pour gravir les échelons en sautant le plus de marches possibles. Son esprit un peu méfiant vis-à-vis des choses trop faciles lui avait permis de bien flairer le coup de jarnac qui se préparait avec l'essor industriel du Pays du Soleil Levant. Il passait son temps à tirer des sonnettes d'alarme. Rien n'y faisait. «*Keep cool*, Gerry», ne cessait-on de lui répéter, alors que de son côté il n'hésitait pas à comparer cette offensive commerciale avec celle, beaucoup moins pacifique, que son pays avait déjà subie en 1941 à Pearl Harbour.

Tous les indices économiques parlaient en sa faveur et personne ne voulait le suivre, et cela le faisait se retrancher aux limites de l'extrémisme. Il accusait publiquement le Japon de se comporter en samouraï vis-à-vis de l'économie américaine et il montait un dossier tentant de prouver que les industriels japonais étaient des contrefacteurs. Un jour qu'il devait accompagner le Président des États-Unis dans un voyage officiel au Japon, il refusa publiquement de se joindre à la délégation. Cela ne passa pas inaperçu et pour enfoncer le clou il présenta sa démission de son poste de président-directeur général. Un pavé dans la mare, d'autant plus que ses prédictions commençaient à se réaliser.

Il passa deux années à enseigner l'ingénierie industrielle dans une université de l'Illinois et il en garde encore un excellent souvenir. Quand la plus puissante compagnie du monde battit franchement de l'aile, tout le monde rentra sa pudeur au fond de sa poche; il fut rappelé à son poste et en quelques mois il sut prendre les bonnes décisions qui s'imposaient pour enrayer la crise. Dans la situation de faiblesse dans laquelle se trouvait l'industrie, il fallait faire des concessions. Et dans ce petit jeu de marchand de tapis, il sut se montrer un négociateur remarquable et redouté. Il instaura une nouvelle façon de penser les échanges économiques entre les deux pays et cette philosophie tenait dans cette phrase: «Vous êtes les bienvenus, mais désolé, non merci.» C'est pourquoi la présence de Kiyomi à un degré aussi élevé lui restait un peu en travers de la gorge. Mais malheureusement, force était bien de constater que sans l'apport économique du Japon le projet ne tenait pas suffisamment la route.

À 59 ans, dont trente passés à la G.M., Gerry avait relevé bien des défis et non des moindres. Le plus beau était toujours le prochain. Mais cette fois, il semblait bien que tous n'avaient concouru que pour réussir celui qui se présentait à lui comme le trapèze qui va et vient devant le voltigeur. Ce serait le dernier, le plus beau: son chef-d'œuvre. Il n'était pas question d'y aller à l'économie.

Il se sentait fin prêt. Il dirait sûrement oui, même si pour la forme il se laissait encore un peu prendre au jeu du doute.

Détroit, Michigan

Comme tous les samedis, dès que les beaux jours reviennent, Gerry aime se lever tôt. Du balcon de sa chambre, il contemple le lever du soleil et ses reflets miroitants sur les eaux du lac Saint-Clair. Il s'ingénie à dénicher la moindre petite nouveauté que son jardinier a pu introduire dans les allées et les massifs de son jardin à la française. Du journal, il ne retiendra que quelques banalités relevées à la rubrique des affaires locales de sa petite ville, et puis Barbara le rejoindra avec un plateau de petit déjeuner et lui fera encore remarquer, comme d'habitude, qu'il aurait bien pu profiter de son lit plutôt que de le fuir, pour une fois qu'il n'avait pas à se lever tôt. Ils ne parlaient jamais des affaires de la semaine; mais souvent c'était le moment où elle l'entretenait d'un petit problème domestique. Il est vrai que la maintenance d'une si grande maison va rarement sans problème. La cuisinière partait pour Chicago car sa mère était souffrante, mais Anna la lingère se faisait fort de la remplacer... Gerry est ailleurs et Barbara s'empresse de le lui faire remarquer. À quoi il répond:

— Que dirais-tu si on t'annonçait que tu pourrais vivre jusqu'à 200 ans?

— Qu'est-ce qui te prend de me poser une question pareille? Tu sais bien que c'est impossible!

— Je suis sérieux. C'est possible. Alors réponds-moi et dis ce que tu en penses.

— Alors très peu pour moi! Je n'ai nullement envie d'être patraque de tous les côtés, de passer ma vie entre les mains des médecins qui me retaperont comme une vieille Buick des années '50 qui aurait fait 20 ans le taxi à Mexico City. De n'avoir plus de dents et la peau du visage qui me tombe sur la poitrine. Non merci. Si c'est un cadeau, je te le laisse!

— Tu n'as pas compris, rétorque Gerry, à 200 ans tu aurais la même allure que si tu en avais 80; comme si le temps s'était étiré. Alors qu'en dis-tu?

— Eh bien, je pense que pendant 200 ans je m'ennuierais peut-être. Mais ce qui est certain, c'est que si tu continues à rêver tout

22

éveillé comme cela encore longtemps, on va faire attendre les Lieberman. Aurais-tu oublié que nous avions convenu de faire un golf ce matin ? Et on doit se retrouver à 8 heures au club pour un départ !

Ed et Gerry s'étaient connus au Collège et, bien qu'après ils n'aient pas suivi la même voie, ils ne s'étaient jamais perdus de vue. Ed avait fait sa médecine à Columbus dans l'État de l'Ohio. Par la suite il s'était spécialisé en chirurgie digestive et, actuellement, il finissait sa carrière au Veterans' Hospital. Il ne manquait aucune des réunions de la petite association locale de médecins qu'on lui avait gentiment demandé d'honorer de sa présidence. Pour rien au monde il n'aurait aimé devoir remettre une partie de golf, et encore moins s'il avait promis de faire le parcours avec son copain Gerry. Son épouse Nancy se faisait une joie égale, à cette même idée, et tous les quatre formaient une équipe redoutable d'écumeurs de greens.

Le soleil commence à poindre et la rosée nocturne fait remonter des senteurs agréables d'herbages fraîchement coupés. Ils font tous un bon premier coup, sauf Gerry dont la balle part un peu de côté et atterrit dans la fardoche sous un arbre. Cela ne lui ressemble guère, car le drive a toujours été un point fort dans son jeu. Il continue avec un fer nº 3, mais ne peut éviter le bunker à la droite de l'allée. Il tâche de se reprendre pour la sortie du sable et essaie de retrouver des automatismes. Le *sand-wedge* manié avec expertise et détermination fouette un peu la terre meuble avant de toucher par le dessous la petite balle qui monte haut et retombe avec lourdeur, sans trop rouler, pour finalement arrêter sa course à un mètre du fanion.

— Joli coup ! commente Ed qui avait lui-même fait une approche impeccable. Les deux femmes apprécient plus discrètement, entre elles, et tous se dirigent vers le deuxième trou.

Par la suite, Gerry aura bien du mal sur ses premières balles. Chaque fois qu'il fixe la petite sphère blanche, il ne peut empêcher ses pensées de partir à la dérive. Son esprit vagabonde. Il pense à la Terre, à la Lune, à un satellite que l'on met en orbite. UTOPIA. Et voilà que cela tourne presque à l'obsession. Heureusement, il réussit à se retrouver dans son jeu et grâce à cela il finit son parcours en rendant une carte à 86 pour les 18 trous, ce qui est tout à fait conforme à son handicap.

Plus tard au *clubhouse* la bande des quatre se retrouve autour d'un gin-tonic avec beaucoup de glaçons. Les commentaires vont bon train. Gerry fait allusion à sa piètre performance et sans transition interpelle Ed:

— Penses-tu que sans les effets néfastes de la gravité terrestre, l'Homme pourrait vivre 200 ans et être toujours en bonne forme ?

— Voilà que ça te reprend avec tes histoires de fontaine de jouvence et de cure de rajeunissement miracle ! s'exclame Barbara.

— Je t'en prie, Barbara, c'est à Ed que j'ai posé cette question et j'aimerais qu'il me donne son avis médical sur le sujet.

Ed aurait bien aimé rester en dehors de ce qui avait tout l'air d'une discussion familiale, et continuer de savourer les joies du farniente en sirotant son apéritif. Mais il avait remarqué que Gerry s'était adressé à lui avec une certaine insistance et il ne savait rien refuser à son vieux pote.

— C'est certain, la pesanteur joue un rôle assez néfaste pour notre santé. Les gros vivent moins longtemps que les maigres. C'est connu. Cela peut jouer sur la pression artérielle qui elle-même est violentée sous l'effet du stress, que certains considèrent comme un fléau tout aussi redoutablement efficace que des maladies graves connues. C'est aussi la gravitation terrestre qui nous fatigue et nous oblige à un repos quotidien. Maintenant il faut penser au problème du retour éventuel dans le champ d'attraction terrestre. Les Soviétiques, qui avaient la plus grande expérience dans ce domaine, n'ont jamais été très bavards ; mais nous savons que les hommes qui ont fait des séjours prolongés dans l'espace — le cap d'une année a été franchi — ont connu de graves problèmes de réadaptation quand ils sont revenus. Leur taille avait augmenté de quelques centimètres ! Quoi qu'il en soit rien d'officiel n'a été publié et puis, l'échantillonnage est beaucoup trop faible pour en tirer une conclusion. Mais enfin, Gerry, pourquoi te poses-tu tant de questions sur la physiologie de l'être humain ? Tu veux changer de branche ? L'Automobile, ce n'est plus ça ?

— Je te remercie de ta réponse, Ed. Non, vois-tu, c'est un sujet qui m'a toujours passionné. Et puis à mon âge, je veux dire à nos âges, mon cher Ed, ce sont des sujets un peu d'actualité, non ?

*

*   *

Les lundis sont les lundis, même quand on est le p.d.g. d'une grande compagnie. Gerry était à son bureau à 8 heures. À 8h30, c'était le moment important du briefing. Pas de grosse question ce matin et à 9h30, tout est terminé. Il demande qu'on le connecte avec John Matthews à New York. Il peut le joindre immédiatement.

– Tu sais, John, c'est vraiment un gros coup et je me demande bien pourquoi, en plus, tu souhaiterais que je coiffe la marmite. Je te remercie au passage et me sens bien honoré que tu aies pensé à moi pour un tel choix. Tu dois bien te douter qu'il faut que l'on se rencontre afin que tu m'en dises plus. Je suis à ta disposition. À propos je serai à New York jeudi toute la journée. Veux-tu que nous dînions ensemble?

– Le soir, je suis pris; mais avant, à 18h30, je vais au NYAC sur Central Park South. Tu ne veux pas que l'on s'y retrouve? On sera au calme, sans le téléphone, et comme cela on pourra faire le tour de la question à notre aise. Tu vois où c'est?

– Sans problème. Je me débrouille. Le premier arrivé attend l'autre. Salut, John.

– *Take care*, Gerry.

New York, New York

À 18h40, le jeudi suivant, Gerry se faisait débarquer par sa limousine au pied de l'immeuble du NYAC[1], l'un des clubs sportifs les plus sélects de New York, renommé pour ses bains turcs et ses traitements de remise en forme. Il recrute ses membres dans le milieu des cadres supérieurs des grandes sociétés et administrations de Manhattan.

Gerry se débarrasse de ses vêtements au vestiaire et on l'accompagne à la piscine où John l'attendait, plongé dans la dernière édition du *Post*.

– Te voilà? lui dit John.

– Arrête, j'ai cru que je n'y arriverais jamais. Deux heures de prises de tête à l'audit financier chez Lerner and Werner. Et pour tout te dire, avec toutes ces histoires qui me trottent dans la tête, j'étais complètement à côté de la plaque et je ne possédais pas mon dossier. Et comme cela n'est pas dans mes habitudes, eh bien, je n'ai pas signé.

– Dans ce cas je ne connais qu'un truc pour te remettre d'aplomb. Viens au sauna et après on en reparle.

---

1. New York Athletic Club.

— Je te suis.

Gerry s'assied sur un banc de teck et laisse les vapeurs d'eucalyptus lui pénétrer les bronches et les poumons. Il associe cela à une
purification et à l'élimination de toutes les crasses qui circulent dans
une grande ville et qu'il a côtoyées; il en ressent le plus grand bien.
Ils prennent une douche et se rendent au cabinet de massage qui leur
est attribué. On les installe sur les tables rembourrées impeccablement parées d'un drap blanc, immaculé, de contact agréable. Ils sont
sur le ventre avec un petit pagne en tissu éponge sur les reins et
attendent la venue des praticiens.

— Il y a un truc qui me tracasse avec UTOPIA, attaque Gerry,
c'est la présence de tous ces types. Et surtout, pourquoi mettre un
Nippon dans la mêlée? Ils sont bien gentils, à Tokyo, mais une fois
dans la place, tu sais bien que ce sera difficile d'avoir les coudées
franches. Et si on en veut plus, alors là, bonjour les misères! Ton
idée de leur fournir clés en main un si beau cheval de Troie ne
m'enchante guère.

— Tu dois bien te douter, mon cher Gerry, qu'à tout cela j'ai
bien réfléchi et que je les vois venir gros comme un éléphant dans
un magasin de porcelaine. Je sais aussi que toi, plus que quiconque,
les a pratiqués dans tous les sens nos chers amis-aux-yeux-bridés et
je m'attendais bien évidemment à une réticence de ta part sur ce
plan. Mais vois-tu, je crains que sans eux le financement du projet
ne prenne un bon coup dans l'aile; ce qui veut dire, en clair, ne soit
considérablement retardé. Voilà pour le mauvais côté. Le bon côté
tient dans la personne de Kiyomi. Tu connais la surface financière
qu'il représente sur la place. Sur son nom repose la plus grosse
société d'investissement et de courtage du Sud-Est asiatique; et si
lui bouge, les autres suivront. C'est vrai partout et là-bas plus que
nulle part ailleurs. Et moi, je ne saurais te dire pourquoi, Kiyomi,
je le sens bien et je suis persuadé que cela est réciproque. Pour te
dire vrai, je ne sais pas si j'aurais fait cette ouverture à l'autre bout
du Pacifique avec quelqu'un d'autre que lui. Les autres grands financiers sont toujours inféodés à de grands systèmes compliqués –
pour ne pas dire mafieux – et avec eux je ne me suis jamais senti
bien à l'aise. J'espère ne pas me tromper à son sujet.

Comme pour conjurer le sort, John croise deux doigts de chaque main en allongeant les bras, sans pour autant cesser de parler:

— Avec Tom Luce, pas de problème et là je ne pense pas que
tu me contrediras. C'est le régional de l'étape qui nous est indispensable puisque, je ne te l'avais pas dit, nous établirons la base terrestre

d'UTOPIA à Houston en nous greffant sur la NASA. Max Kopel sera le deuxième larron de la bande et tous deux nous ouvriront bien grand les portes du Texas. Tu sais que les Texans, c'est pas du gâteau que d'aller s'y frotter. Mieux vaut être bien équipés. Tom y fait la pluie et le beau temps, et le gouverneur de l'État est son bébé. Quant à Michael, c'est l'homme du four et du moulin. Il apporte sa matière grise et ça n'est déjà pas rien; il aurait en effet pu s'endormir après les découvertes dont il a été le précurseur. Mais pas du tout; son esprit inventif, auquel s'ajoute un formidable esprit d'entreprise, ne s'est pas calmé. Et si on le met en orbite pour 200 ans, je crois qu'il faudra le débrancher sinon il aura deux galaxies d'avance! En plus, il est resté très lié avec le monde financier du Moyen-Orient qui l'avait soutenu au départ et ce petit point, qui n'est pas pour moi de détail, c'est la cerise sur le gâteau.

— Rien à dire, lui répond Gerry. Tels que tu me les décris, je les achète tous et même dans le lot, je le prends ton banquier nippon puisqu'il est si bien que cela! Mais dis-moi, dans tout ce beau monde: et moi, moi, moi? Je suis à quelques encablures de la retraite, mes années de gloire, regardons les choses en face, sont derrière moi... et loin! Pourquoi moi? et à ce poste?

Les deux hommes sont invités par les masseurs à se retourner. Déjà les effets de la relaxation se font sentir. Gerry ressent les bienfaits de la libération d'endomorphines qui lui est familière dans ce genre de situation. Ses muscles sont dans un état de relâchement total et c'est exactement l'état qui se trouve le plus propice pour la décision lourde de conséquences qu'il allait prendre. Il s'imaginait en gravitation légère et se sentait de plus en plus proche d'UTOPIA.

— Tu sembles vouloir ignorer – parce que comme tous les vrais grands tu es, en plus, simple et modeste – le poids que tu représentes sur l'échiquier politico-financier du monde occidental; mais moi, j'ouvre mes yeux à ta place et je constate. Tu connais le monde des Lobbys mieux que personne et ton influence politique est indiscutable. On aurait bien du mal à rentrer dans un Jumbo tous les types qui te doivent une fière chandelle pour la restructuration industrielle que tu nous as concoctée et qui a restabilisé tout notre secteur de la production tertiaire. Que se soit dans le monde économique ou celui de la politique. Il y a plus d'un élu qui te doit d'avoir évité la retraite anticipée. Tu as également connu l'échec et le pire de tous puisqu'il était injuste dans ton cas. Et tu en as profité pour en sortir mûri, grandi et pas aigri. Et puis... cela ne s'explique pas: tu le sais, je t'aime!

– T'es pas fou, non? lui dit Gerry un peu gêné en lui montrant d'un hochement de tête les deux masseurs, qui n'ont d'ailleurs même pas prêté oreille à quoi que ce soit.

Près du bassin de la piscine, un groupe de jeunes hommes est arrivé bruyamment; leurs plongeons et ébats nautiques troublent un peu la quiétude du lieu.

Gerry est maintenant bien parti pour un petit plongeon, mais à la différence des autres, ce serait plutôt dans les bras de Morphée. Ses yeux se ferment d'eux-mêmes et, dans un dernier sursaut conscient, il se tourne vers son ami et laisse échapper:

– C'est O.K. John. On y va!

John n'attendait plus que cela pour atteindre un état de grâce égal à celui qu'avait atteint son ami.

2

Michael McDougall est le dernier passager à embarquer dans le 747 de la Swissair en partance de New York-Kennedy pour Genève sur le vol de 21h20. Il prend place à l'avant de l'appareil dans un confortable fauteuil de 1re classe. Il se sent un peu déconnecté et se prépare mentalement pour deux semaines de vacances bien méritées.

Il avait prévu quelques rendez-vous d'affaires à Genève même, mais pensait bien passer la plus grande partie de ce séjour en Helvétie dans l'incomparable calme des Alpes suisses, à Gstaad.

À 8h15, après un vol sans histoire, les roues du 747 touchent la piste de l'aéroport de Genève-Cointrin et gratifient tout le monde d'un atterrissage en douceur, un *kiss landing* comme disent les initiés. Les formalités douanières et de police sont vite expédiées pour Michael, d'autant plus que la compagnie, honorée de sa présence sur ses lignes, lui fait bénéficier d'un statut V.I.P. Ses bagages récupérés, il prend possession de l'Aston Martin DB7 noire qui a été retenue pour lui.

En dépit de l'immense fortune qu'il avait faite, Michael ne laissait pas beaucoup apparaître de signes extérieurs de cette richesse. Mais il avait un faible pour les belles mécaniques, et plus particulièrement les voitures anglaises ou allemandes, dont les noms actuels rappelaient leurs ingénieux créateurs de l'époque des balbutiements de l'Automobile et que des générations d'ingénieurs avaient continués comme une dynastie : Daimler-Benz, Rolls-Royce, Bentley, Porsche et autres Bugatti. Quelque part, il aurait aimé que son nom soit lié plus intimement au produit qu'il avait créé et que ce dernier soit un peu plus rare, et donc plus précieux. Mais il ne pouvait pas non plus s'en vouloir du prodigieux succès qui avait fait traverser son invention dans le domaine des usages courants.

Tout de suite, il prend l'avenue de France en direction du lac Léman. Dans le lointain on peut déjà voir se dessiner la silhouette caractéristique du mont Blanc; il retrouve facilement le chemin de l'hôtel Métropole où il a ses habitudes. La suite qu'il occupe surplombe le jardin des Anglais et le lac. Il s'allonge sur le grand lit, prend le téléphone et en quelques mots confirme un rendez-vous pour 14h30; dans la foulée, il signale à la réception qu'on le réveille une heure avant puis, sans le vouloir, se laisse aller à une étrange rêverie nostalgique le ramenant longtemps en arrière.

*

* *

Michael se revoit quand il n'avait pas encore 20 ans. Il passait ses jours et ses nuits au sous-sol de la maison familiale à mettre au point un appareil électronique capable de vous être utile directement sur votre table de travail. Le terme de micro-ordinateur viendrait plus tard. Son père, qui enseignait la chimie à l'Université Stanford, l'assistait avec bienveillance et clairvoyance dans ses recherches peu conventionnelles. Le premier prototype fut monté de bric et de broc.

Le père-professeur avait compris qu'il fallait aller plus loin, mais l'esprit de la chose sortait trop de la voie normale et il lui était impossible de faire supporter les travaux de son fils par le biais de l'université. Un de ses correspondants en Europe lui fit savoir qu'il pourrait lui indiquer quelqu'un qui serait en mesure de l'aider. Et c'est ainsi que Michael se retrouva, par un petit matin frileux d'un mois de novembre, tout seul à l'aéroport de Genève avec une grosse malle. Il avait rarement quitté sa Californie natale et jusque-là, l'Europe avec ses capitales au passé historique chargé ne l'avait atteint qu'à travers ses livres et les dépliants des agences de voyage.

Le mécène qu'il devait rencontrer était un richissime homme d'affaires levantin, banquier à Genève de son état. Il se nommait Nabil Mostacci. Âgé d'une quarantaine d'années, Mostacci était issu d'une lignée de banquiers arabes installés à Beyrouth. Dans les années '50, ils avaient établi à Genève une tête de pont qui était devenue une des plus belles affaires bancaires sur cette place. Lui, Nabil Mostacci, en était l'unique propriétaire, ce qui faisait de son entreprise une banque privée. Quand on sait que par banque privée, la loi suisse précise que c'est une banque «où son propriétaire, un individu et non une compagnie, se porte garant personnellement auprès de tous ses déposants», on peut dire que bien peu de banques se disant telles sont *stricto sensu* dans la légitimité du texte. Or, l'établissement de Nabil Mostacci faisait partie de cette élite. Sa grande spécialité était le commerce. Il finançait pour le compte de ses clients des exportations et des importations en transit et, au passage, réalisait de fabuleux bénéfices.

Sans trop comprendre où il avait mis les pieds, Michael se retrouva en présence de Nabil Mostacci. Il entreprit de lui exposer son invention, peu à son aise dans ce double rôle de démonstrateur-vulgarisateur, et, de fait, se montra maladroit dans ses explications. Au point que Mostacci prit le pas en le coupant pour lui déclarer qu'il ne pensait pas que le marché fût prêt pour ce genre de produit.

– C'est parfait. Comme cela, au moins, je ne suis pas en retard, lui répondit du tac au tac Michael.

Ce fut un très bon point pour lui, tant la remarque avait de pertinence. Mais il n'en eut pas conscience, pas plus qu'il n'avait soupçonné que sa personne, plutôt que son produit, intéressait le banquier. Nabil Mostacci mit fin à l'entretien en lui demandant de laisser son prototype et lui promettant des nouvelles sous 48 heures.

Michael passa deux jours à flâner dans Genève. Il essaya d'y trouver l'esprit humaniste qui y avait soufflé au XVIIIe siècle, mais son esprit à lui s'y refusa, préoccupé comme il l'était de problèmes électriques et d'équations mathématiques. Deux fois par jour, le matin et l'après-midi, il vérifiait si un message avait été laissé à la réception de son hôtel. Au deuxième jour, alors qu'il rédigeait son courrier personnel dans le grand salon, on le fit demander. Le chauffeur de Mostacci lui rapportait son prototype en lui tendant une lettre dans laquelle se trouvait une invitation à déjeuner pour le lendemain.

C'est une grosse Mercédès noire qui vint le chercher à son hôtel et le conduisit à la Perle du Lac, sur la rive droite du Lac Léman. Comme la voiture parcourait au ralenti l'allée de gravier qui y mène, Michael put admirer le grand parc où se dresse le manoir dont le rez-de-chaussée et les terrasses, aménagés en salles de restaurant, étaient déjà un haut lieu de la gastronomie bien connu dans la région.

Devant le perron ouvragé de l'établissement, un chasseur en uniforme l'accueillit et le guida à l'intérieur. Ce fut vraiment pour Michael une entrée dans la cour des grands. Jusque-là, une bonne salade et un steak à point au *commons* du campus, avec un dessert glacé, avaient pu être un sommet culinaire apprécié de lui. Voilà que tout d'un coup il était plongé sans transition dans toute cette débauche de luxe et de savoir-vivre. Dans un petit salon, Nabil Mostacci l'attendait, assis dans un grand fauteuil à haut dossier et drapé à l'ancienne. Il s'entretenait avec un grand jeune homme très élégant, debout à côté de lui. Il laissa Michael s'approcher et lui présenta Abdul Shah, sans autre commentaire. Puis tous trois passèrent à la table dressée dans un coin, près d'une fenêtre avec vue sur le lac.

— Vous appréciez la cuisine française, monsieur McDougall, je suppose? lui demanda Mostacci.

— Eh bien, c'est que... heu... en Californie, je n'en ai pas souvent l'occasion, bredouilla Michael, un peu confus.

Tous ces noms inconnus sur le menu le plongèrent dans un abîme de perplexité: foie de canard, gratin de homard au gingembre... Pour l'entrée, il fit comme tout le monde et, à l'insistance du maître d'hôtel, opta sans fantaisie pour le foie de canard à la framboise. Ensuite, ce serait un turbot à la moutarde de Meaux. Quand le sommelier arriva avec son accoutrement bien particulier, il s'aperçut qu'il n'était pas encore au bout de ses découvertes. Ce n'était sûrement pas lui qui aurait pu s'opposer au choix du chablis grand cru Vaudésir qui avait fait l'unanimité des connaisseurs.

— J'ai obtenu un très bon rapport sur votre prototype, dit d'emblée Mostacci. C'est la raison pour laquelle j'ai organisé cette rencontre.

— Donc, vous participez à la commercialisation? enchaîna Michael.

— Ce n'est pas si simple. Car, voyez-vous, une de mes règles d'or est de ne jamais me substituer à mes clients. Chacun son métier. Je suis un financier, vous êtes des entrepreneurs. Que chacun fasse ce qu'il sait faire le mieux, sinon c'est le dérapage. Nous sommes donc prêts à vous fournir les capitaux dont vous avez besoin pour votre passage sur le marché. Mais il nous faut connaître les garanties que vous proposez.

— Ma seule garantie est le prototype ainsi que les droits enregistrés, répondit naïvement Michael.

— J'entends bien, mon cher Michael, mais ce n'est pas avec cela que l'on peut aller très loin. La garantie ne peut être aussi l'objet de la garantie! C'est pourquoi je vous propose les services de monsieur Shah qui pourrait entrer dans le projet avec une participation sur ses fonds propres à la hauteur de 50%.

— Et vous détiendriez l'autre 50%? dit Michael.

— Non, c'est vous qui en serez le maître. Car nous tenons à ce que vous assuriez la direction des opérations sur le terrain, c'est-à-dire chez vous, à Palo Alto. Pour notre part, nous nous chargeons du support administratif et comptable. N'est-ce pas, monsieur Shah?

– Tout à fait, acquiesça Abdul. Je dois dire que j'ai attentivement étudié le projet tel que me l'a présenté monsieur Mostacci, sous le sceau de la confidentialité, et je vous confirme que je lui vois un bel avenir. Mais comme pour tout grand bouleversement visionnaire, il faudra composer avec certaines réticences et attendre patiemment que les mentalités changent. Il y a donc une traversée du désert à prévoir; mais toute cette aventure technologique me plaît bien et vient à point nommé dans le fil de mes affaires.

– Eh bien, mes amis, tout semble se présenter sous les meilleurs auspices. Serrez-vous la main, Messieurs!

Les deux jeunes gens avaient obtempéré et échangé une longue poignée de mains par-dessus la table, tant et si bien qu'au bout de quelques secondes Mostacci s'était joint à eux en entourant cet accord de ses deux mains. Ils avaient levé un verre à la santé de ce partenariat dans l'œuf.

Le reste du repas s'était passé comme dans un rêve. Le chablis avait commencé à produire un effet légèrement euphorique chez Michael qui n'en avait pas l'habitude et qui n'en aurait pas eu besoin non plus pour savourer l'extase dans laquelle l'avaient plongé toutes ces bonnes nouvelles. Il avait saisi la première occasion pour s'isoler et s'emparer d'un téléphone afin d'en annoncer la teneur à son père:

– Ça y est, Papa! Tout est O.K., on continue!...

La sonnerie du téléphone tire Michael de cet état de demi-sommeil qu'il avait tout fait pour entretenir sans s'en rendre compte, tant l'évocation de ces réminiscences lui était agréable.

– C'est la réception, monsieur McDougall. Il est 13h30 et comme vous nous l'avez demandé...

– Je vous remercie, répond Michael en raccrochant aussitôt.

Il prend une douche puis quitte sa chambre.

Au volant de l'Aston Martin, il se dirige sur les hauteurs de Genève vers Cologny. Loin des regards indiscrets, comme on dit, Abdul Shah avait fait d'une immense villa son premier quartier général hautement gardé. Bien que ce ne soit pas son nom original, Abdul en parlait toujours en disant «le Nid d'aigle». En grand mécène des arts islamiques, il y abritait nombre de pièces rares d'une valeur inestimable. Des bronzes, céramiques, meubles et tapis venus des quatre coins de l'Islam garnissaient des galeries monumentales et il y avait même, pour la plus grande fierté de son propriétaire, des pièces originales citées dans le Coran.

– Salut, Michael! heureux que tu sois là, lui lance Abdul.

33

– Et alors, il faut que je me déplace si je veux te voir? Tu ne viens plus guère à Palo Alto, il faut croire que cela ne t'intéresse plus notre petit business?

– Arrête de te plaindre et donne-toi plutôt la peine d'entrer; je crois que l'on a des tas de choses à se dire.

Ils traversent le grand hall et arrivent sur une terrasse donnant sur une vallée avec en arrière-plan un massif montagneux. Ils vont tous deux jusqu'à la balustrade et se repaissent de cette quiétude immense qui semble monter jusqu'à eux du plus profond de la vallée.

– Tu vois, Michael, ici rien n'a changé. Toi non plus tu n'as pas changé. Toujours en ébullition? J'ai reçu ton fax dans lequel tu m'as exposé les grandes lignes de ton projet. Tu m'excuseras de ne pas t'avoir répondu, mais ces derniers temps j'ai eu à me débattre dans un océan de soucis et de contrariétés. Je n'avais pas la tête à ça, et puis je savais que tu allais venir.

– J'ignorais ta situation, et tu me vois désolé de l'apprendre. Je peux t'aider?

Abdul esquisse un sourire et lui fait cette réponse:

– Je crains bien que non, cher Michael. Je me demande sur ce coup-là si Allah lui-même, dans toute sa puissance, peut encore quelque chose!

– C'est donc si grave? s'inquiète Michael. Parle, je t'en prie.

Abdul n'en fait rien sur le moment. Par deux fois il se prépare à rompre le silence, mais les mots restent dans sa gorge, prisonniers d'une trop grande émotion. Après quelques instants d'intense réflexion, il lui dit d'un ton résigné:

– Tu vois Michael, quand un homme n'a pas de famille, cela doit sûrement être bien triste; mais au moins il se préserve d'un trop grand chagrin pour le malheur qui touche un proche. Et moi, en ce moment, mon cœur saigne car c'est par millions que mes frères de race sont atteints par une mousson de haine et de misère qui s'abat sur l'Islam. La fracture entre le monde des pauvres et celui des nantis est maintenant consommée et tous deux partent à la dérive l'un de l'autre. L'irréparable se commet chaque jour un peu plus et les leviers de commande nous échappent de la même manière. Et comme un malheur n'arrive pas seul, il semblerait que les seules forces vives qui se déploient soient celles de l'intégrisme et du terrorisme. Cela n'est pas nouveau. Talleyrand, cet orfèvre du comportement humain, disait qu'un mécontent, c'est un pauvre qui réfléchit! La conjoncture mondiale se charge d'affamer les ventres, et on a sur le dos une bande de crétins fanatiques qui agite les esprits. Tous les ingrédients sont là. Il n'y a plus qu'à craquer l'allumette.

Le calme de la vallée fait contraste avec les propos d'Abdul qui continue :

— Avant, les grandes puissances pétrolières du Moyen-Orient pouvaient tant bien que mal alléger certaines peines, mais depuis l'effondrement des cours elles doivent elles-mêmes faire face à des difficultés économiques. Exit la manne céleste ! Et ça, tous ne l'ont pas encore bien compris. Le coupable que l'on désigne du doigt – sur la gâchette en plus – est l'Arabie dont le roi et la famille royale sont devenus la cible privilégiée. Les Américains à côté n'auraient rien à craindre ! Pour cette raison je dois me rendre souvent dans mon pays, car je descends d'une grande famille de Nomades qui a toujours soutenu la légitimité. Ma présence les réconforte et les rassure.

Abdul se passe la main sur le front et enchaîne :

— La paix dans cette région ne tient qu'à si peu de chose que je me fais un devoir d'y contribuer. Aucun observateur crédible ne peut plus rapporter ce qui se passe de l'autre côté de l'Euphrate, le monde occidental, tout à ses propres peines, ayant capitulé de la mission de contrôle et de surveillance qui avait suivi la guerre du Golfe ; et mon intuition ne me dit rien de bon à ce sujet. Nous savons qu'un projet de panislamisme est en train de s'ourdir, avec le réveil d'une Grande Perse englobant tout, de l'Iran au Pakistan ! Tu vois le travail ? Pour les imams, les hommes politiques et les poètes, ce n'est pas un problème, alors que sur le terrain tout ce joyeux monde ne pense qu'à s'étriper dans des guerres civiles qui sont depuis l'origine des temps le seul mode de communication qu'on y connaisse. Et même avec la meilleure volonté, je ne vois pas de bout de tunnel. Tu comprends maintenant pourquoi j'étais tracassé ces derniers temps.

— Tu sais Abdul, j'ai conscience que ce que je vais te dire ne te consolera pas, mais je pourrais te brosser un portrait du monde occidental en focalisant sur les difficultés qu'il rencontre, et cela ne serait guère plus réjouissant. Certes je ne connais pas ce sentiment de souffrance collective, car il ne nous est pas inculqué dans nos cultures occidentales, mais je peux t'affirmer que je ne souhaiterais pas avoir un tel constat d'échec, avec tout son cortège de peines et de douleurs humaines, juste à côté de ma glace le matin quand je me rase ; car j'aurais du mal à regarder les deux en face. Chez nous aussi cela va très mal et des éléments incontrôlés prolifèrent. De simples incidents de rue tournent à l'émeute plus vite qu'une mayonnaise ne monte sous le fouet d'un expert-cuisinier. Los Angeles, Pittsburgh et plus récemment Miami ont connu des épisodes dignes de la prise de Fort Apache. Imagine des quartiers en flammes avec des populations retranchées et repoussant à l'arme à feu ceux qui tentent l'assaut pour les piller et éventuellement les tuer. L'armée ne peut que constater les dégâts et doit rester en retrait pour ne pas aggraver la situation. «Quand le foin manque à l'écurie, les chevaux se battent»... Malheureusement, ce dicton n'a pas de frontière! Et que penser de la secte de Waco au Texas et de l'infâme acte terroriste d'Oklahoma City, sinon comme d'une déstabilisation de notre société.

– Dans ces conditions, j'admire ton enthousiasme pour aller toujours de l'avant, Michael. Mais je me demande si ce n'est pas aussi de l'inconscience?

– «Science sans conscience n'est que ruine de l'âme». Cette phrase n'est pas de moi, Abdul, et si je n'avais craint de passer pour trop autoritaire, j'aurais volontiers imposé qu'elle soit inscrite à quelque endroit bien visible de tous les laboratoires et centres de recherche de notre société partout dans le monde. Je porte cela en moi depuis ma plus tendre enfance et, du sous-sol de la maison de Palo Alto à mon dernier-né de nos productions, ce concept ne m'a jamais quitté et j'ai veillé à ce que personne de mon entourage ne s'en éloigne jamais.

– Et que va nous donner la gravité légère ainsi que le don, par autre que Dieu, d'une vie de 200 ans? 200 fois plus de misères, de haine et de discrimination entre les hommes!

– Abdul, tu es cynique. Mais je te connais et je sais que ce n'est pas ton état normal. Laisse-moi te parler, je suis sûr que j'ai de quoi te remonter le moral dans ma besace. Tu fais, tout comme moi, la constatation que notre bonne vieille Terre est en train de perdre la boule. Mais admettons qu'il y a de quoi! J'ajouterai que nous y sommes tous pour quelque chose et moi-même un peu plus que la moyenne. Je m'explique. On estime que depuis le début de ce siècle la somme des connaissances scientifiques a doublé tous les quatre ans. C'est une masse énorme à gérer et il faut nous rendre à l'évidence: nous ne savons pas le faire. Résultat, on est dépassés par les événements avec nos mentalités et nos croyances qui, elles, avancent moins vite. Et tout cela fait un beau clash. Tu te rappelles la C.A.O., cette idée de Conception Assistée par Ordinateur, ça, c'était nous. Eh bien, elle a permis des progrès considérables dans l'industrie ; puis elle a fait tache d'huile et maintenant, il serait bien difficile de trouver un domaine où ce procédé ne se soit pas étendu. Progrès bien apprécié d'un côté mais avec un corollaire fâcheux : le chômage s'est accru. Comment aurait-on pu faire pour éviter cela? Compte tenu du nombre de paramètres, la modélisation était inconcevable. Et j'en arrive à la notion de décision assistée par l'ordinateur ou, si tu préfères, d'Intelligence Artificielle. Et voilà, ce qu'elle peut t'apporter ma gravitation légère. La dernière génération de microprocesseurs a encore surpassé les fameux Pentium : ils franchissent le cap du milliard d'informations par seconde ! Les problèmes d'échauffement sont tels que, même avec l'apport d'une technique de refroidissement par des micro-radiateurs à l'azote liquide, on sait qu'en s'approchant du zéro absolu, on va vers un plafonnement inévitable. Or, pour vraiment parler d'intelligence, il faudrait que ce cap du milliard soit dépassé d'un facteur 100. Et il n'y a que dans l'Espace que l'on puisse envisager une telle manœuvre.

Le temps s'est tout d'un coup assombri et quelques gouttes de pluie commencent à tomber. Les deux hommes font retraite à l'intérieur et prennent place devant une magnifique cheminée dans laquelle quelques bûches se consument sans flamme. Michael saisit un tisonnier avec lequel il entreprend de stimuler le lit de braises. Immédiatement, une belle flambée reprend.

– Voilà ce qu'il lui faut à notre cher Monde, commente-t-il.

– Michael, tu sais bien que je te fais une confiance absolue ; la dernière fois que tu m'as embarqué, j'ai fait cent fois ma mise et j'ai également rencontré un ami, un vrai. Comment pourrais-je te refuser quoi que ce soit aujourd'hui? Bien sûr, je suis avec toi. Mais j'ose te l'avouer, tu me fais un peu peur avec ce projet de décision assistée. J'ai toujours pensé que dans les méandres du mystère qui entoure une prise de décision, il y avait quelque part la marque de l'intervention divine. Et je me fais mal à l'idée de passer outre. Mais enfin, il nous sera toujours possible de décider si on la branche ou pas ta machine... quand elle existera.

– Vous autres, les Orientaux, vous savez y faire pour toujours retomber sur vos pattes, conclut Michael.

De retour au Métropole, il passe la soirée dans sa chambre où il s'est fait monter un repas. Le lendemain matin, après quelques emplettes en ville, notamment des havanes dans un magasin renommé, il file en empruntant le col du Pilon et les Diablerets vers Gstaad pour y respirer l'air revivifiant des montagnes.

La voiture qui conduit John et Gerry vers la Maison-Blanche emprunte George Washington Memorial Parkway et longe la rivière Potomac. Malgré le blindage que leur procure l'expérience de dizaines de rencontres au plus haut niveau avec des chefs d'État ou de gouvernement, une journée qui commence par un tête-à-tête avec le Président des États-Unis n'est pas tout à fait une journée comme les autres.

Gerry avait fait parvenir au Président, par la voie officielle, une demande d'audience qui avait immédiatement suscité une réponse de son Premier Secrétaire, auquel il a ensuite brossé les grandes lignes du projet. À partir de là, date fut prise et la procédure s'est enclenchée : arrivée la veille à Washington, résidence assignée dans un grand hôtel et prise en charge par la garde présidentielle qui assure toute la logistique d'une telle rencontre. Dans ces conditions, les formalités de sécurité d'usage sont simplifiées et, aujourd'hui, les deux hommes accèdent rapidement au fameux bureau ovale du premier étage de cette immense bâtisse blanche, symbole de la toute-puissance américaine.

Tous les deux ont déjà rencontré à plusieurs reprises le chef d'État, mais jamais en si petit comité et pour une requête aussi personnelle. Par contre ils l'avaient bien connu du temps où il était gouverneur d'État et encore plus quand il était aux Finances. Ils pensent certainement à cela pendant qu'ils sont dans l'antichambre et cela contribue à les conforter dans une certaine sérénité avant cet entretien d'une importance capitale. Leur attente n'est pas longue et une assistante les introduit dans le bureau présidentiel.

Le Président est en conversation téléphonique, à son bureau mais face à la fenêtre ; à l'arrivée de ses hôtes, il fait pivoter son siège, s'interrompt et les salue en leur faisant signe de prendre place. Il conclut rapidement son entretien tandis que son conseiller s'installe et que l'assistante se retire en refermant la lourde porte capitonnée.

– J'accueille le Commerce et l'Industrie et j'apprécie votre présence. Cela va me reposer un peu du verbiage des politiques ! Vous savez, ce qui se trame au Congrès..., dit le Président en faisant allusion à la session qu'il aura dans l'après-midi, toujours délicate pour lui et son gouvernement.

Tout en parlant, le Président s'est levé de son siège et est venu leur serrer la main, puis il s'assied sur le bord du bureau. Le Premier Secrétaire lui remet une plaquette illustrée sur laquelle est inscrit «UTOPIA» et lance:

— Tout un programme! Gageons qu'il le soit aussi du point de vue électoral!

L'atmosphère se détend d'un coup et l'on sent tout de suite qu'elle devient propice à un échange de qualité entre les quatre hommes. Le conseiller ajoute:

— Remarquez, monsieur le Président, qu'en plus ils ne viennent pas nous voir pour que l'État mette la main à la poche.

— Vous êtes des gens rares, par les temps qui courent, commente le Président. Demandez-nous du café... ce n'est pas encore l'heure pour une fine, dit-il en regardant sa montre et retournant s'asseoir à son bureau.

Le ton de la discussion ne fait plus maintenant aucun doute et l'humeur du Président, qui bien sûr était au courant du projet, est excellente. Il feuillette le dossier UTOPIA et semble rêveur:

— Infiniment plus passionnant que les amendements interminables et tortueux des propositions de loi de finance! Et en plus, vous pouvez vous passer d'EUX! dit-il en pointant un doigt en direction du Capitole, tout proche.

— Enfin, votre accréditation nous ferait le plus grand bien, dit John. Et puis, nous ne vous excluons pas. Il est évident pour nous que l'État américain sera un client privilégié et prioritaire. Le Pentagone y sera chez lui car, bien entendu, cette plate-forme spatiale est une pièce maîtresse dans ce que l'on appelle «la guerre des étoiles». Quant à la NASA, autre grande fierté de notre pays, il est hors de question de se passer de ses services. Il faut qu'elle fasse partie intégrante de notre projet. Il faut qu'on en parle.

— Bien sûr, bien sûr... dit le Président en se tournant vers Gerry, comme pour lui donner la parole.

— Notre intention est d'établir au Texas la base terrestre d'UTOPIA. C'est là que se feront les études biologiques, la construction des machines et la formation du personnel «utopicain». Vous n'aurez aucune objection locale à ce que le secteur aérospatial redémarre avec un tel booster...

— J'en conviens...

— ... La zone de lancement sera particulièrement active et comme on prévoit des jours fastes avec plusieurs lancements par jour, on restera axé sur Cap Canaveral, tout en amorçant une étude pour trouver de nouveaux sites. Petit problème annexe: il serait préférable que la direction de l'agence spatiale revienne à notre spécialiste-maison le Dr Max Kopel, qui se qualifie tout à fait pour la nouvelle situation; alors que le directeur actuel donnait toute satisfaction dans son rôle de dirigeant de transition. Pour cela il nous faudrait votre feu vert.

— C'est sans problème, lui confirme le Président.

Puis, après un petit temps de réflexion, il s'adresse à John cette fois et lui demande:

— Et quel drapeau flottera sur UTOPIA?

— La Bannière étoilée! lui répond-il avec un brin de fierté. Bien sûr il faudra que vous nous aidiez, si cela vous agrée, pour introduire et soutenir de tout votre poids la modification de Constitution indispensable à ce que le drapeau arbore une étoile supplémentaire, puisque dans notre esprit cette colonie de l'espace deviendrait le 51e État de l'Union. Je vous rappelle, monsieur le Président, que la dernière fois que cela s'est produit pour l'Alaska et Hawaï, il s'agissait aussi d'États extra-territoriaux et que la philosophie avec laquelle on avait agi à l'époque va dans le même sens que l'esprit avec lequel cette extension va se faire.

— Oui... oui, murmure le Président, pensif.

— Nous aurons aussi besoin du pouvoir fédéral de façon à ce qu'une législation particulière soit mise en place et régisse les problèmes éthiques et politiques; nous savons que dans ce domaine de grandes difficultés nous attendent. De plus, tous les néo-colons ne seront pas des citoyens américains...

— À propos, combien de particuliers vous ont déjà donné leur agrément pour cette aventure? interrompt le Président.

— Plus de 3 000, répond John.

— Étonnant!... Et pour parler concrètement: où en êtes-vous de votre projet?

C'est le Premier Secrétaire qui lui répond:

— En stand-by, monsieur le Président. Ces messieurs ont eu l'élégance de ne pas aller plus avant dans leur projet sans vous en avoir parlé et ils n'envisagent aucune alternative sans qu'elle n'ait recueilli votre approbation.

— J'apprécie, Messieurs, et je vous en remercie. Je me réjouis par ailleurs de constater qu'il existe encore des hommes comme vous dans ce pays, pour concevoir des projets de grande envergure et qu'en plus vous essayez de ne pas ouvrir le parapluie de l'État-Providence! Ah! si seulement vous étiez plus nombreux dans ce style! Vous avez tout pour aller loin dans cette voie extra- terrestre. Au nom de l'État américain, je formule tous mes souhaits pour que vous aboutissiez. Je vous ferai connaître ma réponse sous quinzaine et, quelle qu'elle soit, sachez que je suis de tout cœur avec vous. Bonne chance, Messieurs.

Ce disant, le Président s'est levé et vient saluer ses hôtes, leur signifiant la fin de cette entrevue.

Téhéran, Iran

L'Antonov 24 des lignes aériennes soudanaises est en approche basse pour son atterrissage à l'aéroport Khomeyni. Pour l'équipage ouzbek qui est aux commandes, cette procédure est devenue une routine car c'est bien souvent ici qu'ils achèvent ces vols particuliers et même un peu spéciaux qui ne laissent aucune trace sur les dépliants des agences de voyage. Venise, Paris ou Athènes ne font pas partie des destinations envisageables. De Tripoli, Alger, Khartoum ou Damas, c'est plutôt ici, à Téhéran, que convergent les routes de la fine fleur du Gotha terroriste international.

Dans la carlingue, un jeune homme en tenue militaire de ville, sans insigne, fait office de steward et assure un service très simplifié. Pas de femme à bord. Vol kaki. À part trois ou quatre personnes en costume civil et un religieux avec un turban sur la tête, tous les passagers ont des uniformes militaires bien peu justifiés en cet endroit: tenues de campagne. Le foulard palestinien est plus arboré que porté et l'arme à feu apparente qui brinquebale à la hanche rappelle leur souci constant que leur action soit bien saisie par l'autre comme une lutte armée sans merci ni repos.

Mais les 28 sièges qui bordent le petit couloir central ne sont pas tous occupés. À l'avant, voyageant apparemment seul, les fauteuils derrière lui et à côté étant vides, un homme d'une quarantaine d'années, les cheveux et la barbe noirs et courts, remet des dossiers dans un attaché-case et regarde par le hublot le paysage qui devient de plus en plus détaillé au fur et à mesure de la descente. Il est vêtu d'un costume noir sans revers de veston, très strict, qui couvre une chemise blanche à encolure russe brodée ton sur ton.

Une fois posé, l'avion ignore le bâtiment principal de l'aéroport et roule vers des installations au sol de taille plus modeste, un peu à l'écart. Tout le monde a oublié que c'est là, à l'époque, qu'était garé le Boeing 707 impérial et que se situait le salon d'honneur pour la réception des hôtes de marque. Le voyageur en noir, lui, s'en souvient. Il avait vu tout cela.

Les formalités sont vite expédiées car la plupart des passagers sont comme lui : sans bagages, avec passeport diplomatique. À peine entre-t-il dans le hall climatisé de la micro-aérogare qu'un homme, lui ressemblant comme le font deux gouttes d'eau, s'avance et lui dit :

— Homayoun ! Bienvenue sur le sol sacré de notre Mère Patrie...

Il le salue à l'orientale et enchaîne :

— Vous avez du retard, faisons vite. La réunion est en train de commencer. Par ici !

L'homme prend le petit bagage en cuir qu'Homayoun avait gardé avec lui dans l'avion. À la porte, une Mercédès noire les attend, moteur en marche, avec une escorte de deux motards. La route encombrée se dégage devant eux et en moins de trois quarts d'heure ils sont à destination, en plein centre-ville, au bâtiment qui abrite les services de la Sûreté nationale. Cet endroit, il le connaît bien ! Du temps du shah, c'était le quartier général de la Savak, la police politique du régime impérial. Elle avait plutôt mauvaise réputation ; quelques centaines d'opposants y avaient été maltraités et on ne sait ce que nombre d'entre eux avaient pu devenir. Mais c'était une bluette en comparaison de ce qui était venu après. La Pasdar, héritière zélée de cette époque artisanale avait, et de beaucoup, dépassé tous ces chiffres : son palmarès évoquait plutôt ceux d'une entreprise industrielle. Les temps avaient changé, mais pas la bâtisse !

Homayoun tient une place importante dans le régime actuel. Il est l'homme de confiance des ayatollahs pour ce qui concerne surtout la politique étrangère, ce qui, depuis la fin des guerres arabo-persiques, peut se résumer plus simplement en disant qu'il est le général en chef de toutes les armées confédérées des terroristes islamiques du djihad. Dans ce domaine, il est aussi leur homme à tout faire. C'est qu'il en a parcouru du chemin, le monsieur, depuis sa jeunesse.

*
*   *

De son père, personnage important du régime sous la gouverne du shah, il avait reçu le goût du pouvoir et avait compris qu'un fossé

42

énorme et infranchissable demeurerait à jamais entre les classes privilégiées et le peuple qui, dans certains endroits, vivait encore comme au Moyen-Âge. Alors, comme toute la jeunesse dorée du pays, il a voyagé et étudié à l'étranger. Il a su apprécier le raffinement culturel des Européens. Il s'est initié à la finance à Londres, s'est intéressé aux grandes technologies en Allemagne, à l'art de vivre à la française à Paris et au farniente sur les lacs italiens. En prime, chaque fois, il acquérait la connaissance de la langue.

Quand vint le temps d'envisager des études supérieures, il choisit sans hésiter le savoir-faire inégalé des grandes universités américaines. Mais contrairement à beaucoup de ses amis qui s'inscrivaient presque tous en économie, en droit, en politique ou en médecine, il se décida pour la psychologie à la faculté de San Diego. On était alors à la fin des années '70, qui sonnaient aussi le glas pour le règne de la dynastie Pahlavi sur le trône impérial de l'Iran.

Il terminait sa première année quand son père, pressentant le pire, le somma de retourner au pays immédiatement pour prendre la défense du régime. Homayoun fit la sourde oreille à cet appel. Bientôt, on lui coupait les vivres, puis tout alla très vite en Iran. Le shah partit en exil et après lui, ce fut le déluge. Le père d'Homayoun fut exécuté et sa famille, détruite.

En Californie, pour la première fois de sa vie, Homayoun se sentit seul... mais pas tant que cela. Une banque lui avait fait un prêt et il pouvait envisager la fin de ses études sans soucis matériels. Au campus, il vivait à côté des étudiants américains, sans vraiment vivre avec eux. Il voyait d'un très mauvais œil les activités plutôt licencieuses auxquelles ils se livraient à heures et jours fixés avec la bénédiction de tout l'establishment : monômes tournant à l'orgie, drug-parties, abus de tabac et d'alcool. L'Amérique, vue sous cet angle, le dégoûtait. Il ne pouvait supporter l'idée de rester en Californie pour le restant de sa vie, à s'occuper comme psychologue de petits merdeux, nés avec une cuiller d'argent dans la bouche et qui avaient du mal à digérer le troisième remariage des parents ou encore, qui angoissaient dans l'attente que la terre tremble à nouveau.

Les difficultés que connaissait son pays l'avaient rapproché d'autres étudiants iraniens délocalisés comme lui. Ce fut pour lui l'occasion d'apprendre que les nouveaux hommes au pouvoir ne seraient pas hostiles au retour de repentants sincères et exemplaires, afin de donner plus de crédit à leur cause. Et c'est ainsi qu'il prit la décision d'un grand voyage, aller simple, pour son pays natal qui était livré, pieds et poings liés, aux ayatollahs. Le risque était énorme; la mise à l'épreuve et la remise en conformation furent terribles. Mais avec sa force de caractère fraîchement acquise en même temps que la révélation divine, Homayoun sut s'en tirer et connut une progression rapide.

Ainsi, c'est à lui que l'on s'est empressé de confier les missions délicates. Pendant la guerre Iran-Irak, ce n'est pas le front qui l'intéressait. C'était trop technique et ne concernait que les militaires. Lui, il préférait les lignes arrière où l'on pouvait façonner les esprits et prévoir les défaillances de l'âme. Jeter une armée de gosses de dix ans sur un champ miné faisait alors partie des choses à faire. Et il s'en est acquitté. L'assassinat de Shabour Bakhtiar, un ami de son père, qu'il avait conçu et réalisa à Paris en 1991, a été l'un de ses faits d'armes importants à l'extérieur du pays. Cette mort devait d'ailleurs symboliser aux yeux du monde le début des grands défis à relever pour l'honneur islamique.

Depuis quelques années, on lui a confié une mission au-dessus de toutes les autres. Il doit, rien de moins, s'assurer que la Grande Illumination, celle qui dispense de tout autre éclairage, ne vienne pas à manquer là où il semble bon à quelques-uns qu'elle soit... et aussi, par la même occasion, sanctionner rétroactivement tous ceux dont les pensées malveillantes venues de l'Occident ont pour effet de la voiler. Tout un programme! qu'il accomplit scrupuleusement. S'il a encore dans ses cartons l'ordre d'exécution de Salman Rushdie, l'auteur des *Versets sataniques*, condamné à mort par le Tribunal islamique pour ses écrits, c'est parce que l'individu est protégé par les Services secrets anglais et qu'il est impossible de l'atteindre sans provoquer une hécatombe autour de lui. Un tel choc frontal avec un pays militairement puissant fait quand même un peu peur aux gens de Téhéran et, de ce fait, Homayoun attend le moment de passer aux actes.

Il a établi son quartier général dans le désert du Dar Fur, au Soudan. Ce pays très pauvre et politiquement très faible lui laisse faire ce qu'il veut du moment qu'il protège les hommes en place au pouvoir qui doivent faire face à un état de rébellion constant de la part de plusieurs ethnies. Ce problème étant insoluble localement, tout le monde trouve son compte à cet arbitrage par Iraniens interposés.

En surface, le camp du Dar Fur est un camp d'entraînement paramilitaire comme il en existe des centaines. Les satellites d'observation en ont fait un relevé assez détaillé; on sait que 1 000 à 1 500 hommes y séjournent en permanence. Mais on devine aussi que quelque chose se passe dans son sous-sol et personne n'a pu y être infiltré et en revenir. En fait, Homayoun et ses services récupèrent comme des fourmis tout ce qu'ils peuvent du combustible nucléaire qui se trafique de par le monde et pour lequel existe même une cotation sur le marché occulte. Et c'est sous le sable chaud du désert soudanais que l'Iranien entrepose son butin en attendant de le réexpédier vers son destin final.

Pour l'heure, ce n'est pas du Dar Fur qu'arrive Homayoun, mais de Tripoli où il a passé plusieurs jours avec les chefs militaires et le chef de l'État pour une mission secrète d'une extrême importance. Et c'est pour en rendre compte qu'il a convié à une réunion extraordinaire les plus hautes autorités de son pays, ainsi que celles de puissances amies et alliées. De l'Irak, le ministre de la Guerre en personne a fait le déplacement.

Une carte d'état-major apparaît sous le faisceau d'un projecteur. Homayoun commence son exposé. Tout le monde retient son souffle.

— Frères! L'heure de la vengeance a sonné. Il est temps que le Fornicateur Yankee paie pour ses crimes...

Puis il expose un plan d'une rare audace et d'une violence incroyable. Pas une attaque terroriste, mais un véritable acte de guerre, sans déclaration ni sommation.

— Les avions décolleront de cette base avec un armement de...

Quand il a fini, Homayoun les regarde droit dans les yeux et ajoute:

— C'est une mission qui comporte un grand péril, car même si Dieu est avec nous, comme du temps des premiers compagnons – Dieu les bénisse – qui ont répandu l'Islam à travers le monde, l'ennemi renferme Satan dans ses flancs. Cette bête immonde ne saurait périr d'un seul coup, même s'il est terrible.

— Nous ne la craignons pas!

— Elle ne vaut pas la poussière sur nos semelles, reprend une voix dans l'assistance.

— Souvenez-vous de la guerre du Golfe, dit le maréchal irakien. Les Yankees ont eu 15 morts... nous, 150 000! et ce sont eux qui sont partis les premiers. Ce sont des lavettes! Ils n'oseront pas riposter. Donc nous n'avons rien à craindre. Nous avons raison et je suis sûr que ce plan peut marcher. Je l'appuie sans réserve.

– L'Islam est Dieu et notre Conscience. C'est de là que nous vient notre mission sacrée. Allah est grand! hurle Homayoun en levant les bras au ciel.

Détroit, Michigan

Dix jours après la visite à la Maison-Blanche, une missive un peu particulière rejoint l'abondant courrier personnel qui était chaque jour adressé à Gerry. Miss Francis a repéré la lettre de la Maison-Blanche et c'est elle-même qui la lui apporte, toujours cachetée du sceau présidentiel. Elle croit bon d'ajouter avant de se retirer:
– Je pense que c'est important!
Un peu nerveux, Gerry décachète le pli et peut y lire:

Cher monsieur Limata
Suite à notre rencontre au cours de laquelle vous nous avez exposé le projet UTOPIA, il m'est agréable de vous confirmer notre support pour cette entreprise.
Nous porterons devant le Congrès le projet de création d'un nouvel État américain et nous appuierons la demande faite pour que la NASA participe aux phases d'étude et de réalisation d'UTOPIA.
Cette Administration vous souhaite le plus grand succès dans votre colossale entreprise.
Dieu bénisse les États-Unis d'Amérique.

Signé
Le Président

Gerry reprend sa lecture plusieurs fois puis, fébrile, appelle Miss Francis.
– C'est tout bon! se contente-t-il de lui dire. Faxez-moi tout de suite ce document pour John Matthews à New York!
Quinze minutes plus tard, il avait John au téléphone. Les deux compères se congratulent sans pour autant sombrer dans les délices de Capoue. Ils décident immédiatement que le Conseil d'administration fera sa première réunion dans les dix jours. Et d'y travailler d'arrache-pied.

À 8h15, comme chaque matin Tanya quitte le trois-pièces au 10e étage de l'immeuble où elle habite sur Central Park West. Elle marche d'un pas décidé vers Columbus Circle et dès qu'un taxi se présente, elle le prend pour aller à la Banque.

Si ce n'était de son tailleur bleu marine de chez Valentino, à peine égayé d'une fine parure dorée aux manches et à l'encolure, et de sa serviette en cuir beige, on pourrait la croire en route pour un cours à la faculté, tant elle fait jeune avec ses longs cheveux châtains qui lui tombent sur les épaules. Ses joues colorées, à peine fardées, lui donnent une mine enjouée et l'on aurait du mal à se figurer que, pendant les douze heures qui vont suivre, une tâche si importante l'attend.

À 35 ans elle occupe une des vice-présidences de la Banque. Ses bureaux sont voisins de ceux de John au dernier étage du building. Ils sont tous les deux branchés sur la même longueur d'onde et le duo qu'ils forment est d'une remarquable efficacité. Tour à tour lieutenant, bras droit, cerveau gauche, source d'inspiration ou éminence grise, elle fait jouer au service du Grand Patron toutes les teintes de sa palette et il n'est de jour qu'il ne sache les apprécier.

Mis à part ce travail dans l'ombre de John, sa véritable fonction en temps que vice-présidente est d'assurer la coordination de toutes les directions générales de la Banque et ce n'est pas une mince affaire quand on sait qu'en plus des vingt directions générales à travers le monde, il y en a aussi une vingtaine d'autres sur le territoire national, responsables de mandats plus particuliers. L'une d'elles assure le système bancaire pour toutes les troupes américaines basées à l'extérieur des États-Unis. Une autre est spécialisée dans l'import-export des produits céréaliers et gère la plupart des transactions qui s'y rapportent. Les directions générales à l'étranger sont toujours basées sur des places financières importantes: Paris, Londres, Tokyo et Hong Kong sont les principales. Chacune constitue une organisation bancaire complète avec un président, un directoire et une trésorerie qui lui est propre: des services spéciaux infiltrent les milieux d'affaires et recueillent toutes sortes d'indices économiques et autres rumeurs politico-financières.

Chaque jour tous les passifs et actifs de ces directions sont télécopiés à New York au siège de la Banque. Avec une quinzaine de collaborateurs sous ses ordres, qui dépouillent ces informations et les classent, il revient à Tanya d'en tirer toute la quintessence.

Après ce travail de fourmi, il faut encore qu'elle ait les idées claires pour extrapoler sur ces données, but ultime de toutes ces manœuvres.

Ces dix dernières années, trois gros dossiers étaient sortis du lot et avaient demandé un traitement particulier.

Tous trois étaient liés avec ce qui s'était passé à la fin des années '80 en Europe. Le Communisme s'y était effondré tout d'un coup sans prodrome, rendant l'âme (celle que les philosophes Marx et Engels lui avaient ébauchée) comme il avait vécu: sans éclat ni panache. Rarement, dans son écriture, l'Histoire avait-elle tourné une page de son grand livre de façon aussi peu prévisible; tout au moins à court terme. Le monde occidental de cette décennie s'accordait pour penser qu'un tel régime ne pourrait pas durer encore bien longtemps. Surtout depuis l'avènement des satellites de communication qui ne permettaient plus de tenir verrouillées les pensées des gens, sous prétexte qu'ils se trouvaient en deçà ou au-delà de telle ou telle frontière géo-politique. Le système était critiqué de l'extérieur et la contestation se faisait de plus en plus précise à l'intérieur mais aucun politologue ne s'était hasardé à en imaginer l'issue. Un peu comme devant un volcan ou un tremblement de terre: on sait mesurer la montée en pression du phénomène, mais on est moins à son aise pour prédire et décrire son irruption.

Et qui aurait pu dire, au temps de la guerre froide, que ce régime finirait – et c'est tant mieux! – comme un pétard mouillé?... avec la piteuse, sinon franchement pitoyable fin de certains de ses illustres dirigeants, plus semblable à l'épopée des chefs d'une république bananière qu'à la chute d'une grande dynastie. On pensait alors qu'il faudrait une guerre atomique pour y arriver. Et quelques jeans sur de la musique rock auront suffi.

Après ce grand naufrage des pays du Rideau de Fer, l'Occident essayait tant bien que mal d'aider au sauvetage. Mais hélas! les mains des naufragés ne se tendaient que pour recevoir, sans trop penser qu'il était souhaitable aussi qu'elles s'agrippassent un peu. Le vent de liberté qui avait soufflé avait aussi réveillé de vieux démons et l'on voyait plus de savoir-faire se développer dans les petites combines que vers les efforts de redressement national. Les thermomètres d'ambiance que les observateurs économiques avaient placés ne quittaient pas les zones où le froid conserve tout, comme dans les steppes russes. Le piratage des marchandises était une institution, l'insécurité de règle et le bakchich une norme. En ajoutant à tout cela un fond de guerre civile, on comprenait tout à fait que l'arrivée des investisseurs ait été timide. Il en allait ainsi pour tous les pays de l'ex-bloc communiste.

Les choses se présentaient mieux pour l'Allemagne de l'Est qui avait la chance d'avoir un tuteur tout désigné avec son homologue de l'Ouest. En Europe, on avait vu cette résurgence d'une Grande Allemagne d'un mauvais œil et craint que cela n'achevât son accession au statut de grande puissance. Mais en fait, en 1945, les vainqueurs lui avaient bien coupé une jambe et arraché un bout de cœur; ils n'avaient pu lui rendre, quarante ans plus tard, qu'une jambe de bois. Encore l'Allemagne découvrait-elle, les joies des retrouvailles passées, qu'ils y gardaient attaché un boulet de bagnard.

À l'opposé, la Chine avait su prendre ce souffle de liberté toutes voiles dehors. En avait résulté un prodigieux essor économique. «Quand la Chine s'éveillera...» prédisait-on en Occident dans les années 1970. Elle était, à l'aube du XXIe siècle, un des plus grands centres de production de la planète. La progression y était constante et Tanya avait remarquablement bien joué cette carte. La direction générale de Shangaï était maintenant la plus importante à l'extérieur des États-Unis avec un effectif de 8 000 personnes et des actifs représentant plus du quart des actifs globaux de la Banque.

Juste à une encablure, un autre super-grand commençait à se pointer: l'Inde, qui passait directement du sous-développement à la puissance industrielle. Mais son avenir économique n'était pas aussi brillant car, de l'avis général, ce pays en avait encore pour des années à se débarrasser des fléaux qu'il traînait derrière lui comme des casseroles: surpopulation, tabous encore vivaces, rivalités ethniques et religieuses. Malgré cela, la Roupie talonnait le Yunan et caracolait dans le groupe de tête des monnaies fortes; Tanya veillait à ce que la succursale de Bombay qu'elle avait contribué à mettre sur pied ne soit pas traitée en parent pauvre. Elle y détachait toujours des éléments de valeur afin de la conforter dans son ascension prometteuse.

Quant à ces pays du sous-continent européen, Iran, Irak et Pakistan, il devenait de plus en plus évident qu'un problème délicat se profilait, avec la situation dans laquelle ils se trouvaient. Le dossier épaississait à vue d'œil chaque jour et requerrait de la part de Tanya une attention constante.

À 9h25, ce matin-là, elle reçoit un appel du bureau de John la demandant pour 10h à sa salle de conférence. Ce genre de convocation impromptue n'était pas dans les habitudes de la Maison. Tanya expédie les affaires courantes et prend avec son assistante personnelle les dispositions nécessaires pour se libérer à l'heure dite et pour une durée indéterminée.

Quand elle entre dans la salle, elle reconnaît tout de suite Gerry. Elle lui serre la main, ainsi qu'à John qu'elle n'avait pas encore rencontré ce matin, refuse la tasse de café qu'on lui avance gentiment et sait déjà qu'UTOPIA sera au cœur de leur entretien. John le confirme dès ses premières paroles :

— C'est à propos d'UTOPIA que je souhaitais vous rencontrer tous les deux. Tanya, vous connaissez ce programme ; nous avons planché pas mal dessus ensemble avec le groupe que nous avons formé à la Banque sur cet avant-projet. Vous saviez déjà que Gerry en avait accepté la présidence générale et je vous apprends que nous avons reçu du Président des États-Unis confirmation écrite de son feu vert pour ce programme. À nous de jouer !

Il tenait à la main tout en parlant le document original que Gerry avait pris soin d'apporter pour cette occasion et le tend à Tanya comme s'il avait besoin de lui fournir un gage du bien-fondé de ce qu'il disait. D'habitude ce genre d'information entre elle et John se faisait par mémo et le caractère de cette réunion, plus ou moins hâtivement organisée et en si petit comité, l'intriguait un peu. Mais il faut dire que depuis que John était sur UTOPIA — sa danseuse, comme Tanya la nommait secrètement en elle-même — bien des choses avaient changé à la Banque. UTOPIA avait tous les droits. Priorité absolue sur tout le reste. On ne comptait plus les rendez-vous reportés, les réunions annulées et les séances où il se faisait remplacer. Ce qui auparavant relevait du domaine de l'impensable.

— L'enfant se présente bien ! Vous devez être contents ? leur dit Tanya en portant son regard de l'un à l'autre.

— Plus que cela ! Emballé. Rajeuni. Impatient. N'est-ce pas pareil pour toi, John ?

— Bien sûr que oui et c'est pour cela qu'il n'y a pas une seconde à perdre. Dans une semaine, nous tiendrons la première réunion du conseil d'administration de la Société UTOPIA qui sera en charge du programme pour son entière réalisation. Le match va commencer. Le cinq majeur ne pose pas de problème puisque Michael, Tom, Max et Kiyomi m'ont tous confirmé leur accord. Je me propose, et après mûre réflexion, m'accepte pour la cinquième direction. Gerry est au-dessus de la mêlée à la présidence du club. Maintenant, il ne nous manque plus que de dénicher un coach pour le *Dream Team* et pour ce poste-clé...

John fait une pause, se lève, s'approche de Tanya et lui met la main sur l'épaule :

– ... ma chère Tanya, Gerry et moi ne voyons que vous. Déjà que vous n'auriez réussi à la Banque que la moitié de ce que je vous ai confié, pour UTOPIA, je vous signe des deux mains... si, bien sûr, vous nous faites la grâce d'accepter le poste de Directeur général que nous vous proposons avec pour mission spécifique de veiller à l'exécution des résolutions du conseil d'administration et à la bonne marche des opérations. C'est une tâche gigantesque, mais je suis prêt à me passer de vous à la Banque, sachant pertinemment que vous n'y serez pas remplacée, pour vous avoir avec nous sur ce coup-là.

Tanya est figée de surprise, puis d'une voix posée mais un peu nerveuse, elle dit :

– Je suis sincèrement honorée que vous m'ayez mise sur la liste des candidats pour pourvoir ce poste et je vous en remercie...

– Je vous coupe, Tanya, dit John en retournant s'asseoir, mais je tenais à vous dire que dans mon esprit il n'y a jamais eu de liste, si restreinte soit-elle, pour ce poste et nous n'y avons pas encore imaginé quelqu'un d'autre que vous.

– Merci encore. Décidément, vous me flattez.

– Et ce n'est que justice.

– Je voulais vous demander s'il est prévu que le directeur général puisse assister aux réunions du Conseil ?

– Il le peut et de surcroît il le doit. Mais par contre il ne peut pas prendre part au vote.

– C'est évident, répond Tanya faisant allusion au fait que cet administrateur n'engage pas ses capitaux propres dans les affaires de la Société.

– Et à quel endroit se trouvera le siège social ?

– Au Texas, à Houston, répond John. Cette ville s'impose puisque ce sera la base terrestre du projet. C'est là que seront les laboratoires, les usines et la grande sœur NASA y est déjà. En plus c'est un État en pleine expansion et l'aérospatiale ne demande que cela pour repartir.

– Cela veut dire qu'il faudra que j'y aille vivre, insiste Tanya.

– Effectivement, lui dit Gerry, et moi aussi je me fais à l'idée de quitter Détroit. Impossible de diriger tout cela à distance. Les réunions du Conseil se feront à New York; mais en plus il faudra beaucoup bouger. Prévoyez d'être six mois par an en déplacement.

— Ça, je n'aime vraiment pas du tout! dit Tanya.

— Alors qu'en dites-vous? demande John.

— Eh bien, j'en dis que je vous remercie pour cette irruption dans ma gentille petite vie de bureaucrate New-Yorkaise. J'aime cette ville avec ses théâtres, ses musées, les petits restaurants sympathiques de Greenwich Village et mon jogging du dimanche à Central Park et vous m'envoyez me faire voir chez les cow-boys. Je suppose que le rodéo fait partie là-bas des événements culturels? J'ai horreur des long-courriers, et mets une semaine à me remettre du décalage horaire chaque fois que je vais d'une côte à l'autre et, pour vous, je vais devoir me faire à la vie d'un rat de cabine pressurisée. Vous auriez arrangé tout le monde, à commencer par moi, en exigeant une réponse sur-le-champ. Les usages veulent qu'un délai de réflexion soit dans les convenances. Merci pour le cadeau. Combien de temps me donnez-vous? Quinze jours?

— Moins que cela encore Tanya, dit John. Nous voudrions nous réunir la semaine prochaine et bien sûr profiter de l'occasion pour permettre au directeur général d'officier *ab initio*.

— Trois jours, cela vous va?

— D'accord, mais si vous êtes décidée avant, n'hésitez pas. Vous savez où me trouver, conclut John.

*

*   *

De retour dans son bureau, Tanya a bien du mal à se remettre à son travail. Les dossiers en cours sont si loin... Elle se plante devant la baie vitrée et laisse son regard se perdre dans le lointain. Ann Liu son assistante personnelle va et vient dans son bureau comme elle a l'habitude de faire et, constatant ce petit passage à vide, l'interroge:

— Quelque chose ne va pas, Madame?

— Ce n'est rien, juste un peu de fatigue. Je vous remercie Ann Liu. À propos, il n'y a rien de prévu à midi?

Ann Liu fait une petite moue de désapprobation et lui dit:

— Vous deviez déjeuner avec les gens d'Union Carbide.

— Soyez gentille, arrangez-moi un report... ou mieux, puisque vous connaissez aussi bien que moi ce que nous devons leur présenter, allez-y à ma place. Je vous donne carte blanche.

— Je ferai de mon mieux, Madame. Reposez-vous bien!

Ann Liu s'efface en lui adressant un dernier petit sourire-clignement d'yeux dans le non-dit duquel s'afficherait tout un discours à résumer en trois points: faites-moi confiance; tout ira bien; portez-vous mieux. Puis elle va immédiatement faire en sorte qu'il y ait le silence-radio dans son bureau et que plus rien ne vienne la déranger jusqu'à nouvel ordre.

Dans ces moments importants et difficiles, Tanya prend la mesure de la grande solitude morale dans laquelle elle se trouve enfermée. Elle saisit son téléphone et appelle un numéro en mémoire sur sa ligne privée. Un seul homme sur la terre pouvait quelque chose pour elle dans un pareil instant, et elle l'avait à l'autre bout du fil.

— C'est toi, ma fille chérie...

— Papa, il faut que je te voie rapidement.

— Holà, holà, rien de grave j'espère?

— Non, ne t'inquiète pas. Un conseil que j'ai à te demander.

— Eh bien, dimanche...

— Non, c'est urgent. Enfin, pressé. À midi, tu es libre?

— Je déjeune avec Ken au Club 21; joins-toi à nous. Tu ne l'as pas vu depuis des siècles, cela lui fera plaisir de te revoir.

— Écoute, ton associé, tu peux le voir matin, midi et soir à ta guise. À moins que pour un entretien privé il faille que je prenne un rendez-vous?

— Toi, je te vois venir. Tu n'as pas de sang irlandais dans les veines pour rien! O.K., j'envoie Bailey au diable, ou au Fast Food, ce qui n'est pas bien différent, et tu m'auras pour toi toute seule. À 13h, au Club 21. Et avec ceci, s'il vous plaît?

— J't'adore, Pa!

À 65 ans passés, le père de Tanya était un personnage en vue du monde des affaires sur Park Avenue où était établi le siège du cabinet d'avocats qu'il avait fondé et dont il était l'associé principal.

Le cabinet O'Reilly, Bailey, Spock and Associates était spécialisé dans la fiscalité des grandes entreprises; c'était également le siège de plusieurs conseils d'administration et l'exécuteur de nombreuses successions. À sa fondation, la formule «Associates» ne voulait rien dire, pas même au singulier. Mais elle prit vite signification effective. Ces dernières années, entre ceux qui partaient du cabinet et ceux qui y entraient, le bilan était positif pour les arrivées: d'une tête tous les deux ans. Malgré cette progression, James O'Reilly était resté fidèle à ses convictions de départ en plaçant toujours son rôle de conseiller au-dessus de celui d'entrepreneur.

Il aimait toujours autant son métier et s'arrangeait pour qu'on puisse toujours le trouver facilement pour un conseil, une confidence ou un avis expert.

Il avait essayé tant bien que mal de transmettre son bâton de pèlerin à ses enfants. Son fils aîné avait fait son droit, mais par la suite avait opté pour une carrière de pénaliste. «Rien à voir», commentait son père quand on lui faisait remarquer que son fils était avocat... comme son père. Venait ensuite Tanya qui avait fait un MBA à Harvard et le plus jeune fils enseignait les sciences économiques en faculté. Dieu soit loué, aucun n'avait mal tourné à devenir fouilleur de vieilles pierres dans des contrées lointaines ou coupeur de boyaux dans un grand hôpital ; et il pouvait toujours entretenir le secret espoir qu'ils retournent un jour dans le giron professionnel familial.

Tanya se fait toute petite en attendant son père, car comme le Club 21 est sa cantine, elle redoute d'y croiser une tête familière qui viendrait se greffer sur eux et déjouer son aspiration de lui parler seule à seul.

À l'heure dite, James O'Reilly fait une entrée remarquée mais atteint sans trop de difficultés la table où l'attend bien sagement Tanya. Il l'embrasse sur le front et s'installe, rapidement aidé par un serveur qui le débarrasse de ses effets. Puis il entame sans préambule :

— Tanya, je suis sûr que tu veux te marier ! Et comme c'est un coup un peu tordu, tu veux mon avis avant d'en parler à ta mère. Je me trompe ? questionne-t-il un peu fier de sa prédiction et de son effet si elle s'avère juste.

— Tu es à la fois loin et proche, Papa. Mais non, ce que j'ai à te dire ne ressemble à rien de tout cela.

— Allons, bon ! Je sens que tu vas me passionner.

Sur ces mots il lui prend la main affectueusement tandis qu'un serveur, au fait de leurs goûts, lui apporte une margarita et un cocktail hawaïen pour elle.

— Il s'agit en effet d'un grand engagement que je suis sur le point de conclure ; mais ce n'est pas avec un homme, comme tu l'aurais souhaité.

— Dommage. Je me voyais déjà cultiver l'art d'être un grand-père et de pouponner. Tes frères prennent aussi leur temps sur ce chapitre et je commence à désespérer d'y arriver un jour. Je suis jaloux de mes amis. Sais-tu que le petit-fils de Ken est entré au Collège cette année et que...

— Papa, si tu parles tout le temps je n'y arriverai jamais.

— Je vais te laisser la parole, ma chérie, ne t'inquiète pas. Je respire quand même un peu mieux, car j'avais en tête une histoire sentimentale et j'imaginais que tu voulais aller plus loin avec le demi-sel que tu nous avais amené à Stony Brook la saison dernière. Quel fort en gueule! Nul au tennis, en plus: il a pris des «roues de bicyclette» avec tout le monde, mais la faute en revenait à sa raquette! Quand il a cru bon de nous faire un cours sur les spéculations qu'il faudrait mener à Wall Street, j'étais gêné car tu sais devant qui il parlait! En plus on voyait, gros comme le nez dans la figure, qu'il comptait bien se servir de toi pour s'introduire là où de bon droit il n'avait pas accès. Et au lit, c'était un bon coup au moins?

— Papa! Tu pourrais être plus discret! Je suis sûre que le serveur a tout entendu! lui rétorque-t-elle, faisant allusion au maître d'hôtel qui se tenait un peu en retrait pour être prêt quand ils voudraient passer leurs commandes.

Tanya choisit une portion de fèves vertes et un dessert. Elle était en guerre depuis longtemps avec toute consommation de nourriture carnée. Elle avait décrété à ce sujet que manger de la viande s'assimilait à l'absorption de substances mortes et que cela accélérait le vieillissement de son corps. Son père n'avait que faire de telles balivernes et il prit une aile de poulet avec en garniture une bouquetière de légumes. Son verre de chablis servi frais arriverait tout seul sans qu'il lui soit besoin de préciser son désir.

— Je t'avais parlé du projet de John pour la mise en place d'une colonie spatiale...

— Fantasia...

— UTOPIA, Papa, pas Fantasia.

— Enfin, bref, c'est la même chose, tu vas partir sur la lune et avec un peu de chance tu vas nous ramener un petit martien. Je vais avoir un petit-fils tout vert avec un nez en trompette et un œil derrière la tête!

— Tu es vraiment incorrigible. Vas-tu enfin m'en laisser placer une?

— Tu as mille fois raison, je ne suis qu'un affreux bavard et, comme en plus je ne suis plus très jeune, il faudrait que je me méfie: je dois certainement un peu radoter! Non, j'arrête et je deviens sérieux. Je te dis ce que j'en pense très franchement: ces choses dépassent mon imagination. J'admets ne plus être dans le coup pour de telles affaires. Il faut connaître ses limites!

— C'est justement ce qui me préoccupe car, vois-tu, John me propose la direction générale du projet.

— Rien que cela? Eh bien, accepte! Ne t'inquiète pas pour lui. Il n'est pas né de la dernière pluie et s'il te propose, il sait ce qu'il fait. Je suis convaincu que tu te qualifies tout à fait pour de telles responsabilités. Je dors en plus sur mes deux oreilles à l'idée qu'elles reviennent à des gens comme nous, et que ce poste ne soit pas une fois de plus, comme c'est de bon ton de nos jours, raflé par des étrangers.

— Mais te rends-tu compte de l'énormité de la tâche? La NASA est reléguée au rang de sous-service. La CIA et le Pentagone sont aux ordres. La Maison-Blanche et son illustre Locataire reçoivent un carton d'invitation et la Banque est à l'orchestre, comme tout le monde. Et qui fait Karajan? Moi, avec mes 55 kilos toute habillée? Ce n'est pas un peu gros, pour toi?

— Pas du tout! Je dirais que c'est tout juste bon pour ma fille! Et quoi d'autre? À moins que tu ne sentes ton bras fléchir?

— Ce n'est pas le cas, vu sous cet angle.

— Et alors? Crois-moi, je n'hésiterais pas une seconde dans cette situation, si j'avais ton âge!

— C'est justement ça, Papa! Quand tu avais mon âge, tu avais Maman... et si mes calculs sont exacts, nous étions là nous aussi! Et moi, dans tout cela, je vois un énorme engrenage qui va aspirer et broyer menu toutes mes espérances dans ma vie de femme. Bye-bye les enfants, un foyer et bonjour la vie de couvent. Et ce n'est pas demain que je vous amènerai un gentil fiancé! enfin, gentil pour tout le monde sauf pour toi. Et les dragées de baptême seront encore une fois de plus pour les autres.

— Parce que si tu m'amènes un type bien, je vais pas savoir m'en rendre compte! Merci pour le Papy gâteux!

— Tu sais bien que ce n'est pas ce que j'ai voulu dire. Mais blague à part, qu'en penses-tu?

— J'en pense que, bien sûr, tout comme avec ta Mère, quelle que soit la discussion tu as toujours raison. Mais sur le plan de ta vie de femme, tu connais mes positions philosophiques à ce sujet. Je crois en la prédestination des êtres. Nous sommes tous comme ces petites boules qui s'agitent en tous sens dans les jeux de hasard: tout d'un coup, celles qui doivent sortir sortent. C'est comme ça et nous n'y pouvons rien. Tu connais les circonstances dans lesquelles j'ai rencontré ta mère; et pour combien de couples on peut en dire autant ou souvent même encore bien plus! Ne serais-tu qu'un grain de sable dans le désert ou une goutte d'eau dans la mer, si le Grand Monsieur qui est là-haut l'a inscrit dans son Livre, tu le rencontreras ton Alter Ego. Et il en ira ainsi encore pour longtemps... à moins que vous ne détraquiez tout cela avec vos soucoupes volantes!

— Et puis, tu sais, il faudra que j'aille vivre au Texas et cela me fait beaucoup de peine à l'idée de ne plus vous voir aussi souvent!

— Qu'à cela ne tienne. Tu sais bien que mes vieux os supportent mal le dur climat des hivers new-yorkais et que nous en passons les plus grandes parties en Arizona. Bien, on s'arrangera pour que l'avion nous dépose deux États à côté. Où est le problème?

— Sois sympa, tu arranges tout cela pour Maman. Je te fais confiance. T'es avocat, non?

— Avocat, d'accord, mais pas substitut! Alors tu es convoquée dimanche à Stony Brook. Il y aura tes frères et tu nous feras un speech sur tous tes projets. Cela nous apportera un peu de rêve...

— Et pourquoi pas d'utopie! Tu es le meilleur des papas, et comme récompense je te laisse filer. Embrasse Maman et à dimanche!

En ce beau début d'après-midi ensoleillé, elle flâne un peu dans la rue avant de reprendre un taxi pour retourner à son bureau.

Ann Liu n'est pas encore rentrée du déjeuner d'affaires. Elle se met à son bureau et écrit de sa main une lettre bien formelle qu'elle adresse à John et par laquelle elle confirme son intention d'accepter sa nomination au poste de Directeur Général du programme UTOPIA.

Quand son assistante arrive un peu plus tard, elle la laisse se réjouir qu'elle ait recouvré sa forme et ses couleurs, puis lui annonce ce qu'elle attend d'elle dorénavant.

3

New York, New York

Dès réception de la réponse de la Maison-Blanche, John et Gerry ont tout de suite fait diligence pour fixer au jeudi de la semaine suivante la première réunion du Conseil. Ils ont convoqué leurs quatre autres associés à la Banque pour 10h30. Gerry, qui devait y prendre ses fonctions de président, est arrivé tard dans la nuit. Il avait retenu une chambre au Waldorf Astoria et après quelques petites heures de sommeil, tôt le matin, il se fait conduire à la Banque pour y rencontrer John seul à seul et régler certains points préliminaires.

Quand ils se retrouvent tous les six dans la salle de conférence du dernier étage, une petite allure de déjà vu flotte dans l'air, l'attrait du mystère en moins. Ils savent tous la raison pour laquelle ils sont là et ne peuvent s'empêcher de repenser aux instants mémorables qu'ils y ont vécus lors de leur rencontre initiale. John a cédé son fauteuil à Gerry en indiquant avec un brin d'humour au passage que ce n'était qu'un prêt, en ce lieu. Tom a repris position à la table de conférence au même endroit que la dernière fois. Max et Michael s'entretiennent comme deux collégiens à l'interclasse. Kiyomi, toujours égal à lui-même, est un peu en retrait, silencieux et observateur des moindres comportements. Une sténographe s'installe à l'écart pour prendre les minutes de l'assemblée. Quant à Tanya, il a été convenu pour le principe qu'elle n'arriverait que sur convocation, puisque sa nomination à la direction générale du projet est le premier point de l'ordre du jour.

— Je pensais qu'on mettrait un scientifique à la tête du projet, marmonne Tom à l'annonce de cette proposition.

Il n'a pas l'air de voir d'un bon œil la présence d'un jupon au sommet de l'échelle. Surtout que dans sa tête à lui, ce poste devait revenir à Max Kopel qui, en plus, était quand même un peu Texan.

59

– Votre remarque est très pertinente, Tom, reprend Gerry, et nous avons bien réfléchi sur cette question. Justement, il convient que la personne qui aura la direction générale ait une vue plus panoramique du programme. Max va bientôt avoir pas mal de pain sur la planche. Il est celui de nous tous qui va devoir faire face aux plus grandes difficultés dans son domaine. Il ne pourra donc pas être bien disponible pour des problèmes plus généraux et extérieurs qu'il faudra traiter. Mais, bien sûr, il s'impose en tant que directeur général adjoint.

Tout le monde semble se contenter de cette explication et la nomination de Tanya lui est acquise dans la foulée. John la fait demander par l'interphone. Quelques instants après, elle fait une entrée remarquée dans la salle de conférence. En la voyant, Tom reçoit un second choc : «Et en plus, c'est une jeunette !» se lamente-t-il intérieurement. Max et Michael ne semblent pas gênés par cette présence féminine. Et pour Kiyomi, là n'est pas le problème.

Tanya a laissé le haut de son tailleur dans son bureau et elle a juste pris un bloc-notes et quelques crayons. Cette apparition simple, fraîche et juvénile contraste un peu avec l'idée qu'avaient pu se faire de l'aspect de leur futur «patron» ceux qui ne la connaissaient pas encore. Rien à voir avec l'apparence physique à laquelle on s'attend pour un personnage promis aux plus hautes responsabilités d'un géant industriel à la mode américaine. John lui propose son siège, tandis que Max et Kiyomi se décalent d'un cran pour la laisser prendre place à la droite de Gerry entre ce dernier et John qui ajoute, facétieux :

– Si on continue, je vais me retrouver sur un strapontin à l'autre bout de la pièce !

Gerry fait les présentations, résume la situation et aborde le point suivant.

– Vous avez tous reçu une copie de la lettre que nous a adressée la Maison-Blanche. C'est une bonne base de départ, non ?

– C'est sûrement mieux qu'un refus, commente froidement Kiyomi, mais vous savez bien que dans votre grande et belle Démocratie, tout cela ne vaut pas grand-chose sans l'approbation du Congrès. Et dans le climat politique actuel, une ratification automatique n'est pas dans l'air du temps !

– Sans oublier les gens de la Presse. Rien n'est dans la poche tant que nous n'aurons pas passé avec succès les tests auxquels ils vont se faire une joie de nous soumettre ! renchérit Tom, faisant ainsi allusion au fait que la presse américaine n'a pas son pareil pour influencer, à coup de sondages et de campagnes ciblées, l'opinion publique de ce grand pays.

— Pour le Congrès, dit Gerry, nous agirons comme d'habitude : par le biais d'un lobby. Et pour les médias, le procédé n'est pas non plus bien nouveau. Nous démarrerons par une conférence de presse musclée, puis nous continuerons en faisant la vie belle à tous ceux qui nous verront à la bonne et en appréciant tout de même les autres qui, malgré tout, en parlant de nous, nous mettent en vue. Je crois, Tanya, que vous avez déjà pris des contacts dans ce sens ?

— C'est exact. Une grand'messe médiatique est prévue ici à New York pour présenter officiellement notre projet à la Nation par l'intermédiaire d'une maxi-conférence de presse.

— Il faudrait maintenant voir de quelle manière certains d'entre nous peuvent éclairer le terrain, dit Gerry en se frottant le pouce et l'index.

Tous comprennent par ce geste universellement connu qu'il s'agit bien de la partie financière du projet.

— Kiyomi, qu'avez-vous à nous proposer ? demande Gerry.

— Compte tenu du risque que nous fait courir le monde politique s'il refuse d'aller dans notre sens, les investisseurs de mon groupe ont montré quelques réticences...

— C'est bien entendu, l'interrompt John, mais à ce niveau nous ne pouvons le couvrir davantage. Sachez qu'à la Banque, notre choix est fait : nous y allons. À vous de voir si vous souhaitez prendre le train en marche !

Tom lève la main comme s'il voulait demander la parole et dit :

— Comme prévu, je dépose le terrain et les infrastructures industrielles nécessaires à la base terrestre d'UTOPIA dans la corbeille de la mariée.

En guise de réplique, Kiyomi se lève et distribue à chacun un document de trois pages. Profitant de l'occasion, John sonne pour que l'on apporte du café et des boissons fraîches. Pendant qu'ils se détendent un peu tout en prenant connaissance de la proposition japonaise, Kiyomi fume tranquillement une cigarette, debout près de la baie vitrée, le regard perdu dans le ciel de Manhattan.

Tom est le plus prompt à réagir à l'offre de financement intérimaire que Kiyomi leur a soumise.

— Vos conditions sont inacceptables. C'est beaucoup trop cher, vous oubliez que nous avons l'aval du chef de l'État le plus puissant du monde !

– Mais sans le consentement du Congrès. Les conditions que nous proposons sont celles du marché actuel pour un financement à haut risque, sans contrepartie, lui répond Kiyomi.

Tout en reparcourant le document à toute vitesse, Michael en fait la synthèse par cette unique question :

– Donc, vous pensez qu'en proposant 5 % de frais pour la prise en charge et un taux de 10 % supérieur au taux préférentiel bancaire actuel, vous nous présentez une offre concurrentielle ?

– C'est insensé ! invective Tom qui cherche désespérément du regard un partenaire pour défendre son point de vue, alors que Kiyomi est toujours un peu à distance.

– Laissez-le nous répondre, le prie Gerry.

– Si vous voulez mon avis, dit Kiyomi en revenant posément de la fenêtre, cette offre est régulière. Chère, j'en conviens, mais régulière. Par contre, je pourrais vous soumettre un mode de financement plus *discount*, comme on dit chez vous. Avec certains grands investisseurs du Japon, j'ai imaginé un montage qui vous permettrait d'évacuer le financement d'UTOPIA aussi simplement que cela...

Il déchire lentement l'exemplaire du document qu'il s'était gardé pour lui, devant sa place, tout en les fixant du regard les uns après les autres.

– Eh bien, parlez, Kiyomi, nous vous écoutons, lui dit Gerry. Je redoute le pire, mais nous sommes là pour faire le tour de toutes les possibilités..., ne peut-il s'empêcher d'ajouter.

– Moi aussi je les vois venir, croit bon d'appuyer Tom en secouant la tête.

– En regroupant certains de mes actionnaires qui sont d'importants industriels de l'électronique et de l'informatique, nous serions capables de financer le projet dans sa to-ta-li-té à condition de recevoir en retour des positions assurées pour l'exploitation du secteur manufacturier sur UTOPIA.

Cette annonce jette comme un froid sur l'assistance. Gerry fait un tour de table du regard et lui dit :

– Si je vous comprends bien, vous seriez prêts à financer le coût du projet total d'UTOPIA si vous y obtenez suffisamment d'espace dans le secteur productif ?

– C'est exact, reprend Kiyomi. Voici la proposition que m'a chargé de vous transmettre mon Conseil d'administration avant mon départ. Cela peut vous sembler démesurément cher ; mais rassurez-vous, nous avons fait nos comptes et nous pourrons tenir ce pari. N'oubliez pas que notre Constitution nous interdit de nous développer dans l'Espace. Ce qui nous a fait faire de très importantes économies toutes ces années d'après-guerre. Actuellement, le fait d'en être exclus constitue un frein au développement de certaines activités. Et quand nous voyons une brèche s'établir, nous tâchons d'agir pour nous y faufiler... quel qu'en soit le prix. Voici tout simplement le raisonnement avec lequel mes amis et moi-même avons abordé la perspective que vous ouvrez maintenant : vous avez besoin de nous, et nous de vous ! Cette situation est, depuis la nuit des temps, la base de toute bonne négociation. N'êtes-vous pas de cet avis également ?

Tom a de plus en plus de mal à contenir ses réflexions :

— Après tout cela, il ne nous restera plus qu'à vous demander si le drapeau qu'on mettra sur UTOPIA aura un grand rond rouge carmin sur un fond blanc ou un rond rouge cerise plus petit mais toujours sur fond blanc !

— N'en rajoutez pas, Tom, intervient John. Monsieur Ogura nous fait part d'une offre. Cela ne veut pas dire qu'il nous l'impose !

— Pas encore, mais vous verrez...

— Et quel pourcentage du secteur manufacturier avez-vous l'intention d'occuper en échange du financement que vous proposez ? demande Michael.

— Je regrette de m'être mal fait comprendre. Mais il nous apparaît que la seule équité possible dans ce domaine est que ce secteur nous revienne dans sa to-ta-li-té.

— C'est le bouquet ! s'exclame Tom.

— Vous voulez dire que vous prétendez l'exploiter en exclusivité ! précise Michael.

— C'est, bien entendu, la condition *sine qua non*, confirme Kiyomi, plus imperturbable que jamais.

— Vous devez donc comprendre que si cette hypothèse de financement est retenue, c'est à l'opposé des intérêts que je suis venu défendre au nom des sociétés qui travaillent dans ce secteur de l'industrie. Je le déplorerais très fort, car il faudrait alors non seulement ne plus compter sur moi comme associé, mais en plus faire face à la seule position logique de ces sociétés qui est de s'y opposer. J'espère d'ailleurs que tous ici me comprenez aisément.

— C'est évident, Michael, dit Gerry. Mais pour le moment, nous n'en sommes pas là. J'espère aussi que nous ne devrons pas nous trouver dans de telles situations cornéliennes. Bon, assez d'émotions pour la matinée. Je crois que John nous a fait préparer à déjeuner. La séance est levée.

Le moment de la pause-repas est arrivé à point nommé car, avec la controverse soulevée par Kiyomi, les esprits avaient eu tendance à s'échauffer un peu.

Le repas se déroule dans le calme ; Kiyomi fait un peu bande à part, mais cela ne semble pas trop l'affecter. Tanya va de son mieux à sa rencontre et se montre excellente diplomate à ce jeu. Il est certes très important que la cohésion règne dans le groupe qu'ils forment.

À la reprise, le problème du financement est mis de côté, étant dit que chacun devait y réfléchir à tête reposée et sans précipitation. Kiyomi précise tout de même qu'il se doit de donner réponse à ses actionnaires sous quinzaine.

John indique qu'une somme de dix millions de dollars est débloquée par la Banque pour permettre un budget de fonctionnement initial au projet UTOPIA. La majeure partie ira au Texas pour l'aménagement des terrains mis à disposition par Tom.

Pour conclure, Tanya annonce que la fameuse conférence de presse se tiendra également quinze jours plus tard, au Plaza Hotel de New York.

À 16h, la séance est levée.

Voilà bien qu'après le beau ciel bleu des espaces sidéraux infinis, les gros nuages sombres des réalités quotidiennes faisaient un retour en nombre. Pas si simple ! Et encore moins dès que les problèmes de gros sous agitent l'air. L'orage des contentieux historiques a été évité de justesse pour cette fois. Pourra-t-il toujours en être ainsi ?

*

*   *

Ce matin-là, c'est comme si un vent de fête et de folie avait soufflé sur le carrefour de Central Park South et de la 5e Avenue. Les voitures n'y passent plus que sur trois files et les trottoirs devant l'hôtel Plaza sont envahis jusque devant les vitrines de Bergdorf and Goodman par toute une armada de camionnettes de reportage hérissées d'antennes paraboliques. Entre elles et la salle de conférence du Plaza, un lacis inextricable de cables électriques achève l'impression qu'un désordre total habite ce quartier d'habitude plus calme. En l'air, un ballon dirigeable aux couleurs d'UTOPIA fait un point fixe sur l'angle sud-est de Central Park.

Comme l'avait souhaité Tanya, l'annonce d'une conférence de presse et quelques articles parus sous son contrôle dans la presse économique n'ont pas laissé indifférent le monde des médias. Ils sont venus, ils sont tous là et ont même sorti le grand jeu! Quelques limousines noires attendent un peu plus loin et leur présence montre bien que certains hommes d'affaires importants ont cru bon de faire le déplacement.

Au troisième étage, la salle de conférence est bondée. Sur l'estrade, face à un parterre de journalistes invités, les dirigeants du projet UTOPIA viennent de terminer leur présentation; le moment, tant attendu par les uns et tant redouté par les autres, des questions-réponses est arrivé. Comme le veut la coutume, ce sont d'abord des points légers qui sont soulevés; John et Gerry, en vieux routiers, excellent dans cet exercice et répondent avec humour chaque fois qu'ils le peuvent.

C'est au correspondant du *Washington Post* que revient l'honneur d'amorcer un questionnaire un peu plus dérangeant, dans le but inavoué mais bien compréhensible d'en arriver à ce que les interrogés en disent un peu plus que ce qu'ils avaient prévu de dire, ou le disent différemment. Il demande à Gerry:

– Pouvez-vous nous préciser d'où provient le financement d'UTOPIA?

– Pour le moment, nous disposons de deux modes de financement différents et notre choix définitif n'est pas encore fait. Le premier fait appel, dans des ratios qui sont encore à déterminer, au produit de la vente d'espaces du secteur résidentiel, pour des clients privés qui y achèteront une concession à vie. Même chose pour le secteur industriel où nous céderons des locaux industriels. Récemment, monsieur Ogura nous a fait part d'une proposition japonaise et je lui cède la parole, car il est le mieux placé pour en parler. Kiyomi...

– Nous pourrions envisager le financement *total* du projet, c'est-à-dire, je vous le rappelle, 100 milliards de dollars, si certaines garanties nous sont données.

Brouhaha dans la salle, duquel émerge de plusieurs endroits la même question:

– Lesquelles?

– Mes clients japonais souhaiteraient dans ce cas garder en exclusivité le contrôle du secteur manufacturier.

Le tumulte reprend de plus belle. Gerry calme les ardeurs et, d'une voix rassurante, précise:

– Pour le moment, Mesdames et Messieurs, nous n'en sommes pas encore aux décisions finales. Rien n'a été arrêté, rien n'est signé.

C'est une éventualité que nous ne devons pas écarter si vite. Une autre question ?

Pour cela, Gerry s'est tourné vers Brian Hartmann, le commentateur politique de la NBC[1]. Une vieille connaissance, qui pose sa question en fixant son caméraman :

– Il est donc prévu que cette colonie spatiale devienne le 51e Etat américain ?

– C'est notre souhait.

– Sa protection sera donc sous la responsabilité du Gouvernement américain ?

– Tout à fait.

– Fera-t-elle partie du système «guerre des étoiles» ?

– UTOPIA sera dotée d'un système de défense de haute technologie, incluant laser et énergie kinétique, et sera donc blindée contre toute attaque pouvant provenir de systèmes connus à l'heure actuelle. Pour le reste, certaines informations relèvent du secret-défense et je ne peux vous en dire plus à ce sujet.

Maintenant, les questions fusent de tous les côtés ; il devient de plus en plus difficile à Gerry de les sélectionner. Impossible d'éviter Don Ratherman, le présentateur du journal du soir sur ABC[2]. L'homme a un passé journalistique impressionnant. Il a déjà épinglé deux Présidents lors de débats télévisés. Il fait partie des monuments médiatiques et arrive même à en imposer à ses confrères qui le laissent poser sa question et l'écoutent parler :

– Vous pensez que le contribuable américain va accepter de mobiliser ses efforts pour défendre les investissements japonais sur UTOPIA ?

Cette remarque judicieuse fait lever un tollé quasi général dans l'assistance. Mais Gerry ne se laisse pas impressionner et il rétorque avec assurance :

– Une grande firme japonaise, sous le nom d'Acura, fabrique des automobiles sur le sol des États-Unis. Je crois que si cette entreprise était menacée de quelque manière que ce soit, les services autorisés et compétents seraient mis en œuvre pour la protéger ; et personne ne s'opposerait à cela, non ?

– Qui va construire UTOPIA ? demande un journaliste.

– Personne en particulier, compte tenu de l'ampleur du projet. UTOPIA se bâtira elle-même avec le concours de toutes les entre-

---

1. National Broadcasting Corporation.
2. American Broadcasting Corporation.

66

prises, de la plus grande à la plus petite, qui se qualifieront pour le faire et amener, qui une brique, qui tout un pan de mur à son édification. La NASA sera, bien sûr, avec les grands constructeurs de l'aérospatiale, la pierre angulaire de cette pyramide et nous pensons contribuer directement et très rapidement à la création de 70 000 emplois dans ces secteurs.

– Pouvez-vous clarifier l'entente que vous avez passée avec le Gouvernement américain? demande-t-on du fond de la salle.

– Jusqu'à présent, nous avons en main un accord préliminaire en deux parties portant sur la création d'un nouvel État et sur la participation de la NASA dans ce projet.

– Cette entente devra recevoir l'approbation du Congrès?

– C'est exact, admet Gerry qui ne s'étend pas dans sa réponse, sachant pertinemment que ce point est une des grandes faiblesses du projet.

Tous les journalistes ne pensent qu'à poser les questions qu'ils ont préparées et de ce fait, personne n'a l'idée d'explorer cette voie. Gerry prend au vol une autre question:

– Pouvez-vous nous dire comment se feront les liaisons entre la Terre et le satellite?

Gerry passe le relais à Max qui explique:

– Nous comptons utiliser une flotte de six super-navettes dont l'étude est maintenant très avancée. Un prototype est déjà arrivé au stade des essais de roulage. En effet, la super-navette pourra décoller sur des aérodromes quasi conventionnels avec une piste de 20 kilomètres de long; elle prendra à chaque départ une charge utile de 150 passagers ou 30 tonnes d'équipement et pourra faire deux allers-retours par jour.

– Et où ces super-navettes seront-elles basées?

– Elles opéreront à partir de la base terrestre d'UTOPIA au Texas. Mais nous n'excluons pas de faire certains vols utilitaires ou militaires avec des navettes de première génération, à lancement vertical; et dans ce cas, la base de départ sera Cap Canaveral, en Floride.

– Sur laquelle des bases du Texas envisagez-vous d'établir cet aérodrome un peu particulier? D'où partiront-elles ces super-navettes? questionne l'éditorialiste d'un quotidien du soir de Dallas.

Pour cette question, Gerry pousse le micro vers Tom Luce qui, jusque-là, avait été très discret.

– De chez moi, Monsieur, elles vont partir de chez moi, les super-navettes. J'offre tout le terrain nécessaire pour que cette manœuvre puisse se faire. On en aurait pour dix ans s'il fallait passer par la transformation d'une base existante. Pourquoi celle-ci et pas une autre? Les nuisances inévitables feraient le jeu d'un marchandage infini; parce que, faut bien dire qu'avec les réacteurs supersoniques *scram jet* avec injection d'air comprimé, le niveau sonore est encore bien plus élevé que pour les envols du Concorde.

— Quelle compensation demandez-vous pour la mise à disposition de ces terrains?

— Aucune. Je prends cela comme un honneur que de pouvoir participer de façon active à ce grand et noble projet. Pour le Texas, j'apprécie cette occasion qui lui est donnée de continuer d'être l'État-symbole de l'aventure spatiale et de la réussite dans ce domaine.

Tanya regarde sa montre et pense que, jusque-là, ils ne s'en sont pas trop mal tirés. Elle envisage donc de clore l'exercice et pour cela, prend le micro:

— Je pense que la Presse a eu satisfaction avec les réponses que ces messieurs ont faites à ses questions. Encore une dernière?

— Pour monsieur McDougall: comment voyez-vous l'avenir des industries de pointe américaines si les Japonais prennent le contrôle total du secteur manufacturier sur UTOPIA?

— C'est très simple, répond Michael. Dans ce cas, il n'y a pas d'avenir...

Cette réponse ambiguë pouvait relancer le débat à l'infini! Gerry le voit tout de suite et conclut d'un «Nous vous remercions, Mesdames, Messieurs» en se levant, notes à la main et suivi d'un même élan par tous les dirigeants d'UTOPIA.

*

*   *

De la Presse aux Politiques, il n'y a qu'un pas que s'était empressé de franchir en une seule enjambée le président du Congrès américain. Il avait dépêché au Plaza, à la conférence organisée par Tanya, ses propres attachés de presse et il comptait bien répondre de la même manière, c'est-à-dire par voie de conférence de presse. La sienne, cette fois. Parfait numéro de compères ne laissant personne dupe, où il se fera poser par l'équipe de journalistes qui le suit à l'année les bonnes questions qui lui permettront de faire passer son message, en réponse à l'événement.

Le sénateur du Wisconsin est un vieux routier de la politique, qui n'est pas né de la dernière pluie. Élu président du Congrès par les deux Chambres, Assemblée et Sénat, il est le troisième person-nage dans la hiérarchie au sommet de l'État. Son rôle, dans le jeu institutionnel, est en quelques mots de veiller à ce que le contribua-ble américain en ait pour son argent, tout en assurant que l'Admi-nistration respecte les grands principes d'égalité et de justice qui découlent de la Constitution. Pas question, avec toutes les interro-gations que suscite le programme UTOPIA, de rester en dehors du coup. Le Maître du Capitole l'a bien compris !

L'aspect financier est au centre des questions qui lui sont adres-sées et sa réponse est claire et sans détour :

– L'Amérique ne créera pas un 51e État financé et contrôlé par une puissance étrangère... !

Un voile pudique est encore jeté sur le nom de l'usurpateur par le président du Congrès ; mais la Presse, pour laquelle ce genre d'intervention est une véritable tartine de pain beurré, ne s'embar-rasse pas de telles bonnes manières. Les journaux du soir s'en don-nent à cœur joie, et c'est à qui aura la manchette de une la plus provocante :

MAISON-BLANCHE VEND 51e ÉTAT AU JAPON

ou encore, plus perverse :

JAPONIA, 51e ÉTAT DE L'UNION ? ? ?

Tout cela faisait horriblement désordre... mais, pire, ramenait à la surface les relents des mauvais souvenirs de la fin des années '80, quand on avait imprudemment ouvert la porte aux investisseurs japonais et qu'ils en avaient profité pour opérer une razzia immobi-lière dans le « périmètre doré de Midtown »[1], en plein cœur de Man-hattan. Les emblèmes de la réussite nationale tombaient les uns après les autres comme au tir aux pigeons, avec en apothéose la prise – et vu sous un autre angle : la perte – du célèbre Rockefeller Center par les troupes du géant Mitsubishi, la fameuse firme des « trois diamants » que l'on dit être, avec ses quarante sociétés principales, le premier groupe économique mondial.

---

1. Un quarilatère formé par la 50e et la 40e Rue, du nord au sud, et d'est en ouest par la 2e Avenue et Broadway Avenue.

À cette occasion, déjà, la presse n'avait pas été tendre pour juger ce laisser-faire coupable, avec des titres du genre :

«Pourquoi pas la Maison-Blanche, tandis qu'ils y sont?»

La roue avait tourné, et les situations avaient bien l'air de se ressembler... à tout juste dix ans d'intervalle. Un peu court pour compter que l'usure du temps aurait déjà évacué des mémoires le sentiment de spoliation qu'avait causé cette intrusion.

Le lendemain, le choc de l'annonce est passé et les observateurs politiques proposent des articles de fond sur le sujet. Un ancien secrétaire d'État à la Défense écrit dans le *Herald Tribune* : «... l'Espace est considéré comme une activité militaire et le Japon en est interdit d'accès d'après les clauses de l'Acte de capitulation signé en 1945.»

Pour certains, il ne s'agissait que d'une tentative de détournement de cette clause à des fins économiques; mais il y avait aussi des exaltés qui proféraient haut que cette rupture de reconnaissance était assimilable à une volonté de reprise des hostilités.

Tanya ne reste évidemment pas insensible à tout ce remue-ménage qui commence à se faire autour d'UTOPIA. L'affaire est maintenant bien lancée et un peu partout, on en parle. Ce qui est déjà un bon point d'acquis. Dans la foulée, elle commandite un sondage d'opinion, renforce la campagne de presse et décide de discuter de tout cela en comité restreint avec John et Gerry en tout début de la semaine suivante.

Ils ne se sont pas revus depuis la conférence de presse du Plaza et leurs derniers contacts ne se sont faits que par de brèves conversations téléphoniques. Ils semblent tous les trois enthousiastes quand ils se retrouvent dans le bureau de Tanya à la Banque.

— Les enfants, attachez vos ceintures, on ne va pas tarder à décoller! annonce Gerry en se frottant les mains.

— Bravo, Gerry! Tu as vraiment mis dans le mille en balançant Kiyomi sur l'avant-scène et en le forçant à dévoiler ses batteries, dit John.

— Tu me connais. Tu sais bien que ce n'est pas par hasard que je lui ai fait cette entourloupette.

— Pour cela, je te fais confiance, dit John.

Pendant qu'ils se félicitent, Tanya sort d'un dossier quelques feuilles où sont consignés les résultats du sondage et leur dit :

— Je crois que vous avez tout à fait bien vu ce qui se passe, car les chiffres nous montrent que c'est indéniablement l'intervention que Gerry a suscitée de Kiyomi qui a fait sortir UTOPIA de l'anonymat. Écoutez plutôt. À la question: «Êtes-vous favorable ou opposé au projet UTOPIA?», les réponses sont: 70% opposés, 20% en faveur et 10% d'indécis.

— Je me demande s'il n'aurait pas mieux valu rester dans l'anonymat, grommelle Gerry. C'est une catastrophe!

— Attendez un peu la suite avant de vous lamenter, dit Tanya. Par contre, si on parle de la mise en place d'une colonie spatiale, la tendance s'inverse presque totalement puisque 60% sont pour, 20% sont contre et 20% sont encore indécis.

— Je préfère cela, disent de concert John et Gerry.

— Ce qui veut dire qu'il faut faire un gros effort de communication afin que l'opinion publique sache bien tous les bénéfices que le pays peut tirer d'une telle aventure pour lui-même; et que par-dessus tout il ne soit pas question que l'on y perde la moindre parcelle de notre hégémonie nationale.

— Il faudrait par exemple faire plus savoir que la Grande-Bretagne est de loin le plus gros investisseur dans notre pays, alors que tout le monde croit que c'est le Japon qui tient la tête, dit Gerry.

— Tu as raison, dit John. Tanya, pouvez-vous nous préciser comment le public réagit à la notion d'apparition d'un *homo extra-territorialis*?

— Il y avait aussi des questions qui abordaient ce sujet, John. Laissez-moi voir... Eh bien, la réaction est tout à fait bonne. Pour la plupart, cela arrive comme un progrès de plus dans le domaine du génie génétique et des nouvelles bio-technologies. Évidemment, nous n'avons pas encore abordé dans ce questionnaire préliminaire certains points un peu plus délicats, comme ce qui traite du choix et de la sélection de ceux qui seront appelés par rapport à ceux qui ne le seront pas.

— Sur ce point, le plus tard sera le mieux, intervient John. Je vois déjà toutes les jérémiades que cela va susciter un peu partout. On est tous égaux, n'est-ce pas? Tant que personne ne pose sérieusement le problème, je propose que l'on fasse tout pour ne pas tendre une perche.

— Vous avez raison, nous avons suffisamment à faire comme cela. Inutile de compliquer, dit Tanya. Je ne sais pas si vous êtes comme moi, mais en ce moment je n'ai pas besoin de me forcer beaucoup pour trouver des heures supplémentaires à faire. De votre côté, tout va bien, Gerry?

— Ça avance. J'ai passé deux jours à Washington, et à Détroit tout se met bien en place.

— J'ai été contacté par mon ami Sir Alex, du Consortium d'assurances à Londres, dit John. Ils sont intéressés par le projet. Il sera à New York la semaine prochaine et j'aimerais que vous le rencontriez avec moi, Tanya.

— Tout à fait d'accord, John, mais pas après, car il faut déjà que je pense à mon installation à Houston.

— Bien sûr, conclut John.

4

Comme chaque année, à pareille époque, des bâtiments de la Marine américaine en Méditerranée choisissent une des plus belles rades de la Côte d'Azur pour venir y mouiller quelques jours. Cette fois, l'événement est de taille : le navire-amiral et fleuron de cette flotte, le porte-avions *George Washington* a jeté l'ancre et ses 96 000 tonnes dans les eaux calmes du Larvotto, au large du rocher de Monaco.

Avec ses 5 000 hommes d'équipage, c'est comme une petite ville flottante qui serait venue s'amarrer à la petite principauté. Dans l'ombre du mastodonte, dont le pont d'envol domine la mer de plus de 70 mètres, c'est à peine si l'on remarque les deux destroyers qui le suivent partout comme des poissons-pilotes. Un va-et-vient incessant de vedettes rapides les relie à la terre ferme. Certains jours, des visites sont permises pour la plus grande joie des vacanciers. Pour les plaisanciers, c'est aussi un bon motif de sortie en mer. Approcher les 350 mètres de long et 60 de large du monstre, d'un dériveur ou d'un zodiac, procure une sensation que l'on n'oublie pas de sitôt. Du pont ou des coursives, les matelots apparaissent comme des personnages miniatures, mais répondent volontiers aux gestes amicaux échangés d'un bord à l'autre.

Comment s'imaginer que sous des allures aussi paisibles se cache la plus folle et la plus faramineuse puissance de feu que l'homme ait su faire tenir en si peu de place. Dans les cales, une centrale nucléaire produit l'énergie pour la propulsion ainsi que pour permettre la vie à bord. Sous le pont, des hangars gigantesques abritent une centaine d'avions de combat, tous plus sophistiqués les uns que les autres, ainsi que l'arsenal d'armes qui fait de chacun d'eux un véritable foudre de guerre. Les F14 Tomcat, intercepteurs,

73

sont là pour défendre tandis que les A6 Intruder et F18 Hornet se partagent l'honneur d'assurer les missions offensives. Plus discrets et parqués un peu à l'écart des bêtes de race, quelques gros bimoteurs pour la reconnaissance et l'observation aérienne et une demi-douzaine d'hélicoptères de sauvetage en mer complètent la flottille de l'aéro-club *George Washington.* Avec son centre naval tactique, qui identifie, sélectionne et gère toute cible identifiée grâce à une batterie de radars terre-mer de dernière génération, le porte-avions *George Washington* est le nec plus ultra dans sa catégorie. Il symbolise l'expression ultime de la force de frappe et du pouvoir américain outre-mer.

La facture pour le contribuable U.S. est à la hauteur des prétentions et on estime à 5 milliards de dollars le coût d'un tel engin. Pour le moment, immobile, calme et dérisoire, il flotte sur l'onde bleutée, paraissant sommeiller comme un volcan éteint.

Tout au sud de la France, presque à la frontière italienne et rescapée on ne sait comment des caprices de l'Histoire, la principauté de Monaco nous rappelle que l'Europe a d'abord été une mosaïque de petits pays pittoresques dont les premières pages d'histoire semblaient toujours avoir commencé par un «il était une fois...» Dans la réalité des faits, tout ne fut pas si rose. En «bons voisins», ils ne pensaient souvent qu'à rivaliser. Rarement sur le terrain des armes, bien que cela ait pu se produire, mais le plus souvent sur celui des arts. Musiciens, peintres et auteurs fameux se piquaient d'une cour à l'autre sans toutefois se rendre compte que leurs œuvres passeraient si bien le Temps, pour le plus grand bonheur des générations à venir.

La terre des Grimaldi, actuelle famille régnante, avait un accès terrestre bien difficile par le fait des montagnes avoisinantes et fut de ce fait longtemps tenue à l'écart de tout ce circuit artistique et culturel. C'était un village de pêcheurs, un bastion militaire qui n'attisait pas les convoitises et les alliances, restant de ce fait bien à l'abri de la main-mise d'une grande Couronne.

À la fin du XIXe siècle, la route et le chemin de fer désenclavent la principauté et c'est le point de départ pour un essor et une transformation particulièrement réussis. La direction de la Société des Bains de Mer multiplia les attractions pour séduire les étrangers, qui à l'époque étaient surtout britanniques. Les jardins de la Condamine, les champs des Spélugues et le quartier des Moulins se transformèrent en d'élégantes avenues bordées de villas, d'hôtels luxueux et de magasins. On demanda à Garnier de concevoir un Opéra et le

Casino. Monte-Carlo naissait, le succès fut au rendez-vous et ne devait plus quitter le lieu. Puis plus tard, ce qui n'avait pas été fait dans le domaine des arts arriva dans celui des sciences. Albert Ier, scientifique de renom, crée l'Institut pour l'étude de la paléontologie humaine auquel s'ajoute un peu plus tard l'Institut océanographique qui sera par la suite le port d'attache spirituel du commandant Cousteau. C'est de là qu'il fera, dans les années '60, son fameux discours sur l'Océan qui préfigurait les graves problèmes que nous connaissons maintenant sur la protection de la nature et l'écologie des mers du globe.

Rainier II, le souverain actuel, affirmait dans le même temps que la principauté ne serait jamais un mur de béton. Il faut croire, malgré les apparences, que les Princes reçoivent la grâce de ne jamais se tromper; car malgré la frénésie bâtisseuse qui s'est abattue sur son pays, l'écueil d'une telle banalité a toujours su être évité.

De nos jours, Monaco est un État souverain moderne en miniature. Et avec ses 150 hectares, dont 30 ont été gagnés sur la mer, il est, juste après l'État-Cité du Vatican, le plus petit des petits pays de la Planète. Ses grands immeubles du Front de mer, ses gratte-ciel (certains ont plus de 30 étages) qui peuvent se trouver parfois à moins de 50 m de ruelles tortueuses, forment un mélange unique et original sans lequel la Côte d'Azur, juste à côté et pourtant si différente, ne serait plus tout à fait la même. Les citoyens ayant la nationalité monégasque ne sont guère plus de 6 000; mais plus de 30 000 personnes y habitent régulièrement. Et ce chiffre peut doubler, voire tripler les mois d'été, pendant ce que tout le monde ici appelle «la saison».

La plupart des étrangers qui y vivent sont des Français de France, pays avec lequel Monaco entretient d'excellentes relations. Le chef du gouvernement monégasque est toujours un Français nommé sur recommandation du ministère des Affaires étrangères du Quai d'Orsay. Du fait de la situation de quasi voisinage, les Italiens viennent juste après eux en nombre; et puis – mais n'ont-ils pas été les premiers historiquement à trouver l'endroit charmant? – les sujets de la reine d'Angleterre forment une colonie d'exilés volontaires des plus typiques, se signalant par leur détermination d'éviter autant que possible de s'exprimer dans la langue locale.

La saison commence juste après le Grand Prix de Formule I, c'est-à-dire fin mai, début juin. Et dès lors toute la donne est chamboulée, puisque c'est du monde entier qu'une clientèle fortunée accourt pour une villégiature que certains n'hésitent pas à qualifier de rêve. La Société des Bains de Mer s'ingénie toujours, comme par le passé, à proposer des divertissements aussi variés que raffinés. Entre les soirées de gala au Sporting, les concerts classiques à l'Auditorium, les spectacles de danse à l'Opéra, les tapis verts des salles de jeu des Casinos et toutes les distractions sportives de la journée, le temps passe vite à Monte-Carlo et on s'y ennuie rarement.

Ce 4 juillet 1998, la température est accablante sur tout le pourtour méditerranéen. Le thermomètre est monté à 40°C sous abri, un peu après midi. À la plage, il est difficile de se frayer un chemin sur le sable chaud. La mer est calme comme un lac; au bord de l'eau, les enfants jouent à s'éclabousser pour se rafraîchir un peu. Les marins américains se joignent à la cohorte des vacanciers; même en maillot de bain, on les reconnaît tout de suite avec leur coupe de cheveux très courte laissant les nuques rasées. Ils regardent avec étonnement les seins nus des femmes qui se bronzent sur la plage; on ignore souvent que dans la prude Amérique, se dévêtir de la sorte pour une femme, même sur une plage, est un délit qui serait sévèrement réprimé.

Toutes les occasions sont bonnes l'été à Monaco pour tirer des feux d'artifice. Alors pour ce 4 Juillet, fête nationale américaine, le comité des fêtes a prévu un spectacle pyrotechnique en l'honneur de ses hôtes. On n'oublie pas à Monaco que, par un beau matin d'avril 1956, une jeune et belle Américaine de Philadelphie avait débarqué ici même et que le Prince en avait fait une Princesse. Trop peu de temps, elle illumina de sa présence la vie de la principauté tout en ravissant le cœur de ses habitants. Sur le rocher, au palais, on avait organisé une petite réception pour l'état-major de la flotte américaine et pour diverses personnalités diplomatiques et artistiques, sur la terrasse qui domine l'aplomb du rocher, face à la mer. À 20h15, une vedette rapide avec un fanion à cinq étoiles dépose l'amiral commandant en chef, le vice-amiral et quelques officiers supérieurs au débarcadère privé du palais dans le port de Fontvieille. Une Mercédès blanche immatriculée MC2 les attend et les conduit immédiatement au palais qui est juste 30 mètres plus haut.

Au même moment, à deux mille kilomètres de là, dans le plein Sud, sur une base aérienne quelque part en Tripolitaine[1], trois chas-

---

1. Région du nord-ouest de la Libye.

seurs Mirage 2000 font leurs derniers préparatifs pour un vol de nuit. Les trois appareils sont peints en noir mat et aucune immatriculation ou cocarde n'est visible sur leur fuselage. Autour d'eux des hommes de piste s'activent fébrilement à la lumière de gros projecteurs mobiles. Sous leur voilure, on a ajouté deux gros réservoirs supplémentaires, et entre les deux on distingue toute une batterie de missiles qui a été fixée. Les pilotes sont harnachés et achèvent le réglage du système aérolique de bord. Les compresseurs lancent les réacteurs qui démarrent avec une odeur caractéristique de kérosène. Les cales des roues sont ôtées et tout de suite ils commencent leur roulage au sol vers le point d'envol. Ils se suivent à la queue leu leu, la verrière encore ouverte, comme s'ils voulaient encore retenir quelques secondes un peu de la fraîcheur de la grande nuit désertique. Puis ils s'alignent et décollent en formation de combat, réacteurs en poussée maximale et post-combustion branchée.

Il est 21h07.

Les trois pilotes prennent un cap nord-ouest vers la frontière tunisienne, évitant ainsi l'approche de l'axe Malte-Chypre sous haute surveillance radar, et restent à basse altitude. Le désert du sud tunisien défile sous leurs ailes, la sonde altimétrique calée sur 50 mètres-sol. En approchant les monts de Tébessa qui culminent à 1 400 mètres, ils passent en pilotage automatique qui, sur ces appareils, est couplé à un système de guidage qui dépend de l'ordinateur de bord, lui-même préparé en fonction de données topographiques du relief à survoler tel qu'il a été établi par des satellites de reconnaissance aérienne. L'assiette de l'avion se corrige donc instantanément pour le maintenir à une altitude constante de 50 mètres, quelle que soit l'élévation du terrain. Les avions se faufilent dans les djebels, passent à la verticale de la petite ville de Jendouba, sautent les petits monts de la Medjerda et arrivent à la côte qu'ils franchissent un peu à l'est de Tabarka. Jusque-là, les radars de l'armée tunisienne n'ont même pas relevé d'écho suspect. Sur la mer, les conditions climatiques sont idéales et ils décident de réduire encore un peu leur altitude. Ils sont maintenant à 30 mètres au-dessus des flots qu'ils survolent à la vitesse maximale de 2 200 km/heure. Si bas et à une telle vitesse, la consommation de carburant est effrayante. Les bidons supplémentaires sont déjà avalés et immédiatement largués en mer. Jusque-là, tout s'est bien passé comme prévu, mais cela ne pouvait durer encore bien longtemps.

C'est le centre tactique naval du *George Washington* qui le premier prend acte du danger et donne l'alarme, localisant le vol suspect à 900 km dans le secteur sud. Deux intercepteurs Tomcat sont catapultés en urgence, on en fait monter quatre autres rapidement sur le pont d'envol et on arme des missiles sol-air Harpon. Dans l'instant même, l'amiral est contacté et averti de cette alerte par téléphonie ondes courtes tandis qu'un message codé part par satellite au Pentagone.

L'instant est d'une gravité extrême, car si les intrus sont vraiment mal intentionnés et bien armés... il est déjà trop tard !

La base aérienne du mont Agel dont la couverture radar s'étend de façon spécifique à toute cette partie de la mer Méditerranée prend conscience du danger presque en même temps que les Américains, prévenue une fraction de seconde plus tôt que tout le monde par la détection qu'avait faite un garde-côte en patrouille dans cette zone. N'obtenant aucune réponse IFF (*Interrogation Friend or Foe*) et sans autre sommation, ordre est donné de tirer trois missiles de défense anti-aérienne Matra. Les trois pilotes assaillants les identifient sur leurs radars et ils déclenchent une mesure anti-missile qui consiste à larguer des particules métalliques qui engendrent des réflexions multiples et dérèglent le système de guidage des missiles. Ils jouent finement de cette manœuvre défensive et les missiles, ratant leurs cibles, se perdent en mer.

21h45, les trois Mirage ont fini leur survol de la Corse et ne sont plus qu'à 150 km de leur cible. Les pilotes arment leurs missiles Exocet et engagent leur système directionnel qui va se braquer sans défaillance sur une source de grand dégagement de chaleur. Les pilotes déclenchent le tir et les neuf missiles embarqués sont devenus neuf engins de mort qui filent au ras des flots, comme aimantés par les tuyères brûlantes des Tomcat. Quand ils atteignent le porte-avions, une des plates-formes montant les avions sur le pont est encore ouverte. La déflagration est énorme.

Le Titan des mers est touché à mort et s'ouvre en deux. Une boule de feu monte dans le ciel, puis deux petites explosions secouent le reste du navire d'où s'échappent des flammes.

De la terrasse du palais, l'amiral assiste impuissant à cet hallucinant spectacle au milieu d'une assistance muette de peur et d'émotion. Il donne quelques ordres brefs et précis de son téléphone portatif. Quelques secondes plus tard, d'un bureau du palais il est en communication avec le chef d'État-major des armées au Pentagone auquel il fait un compte rendu circonstancié de la situation. Il faut un peu plus de temps pour qu'on le raccorde avec le Président qui était à bord d'*Air Force One* et à nouveau les mêmes mots reviennent : «Incroyable... c'est un cauchemar... apocalypse... en temps de paix... sans sommation...» Il décide immédiatement qu'on le conduise près du lieu du drame; sur l'un des escorteurs, il établira son P.C. pour diriger les opérations de sauvetage et envisager la suite des opérations.

Quand l'explosion s'est produite, il y avait 1 250 hommes à bord et, malheureusement, compte tenu de la violence de l'explosion et des nombreuses matières inflammables que le *Washington* contient, on peut tout de suite penser qu'il n'y aura pas beaucoup de survivants; l'espoir de renflouage du vaisseau n'est même pas envisageable; pour compliquer la situation, il faut prendre en compte le risque de pollution nucléaire.

L'attaque a été si soudaine que les missiles Harpon du *Washington* n'ont même pas été tirés !

Après avoir lancé les Exocet, les trois Mirage ont immédiatement viré à 180°, toujours au ras des flots. Faisant dos à leurs poursuivants, leur espérance de vie se compte maintenant en minutes. Les pilotes se concertent sur leur fréquence radio pour mettre au point l'ultime phase de leur mission. Ils montent à 300 mètres d'altitude, puis s'éjectent en pleine mer. Les trois Mirage continuent leur course folle pour s'abîmer en mer en explosant au point d'impact. Les Tomcat rapportent leur disparition des écrans radars en en précisant la position, puis reçoivent l'ordre de se diriger vers la base aérienne française de Solenzara sur la côte orientale de l'île de Beauté[1].

Dans le monde entier, les états-majors sont en ébullition. Des cellules de crise sont organisées au sein des gouvernements, des plus grands aux plus petits et des plus concernés à ceux qui le sont moins. Le ministère français de la Défense mobilise les militaires et l'alerte rouge est décrétée sur tout le pays. Le Président américain avait prévu de célébrer ce 4 Juillet dans un État du sud où il n'avait pas eu un très bon score aux élections, histoire de donner un coup de lustre à sa cote de popularité; réagissant à cette nouvelle qui l'atteint pendant son déplacement il ordonne immédiatement de faire demi-tour sur Washington D.C. Tout le monde est sur la brèche. Du Pentagone, de la CIA, du ministère des Affaires étrangères, toutes les grosses pointures sont convoquées, toutes affaires cessantes, à la Maison-Blanche.

---

1. La Corse.

Pour la principauté de Monaco, cette catastrophe était aussi bien plus ressentie qu'un simple éperonnage de deux pédalos! Le *Washington* n'avait pas tout à fait disparu de la surface de l'eau et un bout de sa carcasse calcinée émergeait tristement. Plus de mille morts étaient à déplorer et les cadavres étaient encore le plus souvent prisonniers dans les entrailles du monstre terrassé. La marine française était sur place avec plusieurs bâtiments et tous les spécialistes dont la présence était requise.

Cet attentat était dans la droite ligne des terroristes libyens qui avaient déjà à leur palmarès la pose d'une bombe dans le Boeing de la Panam à Lockerbie. Tout les désignait du doigt sur ce nouveau coup pour lequel ils avaient vraiment passé le grand braquet. Dans tous les gouvernements on mettait le paquet sur cette nouvelle affaire. Avec une grosse question en ligne de mire: qu'allait-il se passer maintenant? Où et quand allaient-ils frapper à nouveau?

Londres, Angleterre et New York, New York

À 0h05 GMT, le 5 juillet un coursier motocycliste dépose un pli à l'ambassade des États-Unis sur Grosvenor Square, à Londres. Le service de sécurité prend les précautions habituelles dans ce genre de situation, et une fois que tout danger de lettre piégée est écarté, le fait remettre au Premier Secrétaire qui y lit le message suivant:

L'Organisation des Forces Révolutionnaires de l'Islam prend pleine responsabilité pour l'attaque à Monaco du porte-avions USS George Washington. Cette attaque faite au nom de la Révolution Mondiale Islamique se veut la démonstration que l'hégémonie satanique et démentielle du Capitalisme est maintenant terminée. Nous, Frères Islamiques, n'avons aucune peur de l'impérialisme américain qui devra payer pour ce qu'il a fait à nos frères musulmans dans le monde. À 14h GMT, l'Organisation des Forces Révolutionnaires de l'Islam démontrera à nouveau pourquoi elle demande respect de la part du grand Fornicateur Yankee.

Le Premier Secrétaire câble immédiatement le message à Washington sans même prendre la peine de le coder. Il notifie ensuite immédiatement l'Ambassadeur et pense, avec un pincement de cœur, qu'il devra annuler son départ de golf pour aujourd'hui.

«Une toute petite bombe atomique suffit pour vous gâcher toute une journée» lisait-on sur les slogans antimilitaristes des pacifistes dans les années '60.

*

*   *

Au siège du Consortium, à Londres, la nouvelle du désastre a fait grand bruit. Dans la nuit, un dispositif a été mis en place et des spécialistes rompus à ce genre de situation sont sur la brèche pour parer à toute éventualité. Chaque fois qu'une grande catastrophe se produit dans le monde, c'est presque toujours ici qu'aboutira, tôt ou tard, le dossier d'indemnisation, quand seule une telle compagnie est de taille pour faire face au problème. Le Consortium est en fait l'assureur des compagnies d'assurances qui s'y réassurent pour couvrir une partie des risques qu'elles ont elles-mêmes couverts au profit de leurs clients. Il n'intervient qu'au-delà d'un certain seuil, et c'est plus souvent pour un raz-de-marée que pour une baignoire qui déborde! Cette formule est unique de par le monde.

L'attaque du *George Washington* ne les concerne pas directement puisque les armées des grands pays ont cette particularité d'être leur propre assureur sur fonds de garantie de l'État dont elles dépendent. À l'heure qu'il est, personne ne sait encore si une nouvelle action terroriste suivra, mais cette perspective est néanmoins à l'ordre du jour de l'équipe chargée de préparer les contre-mesures.

Pour cette raison le grand patron du Consortium, Sir Alexander Halley-Smith, a cru bon de passer à son bureau pour recueillir les dernières informations et viser de sa patte le plan d'action. Il va à l'essentiel, car il avait une place réservée le lendemain matin sur le Concorde des British Airways de 10 heures en partance pour New York. Ce déplacement important était prévu depuis plusieurs jours déjà.

Pour certains snobs, le Concorde est une façon commode de faire une grosse dépense dans le moins de temps possible. Pour quelques passionnés, faire un baptême de l'air supersonique sur ce joyau de la technologie moderne est l'aboutissement d'un rêve mûrement projeté. Mais pour la plus grande partie de ses usagers, les hommes d'affaires, c'est un outil indispensable dans le contre-la-montre journalier de leurs transhumances intercontinentales. La Compagnie compte plus d'un millier d'habitués qui le prennent au moins une fois par mois sur cette ligne! Les horaires et la correspondance du vol retour sont prévus de façon à ce que l'on puisse faire l'aller-retour dans la journée avec suffisamment de temps pour une petite journée de travail à destination, avec la complicité des décalages horaires favorables à cela dans le sens Londres-New York-Londres. Autre avantage appréciable : il y a toujours de la place à bord, même sans réservation, en cas de départ au pied levé.

L'accès et les formalités d'embarquement sont très facilités pour les clients privilégiés du vol Concorde. À peine un quart d'heure tout compris entre l'arrivée à l'aéroport d'Heathrow et son installation à bord, dix minutes avant le décollage. En remontant l'allée jusqu'au rang J de la classe unique de la cabine, Sir Alex croise quelques têtes connues, relations ou le plus souvent un familier de ce vol, ex ou futur voisin de fauteuil. Celui qu'il dérange un peu pour accéder à sa place près du hublot est un Américain sans grande velléité de parole ; ce qui n'est pas pour lui déplaire car il a un volumineux dossier qu'il compte bien parcourir pendant le vol. Il jette un coup d'œil machinal sur les manchettes du *Times* et de l'*Herald Tribune* qui, bien entendu, relatent l'affaire du *George Washington* à coup de gros titres et de photos sensationnelles de l'attaque surprise.

À dix heures du matin, le «Bel Oiseau», comme l'avaient surnommé les journalistes lors de ses premiers vols d'essai, quitte son aire de stationnement, roule, s'aligne et décolle rapidement, bénéficiant toujours à cette heure d'un espace prioritaire sur les autres mouvements aériens. Vingt minutes après il passe le mur du son avec un bang caractéristique et toujours impressionnant même quand on n'en est pas à sa première expérience. Puis il se stabilise à son altitude de croisière de 18 000 mètres et l'un des commandants de bord (sur le Concorde les deux pilotes sont des commandants de bord qualifiés) dégagé de toutes les manœuvres complexes de la procédure de décollage, jusqu'à la mise en palier, prend le temps de faire une annonce un peu plus longue que le simple avertissement – «Mesdames, Messieurs, décollage dans la minute» – qu'il avait donné juste avant la mise des gaz ; il fournit quelques informations sur le vol, route et conditions météorologiques à l'arrivée, qu'il confirme pour 8h30 a.m. heure locale, Eastern time New York, après donc 3 heures et 30 minutes de vol transocéanique.

Everything is under control, comme disent les Américains quand ils pensent avoir la parfaite maîtrise d'une mécanique délicate. C'est aussi la pensée, en d'autres mots, qu'a en tête Sir Alex tandis qu'il se laisse aller à observer la courbure de la terre au travers du hublot.

L'hôtesse lui propose une portion de caviar iranien avec un verre de champagne rosé. Tout en dégustant ce fameux caviar, il ne peut s'empêcher de penser aux sommes colossales que le Consortium a dû honorer ces vingt dernières années à la suite des guerres et difficultés politiques qu'ont connues toutes ces régions. Ce fut d'une part la guerre Iran-Irak, puis un peu plus tard la fameuse guerre du Golfe avec l'invasion du Koweit par les troupes irakiennes et la destruction des champs pétrolifères et des installations portuaires. Dans la catégorie «grandes hémorragies», il y avait aussi eu la catastrophe écologique du naufrage du pétrolier *Exxon Valdez* en Alaska qui avait coûté au Consortium deux milliards de dollars. Sur ce, il prend un dossier dans son attaché-case et commence à le compulser. Cette fois, il fallait batailler ferme pour éviter une indemnisation dans le même ordre de grandeur à l'encontre de fabricants de gaz CFC[1] pour la participation de ces derniers dans le phénomène de formation de trous dans la couche d'ozone. Encore un problème écologique! Mais une argumentation était possible. Comme dans toute explication scientifique, on peut toujours trouver un ponte suffisamment titré pour impressionner un jury et faire admettre que la thèse qu'il avance est tout aussi bien argumentée que celle, exactement contraire, que son très honoré confrère propose. Et c'est la porte ouverte à toutes sortes de transactions.

Mais, par ordre chronologique, cela, quand il sera à New York, ne viendra qu'en seconde position. Tout d'abord il doit voir John à la Banque au sujet du projet UTOPIA dont il connaît déjà les grandes lignes.

Après deux heures de vol, on lui propose un brunch qu'il appréciera: suprême de volaille et un verre de Château-Margaux.

À 8h30, heure locale, le Concorde abouche au télescope de débarquement; la plupart de ses occupants se dirigent vers l'héliport qui se trouve dans l'aéroport Kennedy. Ils se répartissent dans les différents appareils; ceux-ci, rotors en marche, sont prêts à décoller pour Island Heliport sur East River, à la 34e Rue qu'ils atteindront en moins de dix minutes. Avant, on pouvait atterrir directement sur le building de la Panam, mais depuis une dizaine d'années cette liaison intra-urbaine n'est plus autorisée. Une fois arrivé dans Manhattan tout tient dans un mouchoir de poche, les «yellow cabs» aidant.

---

1. Chlorofluorocarbones.

À 9h45, Sir Alex pénètre dans la suite directoriale de John Matthews à la Banque, pour la rencontre qui avait été arrangée pour 10h.

Pour cette réunion triangulaire à laquelle Tanya était bien sûr conviée, John avait préféré qu'elle tînt place dans son bureau privé plutôt que dans la salle de conférence qui manquait d'intimité.

Quand on l'introduit, avec un soupçon d'avance sur ce qui était prévu, dans le bureau de John, Tanya s'y trouve déjà et ils sont en grande conversation.

– Déjà là! lui lance John en s'avançant vers lui. Et en avance en plus! dit-il en regardant sa montre. Vous avez fait bon voyage?

– Concordement bien! lui répond avec un peu de fierté Sir Alex; et d'ajouter perfidement:

– Et dire que vous n'en avez pas voulu, du Bel Oiseau Européen!

Ils se serrent la main longuement. Il faut dire que lorsque la Banque rencontre l'Assurance c'est un peu la Main Gauche qui se serre la Main Droite, tant les deux mondes sont indissociables. Puis John se tourne vers Tanya et la présente à Sir Alex.

– Voici Tanya O'Reilly qui est la directrice générale du projet UTOPIA.

– Très honoré, Madame. John m'a parlé de vous et je souhaitais faire votre connaissance.

– Moi de même. La couverture des risques que nous encourrons dans cette aventure est un dossier important, vous vous en doutez. De plus nous devons faire vite et j'apprécie votre diligence. Surtout avec tout ce qui vient de se passer, je suppose que vous devez être sur les dents!

– Pour le *Washington*, nous ne sommes pas concernés, mais tout porte à croire qu'ils sont décidés à frapper un grand coup et cette fois tout est possible. Il faut dire qu'on les a bien laissés faire; alors pourquoi se priveraient-ils?

– Il paraît que l'attentat a été revendiqué et que la suite est en train de mijoter, précise John en soupirant d'un air attristé.

– Alors si c'est comme cela, attendons. Enterrons et payons, et puis si possible tendons l'autre joue! se lamente Sir Alex.

– J'ignorais qu'on était fataliste dans les Assurances! se permet Tanya.

– Fataliste? Pas plus que chacun; mais croyez-moi, certainement pas résignés; surtout si l'on veut nous faire croire qu'il suffit de se décréter sous obédience divine pour avoir le droit de mettre une tonne de dynamite dans un parking et de mettre tout cela sur le compte du Destin!

— C'est comme cela, dit John. Dans toutes les plus belles mécaniques il peut toujours se glisser un grain de sable. Et dans l'esprit humain, qui en est une belle vous en conviendrez, ce grain de sable, c'est la folie meurtrière. Que peut-on faire?

— La traquer impitoyablement, mon cher John, appuie Sir Alex. Pour les fous, on a fait des asiles, et pour les terroristes, on fait des parloirs! On discute à l'amiable, des fois qu'on pourrait les énerver les chéris! J'espère que vous nous laisserez toute cette racaille sur terre, quand vous ferez votre UTOPIA!

— Qui sait? Sauriez-vous nous assurer que nous en soyons bien capables? intervient Tanya.

— Ça n'est pas mon rôle, lui répond Halley-Smith.

— Eh bien, parlez-nous un peu de ce que vous pouvez nous proposer pour l'étude que nous vous avons fait parvenir, enchaîne Tanya. Je suppose que c'est un domaine nouveau pour votre Consortium?

— Nouveau? Oui et non. Les grands programmes spatiaux américains étaient l'affaire des fonds publics et, comme pour les événements militaires, l'État s'auto-assurait. Mais avec le développement de l'aérospatiale civile nous avons couvert tous les satellites de communication qui ont été mis en orbite ces dernières années; votre histoire de colonie spatiale, c'est un peu la même chose en plus grand, non?...

— Et en plus cher! insiste Tanya. Notre budget est de l'ordre de la centaine de milliards de dollars!

— Bien sûr, bien sûr, aquiesce Sir Alex. N'ayez aucune crainte, depuis trois siècles que nous existons, le Consortium a toujours honoré ses positions. Le naufrage du *Titanic* a été payé rubis sur l'ongle! Et cela a vraiment heurté aussi fort que l'iceberg malencontreux, car nos experts avaient été les premiers à vanter l'insubmersibilité du navire. Pour parler plus léger, on avait imaginé un contrat pour les jambes de Betty Grable. Plus sérieusement, vous n'ignorez pas qu'à peu près tout ce qui vole et flotte sur cette planète est plus ou moins directement assuré chez nous. Alors pour UTOPIA, on arrivera sûrement à trouver la solution adéquate pour vous et vos partenaires. Soyez tranquilles!

— Comment comptez-vous procéder avec nous? s'enquiert Tanya.

– Sur le principe, c'est fort simple. Nous n'aurons pas à réinventer la roue, explique Halley-Smith. C'est comme d'habitude. Le client indique le plafond pour lequel il souhaite être couvert : à concurrence de..., et nous déterminons un coefficient de probabilité de risques. Dans ce cas précis, taux et plafonds vont être continuellement variables jusqu'à la mise en orbite. Premier point et deuxième difficulté : pour certaines parties du programme, nous manquons de bases de données statistiques et il faudra agir par simulation jusqu'à ce que l'évaluation des risques réels soit plus précise. Pour un tel projet, nous mettrons en place un contre-bureau d'étude avec lequel il vous faudra collaborer. Cela fait partie du contrat. Juste pour vous donner une vague idée, je dirai que ce taux pourrait être de 5 % à 6 % pour la phase de montage financier et de fabrication du produit ; pour aller à 20 %, qui est le chiffre le plus souvent retenu en ce moment pour le lancement d'un satellite de télécommunications. Pour les sondes planétaires, on est obligé d'aller encore plus haut, car bon nombre partent à la dérive dans le cosmos. Vous savez, chez nous en Angleterre, les «Book»[1] peuvent imaginer des paris sur tout ou à peu près tout : tous les détails infimes concernant la famille royale et même, si cela continue, la date à laquelle nous deviendrons une république ! Pour être un bon assureur, il faut être aussi un peu joueur !

– Mais aussi beau joueur ! fait remarquer Tanya.

– C'est bien sûr exact. C'est la règle du jeu, confirme Halley-Smith. Nous avons mordu la poussière ces derniers temps avec quelques gros problèmes écologiques qui nous ont un peu dépassés. Jusqu'à ce jour, le Consortium limitait la sacro-sainte *List of Names* à 20 000 personnes. Ces gens donnent leurs «noms», et tout ou partie de leurs biens constitue une partie de notre fonds de garantie. Ils espèrent en retour un bénéfice de 15 % à 20 % sur la valeur mise en «hypothèque». Jusqu'aux années '90, il était rarissime que nous y fassions appel ; plus récemment, nous avons dû y puiser, modérément certes, mais on ne peut pas dire que cela ait été une manœuvre populaire ! Nous avions en étude un projet pour une extension de la *List*, et si nous devons aller plus avant dans le programme de colonie spatiale UTOPIA, il deviendra impératif que l'on étudie la candidature de nouveaux entrants. Enfin tout cela, c'est notre petite cuisine. À chacun la sienne ! Pour le moment, je mets Anthony Craig sur cette affaire. C'est notre meilleur spécialiste. Il se mettra en rapport

---

1. Abréviation de *bookmaker*, preneur de paris.

avec vous pour obtenir les informations dont il a besoin, et puis je soumettrai le projet à mon conseil d'administration. Il nous faudra bien un bon mois pour voir les choses plus concrètement.

– C'est bien entendu comme cela, dit John.

– Vous rentrez à Londres ce soir? demande Tanya.

– Par le vol de 18h, répond Halley-Smith, et j'ai encore deux visites à faire. Les écolos sont en train de vouloir nous manger le foie avec l'histoire des gaz CFC et les trous dans la couche d'ozone. On ne les utilise plus depuis le 1er janvier 1995 et ils continuent, malgré tout ce que nous avons payé, à nous poursuivre. Et puis j'ai une rencontre avec les représentants des plus grandes compagnies maritimes car, avec tout ce qui se passe sur les mers du globe en ce moment, il va nous falloir revenir sur la fameuse clause *F.C. and S. (Free of capture and seizure)*[1] que nous avions retirée en 1898, il y a un siècle exactement. Le piratage est réapparu, et pas seulement pour des petits caboteurs ou pour l'emprunt d'un hors-bord de ski nautique! On a vu des pétroliers de 250 000 tonnes se volatiliser! Il faudra maintenant payer une prime supplémentaire pour garantir ce risque. Quel beau progrès! n'est-ce pas?

– Alors on ne vous retiendra pas plus longtemps. Voulez-vous qu'on vous accompagne avec une voiture de service? lui propose John.

– Je vous remercie, mais cela ne sera pas nécessaire. On vient me chercher. J'avais dit 11h en bas de la Banque.

Ils jettent tous deux un regard sur leur bracelet-montre et comme c'est presque l'heure dite, ils se quittent sur une poignée de mains, satisfaits de cet indice supplémentaire tendant à prouver que leur affaire avait été rondement menée.

– Au revoir Mrs. O'Reilly.

– Faites un bon retour, Sir Alex.

John libère son invité à la porte de son bureau et le laisse aux soins d'une collaboratrice qui le reconduit jusqu'à l'ascenseur.

Après la rencontre, John précise à Tanya le type de documentation à faire parvenir au Consortium. Il fait un commentaire aimable sur la personne de Sir Alex:

– Avec lui, on peut jouer cartes sur table. Il fait partie de la race des Seigneurs et en plus c'est un parfait gentleman. Je l'ai déjà eu en affaire plusieurs fois et, avec lui, tout est toujours dans le droit

---

1. Clause d'exclusion des actes de piraterie.

fil. Ce sont des gens comme lui qu'il nous faut pour UTOPIA. Dieu nous garde de prendre une brebis galeuse! À part cela, comment vous débrouillez-vous avec vos nouvelles fonctions, ma chère Tanya? Je n'ai même pas eu l'occasion de vous en parler ces derniers jours.

— Comme vous le voyez, pour le moment je suis encore beaucoup à la Banque. Ann Liu est une perle, mais pas une magicienne! UTOPIA n'est encore dans mon esprit qu'un puzzle géant sur fond de nébuleuse!

— Vous y verrez plus clair quand vous serez sur place à Houston, ce qui veut aussi dire loin d'ici. Mais avant qu'on oublie, promettez-moi de ne pas partir sans qu'on ait un dîner à la maison. Cela fait une éternité, non?

— Et peut-être même plus que cela encore! lui répond-elle, la main sur la poignée de la porte de son bureau.

Maison-Blanche, Washington, D.C.

Pour le Président, la nuit du 4 au 5 juillet a été courte. Ayant renoncé la veille à son déplacement dans le sud, il est retourné à la Maison-Blanche et s'est consacré à des entrevues avec les plus hauts responsables du pays à la suite de la destruction du *Washington* et de la menace qui a suivi. Le soir, il s'est un peu détendu et a assisté à une petite fête avec les gens de la Maison-Blanche pour la commémoration de l'Indépendance des États-Unis. Malgré l'heure tardive, il lui a fallu concéder une mini-conférence de presse. Les questions n'ont pas manqué, bien entendu.

— Nous avons pris toutes les mesures nécessaires pour identifier les coupables de cette agression inqualifiable, sans déclaration de guerre, et nous tenons prêt un plan de riposte; le reste est du domaine secret-défense et nous ne pouvons vous en dire plus. Merci, Messieurs, et à demain, avait-il essayé de conclure.

— Avez-vous reçu menace d'un autre acte de terrorisme? insiste un journaliste du journal télévisé.

— Pas directement. Nous ne sommes pas les gendarmes du monde, mais faites-moi confiance, ceux qui nous cherchent nous trouveront prêts.

Il prend congé de cette assistance et se retire dans ses appartements. Il sait que tout à l'heure à son réveil, une échéance grave l'attend...

À six heures trente, il se réveille et immédiatement son souci majeur du moment l'assaille. Inquiet, il décroche le téléphone qui le relie à l'attaché militaire de veille.

– ... Non, monsieur le Président. Soyez tranquille, rien à signaler...

Impossible de se rendormir. Il se lève, s'habille et demande qu'on lui apporte une tasse de café. Un de ses conseillers particuliers profite de cette occasion pour lui apporter en même temps quelques journaux du matin qui affichent tous à la une les images insoutenables du drame. La visite de ce dernier fait un peu diversion et permet au Président de tromper un peu cette angoissante attente. À l'approche de l'heure fatidique, il a de plus en plus de mal à cacher sa nervosité. À 9h10, il interroge à nouveau l'attaché militaire. Celui-ci était déjà en ligne. Il suspend sa communication pour répondre au Président tant bien que mal :

– ... À l'instant, monsieur le Président, certainement une explosion atomique dans le Sahara... notre satellite de surveillance... nous vérifions...

Déjà il n'entend plus ! «Ainsi, ils ont osé !» pense-t-il, accablé.

Cette nouvelle fait immédiatement l'effet d'un coup de pied dans une fourmilière dans l'entourage du Président.

Il demande une liaison téléphonique immédiate, avec le Pentagone; cinq minutes plus tard, son conseiller pour les affaires militaires a fait la synthèse des dernières informations et lui fait le commentaire suivant :

– Nous avons confirmation de ce que notre satellite de surveillance a pu capter à 14h GMT: explosion d'une bombe atomique dans le désert saharien sur 201° de longitude Est à la hauteur du tropique du Cancer et donc en territoire libyen. Les enregistrements sismographiques font part d'une puissance de feu modeste, environ vingt fois moins intense que la bombe d'Hiroshima, équivalant à 1 000 tonnes de TNT tout de même, ce qui permet la destruction totale d'une ville de 50 000 habitants !

– Ce ne sont pas les Français qui...

– Depuis l'indépendance de l'Algérie en 1962, les Français n'ont plus fait d'essais atomiques dans le Sahara. Ils les font dans le Pacifique, à Mururoa, au grand dam des Néo-Zélandais et des écologistes qui n'apprécient pas beaucoup d'ailleurs. Désolé, mais cela est hors de question, et en plus la localisation selon le satellite ne fait plus de doute. Cela m'a tout l'air d'être le coup de semonce annoncé par notre ambassade de Londres.

— Mais comment se fait-il que nos services secrets n'y aient vu que du feu? interroge le Président.

— Depuis quelques années, monsieur le Président, nous avons dû renoncer à toute comptabilité sérieuse des matières fissibles, uranium et plutonium essentiellement, en circulation dans le monde. Autour de la mer Noire, dans les ex-républiques de l'URSS, si vous avez le vert[1] qu'il faut et que vous êtes bien renseigné, vous pouvez même profiter de la période des soldes pour vous approvisionner en combustible nucléaire! Certains généraux et amiraux russes sont sans scrupule. Dans un même ordre d'idées, nous connaissons le moindre rivet et la moindre commande électronique de leur fabuleux Sukhoï et du dernier bombardier-haute-altitude Mig qui, il faut bien le reconnaître, avaient plusieurs longueurs d'avance sur nos appareils; nos pilotes ont pu les essayer en se payant un tour comme on achète un ticket de manège à Disneyland! Les temps ont bien changé! Pour la réalisation d'une bombe thermonucléaire de dernière génération, il faut des standards scientifiques élevés capables de maîtriser un phénomène du type fission-fusion-fission. À ce niveau nous ne sommes que quatre ou cinq dans le monde et de ce côté, pour autant qu'on puisse en dire, il n'y a aucun problème pour une utilisation non contrôlée. Mais pour bricoler une bombinette du style de celles dont on trouve les plans dans des revues de vulgarisation dans n'importe quel kiosque à journaux, et soit dit en passant analogue à celle qui vient de péter, c'est du ressort d'un grand nombre de petits pays qui avaient accédé au nucléaire soi-disant pour des raisons civiles, pour couvrir leurs besoins énergétiques. La plupart du temps, ces pays avaient le pétrole pour rien et posaient aux commissions de contrôle internationales les plus grands problèmes quand elles essayaient de faire leur travail. Tous les coups étaient permis pour nous gruger: déménagement, création de sites fictifs, etc... Bien sûr la CIA travaille toujours d'arrache-pied pour tenter de garder le contrôle. Tout ce que nous savons, ces derniers temps, c'est que du matériau fissible, équivalant à plusieurs (quatre ou cinq) kilotonnes se baladait et avait échappé à toute localisation.

Le Président a écouté sans grand plaisir l'exposé de son conseiller. La machine à décrypter les pensées n'existe pas, mais s'il en

---

1. Allusion au dollar américain dont les billets sont tous de cette couleur.

était autrement en ce jour, et pour autant qu'un Président pense en ces termes, on pourrait sûrement voir inscrit sur son imprimante : «Eh bien, on est dans une belle m...!»

Un silence pesant s'est installé dans la pièce. Le Président le rompt pour ordonner une réunion du Conseil de Sécurité à 14 heures.

Pour cette séance spéciale, une trentaine de personnes ont pris place dans une salle du rez-de-chaussée de la Maison-Blanche. Les secrétaires d'État pour les Affaires étrangères et l'Armée sont là avec leurs conseillers. Le chef d'État-major des armées ainsi que les trois plus hauts gradés de l'armée de terre, de l'Air Force et de la Navy sont également là, accompagnés de conseillers civils et militaires. Le responsable du Commissariat à l'Énergie atomique a un rôle prédominant et sa place a été réservée juste en face de celle du Président qui est entouré de ses deux secrétaires d'État. Une femme (la seule) et trois hommes, tous civils, ont été convoqués et ils devront intervenir en raison de leurs connaissances pointues sur certaines questions qui seront à l'ordre du jour. Pour tous, personnalités éminentes de l'État et personnages inconnus, une procédure très stricte d'identification et de sécurité a été appliquée avec rigueur et minutie. La séance est placée sous le sceau du secret-défense absolu.

Le Président inaugure le débat par une question directe qu'il dirige au représentant de l'Agence Internationale de l'Énergie Atomique :

— Pouvez-vous nous dire comment le Moyen-Orient peut être en possession d'une bombe atomique opérationnelle?

L'interpellé prend acte et passe la parole, en le présentant, au conseiller qui l'accompagne. C'est un ingénieur du génie atomique qui a, par le passé et à plusieurs reprises, assuré la mise en place de centrales nucléaires au Moyen-Orient.

— Depuis vingt ans le Moyen-Orient et le Tiers-Monde ont acquis bon nombre de centrales nucléaires qui sont approvisionnées à l'uranium sur des bases commerciales. Nous savions que de telles centrales sont des points de départ potentiels d'une dérive stratégique conduisant à la production du plutonium 239, qui est idéal pour la fabrication d'une petite bombe atomique du type par exemple de celle de Nagasaki en 1945. Il suffit pour cela d'y adjoindre un accélérateur de particules, ce qui n'a rien d'impossible. Tout allait bien du temps où ils avaient besoin de nous constamment pour un support technologique et tout cela résultait d'un excellent choix politique et commercial : en les fournissant, on évitait que ce soient d'autres qui le fassent. On échangeait nos services contre du pétrole, ainsi on était aux premières loges pour savoir ce qui s'y passait vraiment et contrôler les entrées et sorties. Tout s'est considérablement compliqué en 1990 avec l'affaire de l'Irak, qui a gagné son bras de fer contre nous et tout l'Occident en s'opposant au contrôle de l'Agence Internationale de l'Énergie Atomique. Le traité de non-prolifération des armes atomiques commençait juste à être efficace avec le bloc des Pays de l'Est, qu'il n'était déjà plus qu'un chiffon de papier vis-à-vis de ces nouveaux membres des puissances nucléaires qui, eux, dénient toute légitimité à cette Institution qui n'est qu'un instrument que les grandes puissances veulent imposer pour mieux les contrôler. Ajoutez dans le shaker :

• un : la dislocation de l'URSS qui libère dans la nature des savants de haut niveau et du combustible nucléaire qui circule sous le manteau ;

• deux : le retour pour beaucoup de ces scientifiques vers leurs provinces d'origine où pour certaines d'entre elles, le Coran a toujours été plus populaire que le *Manifeste* ;

• trois : un pays, le Pakistan, qui sans être très virulent n'est pas moins sympathisant de la doctrine islamique et qui sur le plan de la recherche fondamentale en physique nucléaire a connu, ces dernières années, une élévation remarquable de son niveau scientifique ;

• quatre : des moyens financiers tout à fait corrects ;
et vous obtenez la recette pour un parfait cocktail explosif. Pour être complet et pour aller dans tout le sens de votre question, monsieur le Président, il faut mentionner que de grands «progrès» ont été également faits pour miniaturiser et simplifier la mise en œuvre d'une bombe atomique.

— Vous voulez dire qu'on pourrait imaginer une voiture piégée, mais cette fois avec une bombe atomique ?

— ... Une voiture, peut-être pas ! Mais une camionnette, un avion-cargo commercial, un navire dans un port... c'est tout à fait envisageable.

L'instant est d'une gravité exceptionnelle. L'élite de la plus puissante nation du globe doit faire face à ce paradoxe : son sort pourrait dépendre d'un colis dans une camionnette ou dans la soute d'un avion ! Le Président reprend la parole et dit :

— Madame, messieurs, nos prédécesseurs et nous-mêmes avons commis une grave erreur en nous croyant les plus forts parce que les mieux armés et aussi les plus riches ; et aujourd'hui cet ennemi que nous avons négligé nous menace, nous fait peur et nous fait tout petits devant lui. Je crois qu'il n'est pas trop tard pour réagir. Rappelons-nous David et Goliath et, plus récemment, la situation d'Israël à la veille de la guerre des Six Jours. Sur le papier, face à un ennemi bien supérieur en nombre, les chances de victoire étaient infimes. Comment s'en est-il tiré? Par le Renseignement. Notre magnifique force armée a devant elle dix Viêt-nams et autant d'Afghanistans en perspective si nous voulons régler le problème par le fond; alors qu'en investiguant de façon implacable sur le poison qu'on nous propose, nous trouverons certainement l'antidote. Sainte CIA, priez pour nous!

Le Directeur de cette «monstrueuse» institution intercepte cette injonction au passage et en hochant la tête rétorque:

— Il serait grand temps qu'on nous laisse faire, monsieur le Président.

— Évitons les querelles, je vous prie, dit le Président. Je vous ai dit au départ que nous avons tous eu un peu tort dans cette affaire et d'en arriver là où nous sommes; vous avez certainement raison dans vos doléances et votre observation est justifiée. Mais ce n'est pas le moment d'en discuter. En un mot je vous dirai — et ceci s'applique aussi à ceux d'avant — nous avons eu pas mal de chats à fouetter sur le plan de la politique intérieure; et pour être franc, rien n'allait beaucoup mieux avant que cette histoire ne démarre. La nouvelle politique de santé, l'éducation et le social en général nous ont obligés à déplacer certains crédits de la défense nationale, de la recherche, vers ces domaines qui étaient d'une nécessité urgente. On ne peut pas avoir le beurre et l'argent du beurre! Alors maintenant, il faut faire avec cette nouvelle donne. Et dans ces circonstances je souhaiterais que tous ensemble dans cette pièce et aussi dans ce pays, nous montions aux créneaux autrement qu'en rangs dispersés et en ne tirant pas dans le même sens! Comment voyez-vous la situation à la CIA?

— Je vous assure, monsieur le Président, ce n'est pas parce que nous étions un peu dans l'ombre que nous n'avons pas travaillé correctement. Et je tiens à vous rassurer tout de suite, au nom de cette institution que j'ai l'honneur de diriger, de très bonnes initiatives avaient été prises. Le Moyen-Orient était l'objet d'une constante attention de la part de nos services et tout cela ne sera pas inutile dans le contexte actuel.

— Enfin une bonne nouvelle!

– Je vais laisser la parole à madame Sheikdawood de l'Institut des sciences politiques et qui a travaillé, à notre demande, à l'élaboration d'un mémoire qui nous permet de mieux situer et cibler le problème auquel nous faisons face. Ce rapport est confidentiel et est intitulé: «L'Organisation des Forces Révolutionnaires de l'Islam.»

– C'est à vous, Madame...

5

New York, New York

À 19h30, Tanya est devant la maison de John. C'est une belle demeure un peu ancienne de quatre étages dans un coin chic de l'Eastside, presque en face de chez elle, mais de l'autre côté de Central Park.

Après son travail, elle était repassée à son appartement pour se changer. «Les hommes ont bien de la chance!» pensa-t-elle un instant, devant sa penderie, un peu indécise sur le choix de sa tenue pour la soirée. Sans trop réfléchir, elle prend son chemisier de soie qu'elle aime bien et un pantalon de cuir fauve d'un style tout différent. Les dîners chez John n'étaient pas chose courante; chaque fois il s'était agi d'invitations pour un cercle restreint de gens de la Banque, dans des moments où il était souhaitable de resserrer un peu les rangs à l'approche d'une échéance importante. Pour cette soirée d'adieu, elle pensait bien indiqué de donner d'elle une image un peu différente de celle à laquelle ses tenues bien sages de femme d'affaires les avaient habitués.

Le taxi l'avait laissée au coin de la rue, sur Lexington, car elle avait réalisé au dernier moment qu'elle ne connaissait pas avec précision le numéro de la maison de John, y étant toujours allée accompagnée. Rien de bien grave. Elle reconnaîtrait, et puis apprécierait de remonter à pied cette rue calme bordée d'arbres, à l'écart du tumulte de Manhattan, avec ses petits immeubles aux façades en brique qui alternent avec d'élégantes maisons de ville.

Elle marque un petit temps de surprise en voyant John lui ouvrir, car elle s'attendait à son employé philippin qu'elle voyait souvent quand il l'accompagnait à la Banque ou à l'aéroport.

– Bonsoir, John. Je dois être très en avance..., dit-elle en faisant allusion au fait qu'il était encore en jeans avec une chemise Lacoste.

– Pas du tout. Vous êtes pile, et puis nous n'attendons personne. Les enfants sont au cinéma et c'est le jour de congé de Ricardo et Bianca; mais rassurez-vous, vous ne mourrez pas de faim. Ils nous ont ramené des langoustines et tout un tas de bonnes choses du marché. Vous me donnez un petit coup de main pour finir de les préparer à la sauce... chinoise. Cela vous va?

– C'est une très bonne idée, John; mais ne comptez pas trop sur moi. Je n'ai rien d'un cordon-bleu!

– Eh bien, comme cela vous apprendrez! Moi j'adore jouer les chefs! Vous n'aurez qu'à me regarder. Et puis, la cuisine tout seul, c'est trop triste.

– Je ne suis pas venue pour vous voir triste, John.

Tout en bavardant, ils traversent le grand hall d'entrée et passent devant la salle à manger. Tanya remarque avec un certain émoi que la table a été dressée avec recherche et surtout qu'il n'y a que deux couverts. À cette vue, son cœur bat la chamade et du rose lui monte aux joues. Elle tâche tant bien que mal de dissimuler à John cette réaction, tandis qu'ils approchent de la cuisine.

Sans trop y penser, Tanya avait entretenu, quelque part dans son subconscient, le secret espoir que cette dernière soirée à New York serait un peu différente de ces dîners «entre hommes» auxquels elle n'avait que trop assisté; avec les sempiternelles discussions où chacun tâche de mettre en avant son dernier bon coup ou son ultime audace boursière. Un peu de romantisme avec ce dîner aux chandelles en perspective réveillait en elle des sentiments un peu enfouis mais qui ne demandaient pas mieux que de faire résurgence.

Jusque-là, sa vie sentimentale avait été un festival d'occasions manquées. Le recherchait-elle sans le savoir? Pas vraiment. Dès ses années de collège, ses histoires avec les garçons de son âge avaient pris une tournure déroutante. Elle n'était sûrement pas du genre de celles sur lesquelles ont devait compter pour endiabler une fête de fin d'année. De nature plus réservée, elle avait malgré tout un très bon caractère et, avec son physique plutôt agréable, les garçons la remarquaient et elle était toujours bien entourée.

Par manque de chance, le premier gars qu'elle approcha plus sérieusement était le play-boy de service, bourreau-des-cœurs patenté du campus; et elle ne le savait pas, bien sûr. Quand elle s'en aperçut, deux trimestres avaient presque passé, les équipes étaient constituées et tout le monde était casé. Il fallut attendre l'année suivante. Cette fois, elle fit bien attention pour ne pas retomber dans le piège; quand enfin elle trouva un bon copain, presque en même temps il lui fallut réaliser que c'était le fils d'un militaire qui changeait d'affectation tous les ans. Dans quelques semaines la famille partait en Allemagne. La porte à côté! Ils échangèrent quelques lettres, mais à ces âges il y avait trop de choses à se dire que ne pouvaient transmettre de si petites enveloppes.

Pendant les années à Harvard, il est de règle de mettre toute vie affective entre parenthèses et elle n'aurait pas été bonne candidate pour déroger à cette règle. Par la suite, dans l'entreprise, sa progression fulgurante ne fut pas ce qu'il y avait de mieux pour faciliter ses rapports avec ses congénères du sexe opposé. Elle ne fut jamais au bon endroit au bon moment. Jeune directrice de service, elle avait tenu à dresser des remparts pour se mettre à l'abri de toutes sortes de rumeurs tournant autour de la fameuse «promotion canapé» qui vit et règne dans ce genre d'administration; et puis la volonté qu'elle mettait pour réussir dans son travail l'affublait en même temps d'œillères aussi efficaces qu'invisibles.

Arrivée à un poste de haute responsabilité, c'était avec la plus grande suspicion qu'elle se voyait approcher par un de ses collaborateurs quand se présentait en dehors du travail une possibilité de prolonger sa connaissance l'un de l'autre. Les *golden boys* avec des dents longues et coupantes comme le silex ne manquaient pas dans son entourage. Néanmoins, elle lisait très clairement dans le jeu de ces jeunes ambitieux, prêts à tout pour réussir. L'un d'eux lui avait fait une cour assidue; un soir il l'avait crue victorieuse quand Tanya feignit d'accepter l'invitation équivoque à dîner qu'il lui avait faite en lui répondant: «Cela me fera très plaisir de connaître votre épouse à cette occasion!» car l'arriviste en question avait omis de signaler qu'il était marié et père de famille. Et avec Tanya cela signifiait obligatoirement: «pas question.»

Non vraiment, mêler affaires et sentiments était trop difficile à gérer pour elle. Une autre fois qu'elle s'était vraiment sentie attirée par un jeune analyste financier, il s'est justement trouvé que le poste de direction à l'agence de Dubaï devienne vacant; il était l'homme de la situation et sa nomination dépendait d'elle. Tout le monde dans le service avait remarqué l'ambiguïté de la situation et cette transparence la rendait mal à son aise. Le temps opéra son effet et un jour, sans presque s'en rendre compte, sa mutation vint à l'ordre du jour et elle la notifia sans trop d'état d'âme.

Ainsi en avait-il été de sa vie affective ces dernières années. Elle devait certainement penser que grâce à UTOPIA tout pourrait s'arranger avec plus de 150 années encore à venir!

Tanya s'occupe des légumes pendant que John passe les langoustines à la vapeur et prépare le curry selon une recette qu'il détient d'un chef du célèbre Goodwood Park Hotel de Singapour. Il fait revenir les légumes à la poêle dans un fond d'huile de sésame en agitant pendant trois minutes d'un mouvement continu. Tanya observe en silence. Elle remarque la belle couleur dorée que prennent les légumes au contact de l'huile qui frissonne en laissant échapper de plaisantes effluves de cuisson. John y incorpore les langoustines et le curry en remuant lentement, puis il place le tout dans un plat surmonté d'une cloche. À l'instant où toutes ces belles choses disparaissent temporairement de sa vue, elle saisit un peu mieux que d'habitude la différence que font certains entre l'art culinaire... et faire à manger!

— Je me suis régalée à vous regarder faire! dit-elle à John.
— Vous êtes gentille, Tanya; mais passons plutôt à table. C'est là-bas que j'apprécierai que vous me redisiez cela. En attendant, j'ai mis une bouteille de champagne au frais dans la porte du frigo, et je n'ai que deux mains, lui répond John en emportant le plat de service.

Elle arrive à la salle à manger sur ses talons et le trouve occupé à allumer le second chandelier. La pièce est baignée d'une lumière douce; en fond sonore, Maria Callas distille de sa voix limpide les notes d'une belle mélodie de *La Bohème* de Puccini. John fait sauter le bouchon de la bouteille Mumm cordon rouge qui livre ses premières bulles pétillantes en claquant doucement sans nuire pour autant à l'harmonie musicale du moment.

— À votre santé, Tanya!
— À la vôtre également, John... et à celle d'UTOPIA!

Après avoir porté ce toast, ils tirent des chaises et prennent place à table. John soulève la cloche et, de suite, une agréable senteur épicée leur parvient aux narines. Dehors il fait encore jour; une lumière chaude et douce passe encore un peu par la fenêtre. L'horloge sur la cheminée laisse tinter neuf petits coups cristallins comme si on avait agité en cadence un brin de muguet. Le temps passe, mais il est de celui qu'on aimerait ralentir un petit peu. Le champagne a commencé à produire son effet et l'atmosphère du moment est de plus en plus détendue et même euphorique.

– Vous aimez, Tanya?

– C'est vraiment délicieux. La cuisson dans l'huile de sésame fait toute la différence.

– Et on dirait aussi que le Chablis a été inventé pour aller avec. Je vous en sers un peu?

– Volontiers, John. Puis-je vous demander une faveur, Votre Honneur? Auriez-vous une fourchette à me donner? Et si ce n'est pour moi, faites-le par amitié pour mon chemisier!

John essaie tant bien que mal de lui expliquer le maniement des baguettes, mais visiblement Tanya n'a plus tout à fait la tête à cela. Elle a le vin plutôt gai et tous deux partent d'un bon fou rire quand, après un ultime essai, le morceau d'oignon qu'elle avait juste réussi à saisir retombe dans l'assiette alors qu'il n'était plus qu'à quelques millimètres de sa bouche.

Il y avait bien longtemps qu'en ces lieux n'avaient résonné de tels éclats de rire. Depuis plusieurs années la grande demeure avait perdu cette petite chose indéfinissable et impalpable et qui n'est autre que la vie d'une maison. Un peu comme ces châteaux féeriques quand un grand mal injuste a enlevé la jeune princesse. John y avait emménagé dix ans auparavant avec son épouse Sarah et leurs deux enfants. Il venait juste d'accéder à de grandes responsabilités à la Banque. C'était l'époque où l'informatique était devenue si importante dans le système bancaire; non seulement pour gérer au quotidien les comptes des clients, mais à un niveau bien plus élevé pour que la Banque elle-même se gère et se positionne sur les marchés mondiaux. Les voyages, les réunions et les longues soirées à étudier tous ces logiciels, devoir toujours être dans le coup et si possible en avance devenait l'obsession constante.

Tout cela avait eu raison de leur vie de couple qui, et sans que l'on puisse s'en apercevoir, s'asseyait jour après jour sur une taupinière de plus en plus fragile. Sarah ne pouvait plus trouver ses marques. Elle avait repris sans grand enthousiasme des études d'histoire de l'art et fréquentait le milieu des galeries de tableaux. Mais les vernissages et les expositions auxquels on va seule, sans jamais trouver par la suite un écho aux sentiments qu'on a éprouvés, la lassèrent bien vite. Son éducation au sein d'une famille forte où on lui avait inculqué des principes la maintint à distance des tentations compensatoires qu'elle aurait jugées trop vulgaires pour elle. Elle ne toucha pas à l'alcool, ne tomba pas dans les bras d'un amant, mais ne put éviter un temps la fréquentation du divan d'un psychothérapeute. Quand les enfants furent plus grands et qu'ils partirent au Collège loin de New York pour toute la semaine, plus rien ne put masquer la grande solitude dans laquelle elle se trouvait.

Un soir en rentrant, le domestique indiqua à John que Madame était partie chez ses parents pour quelques jours en Caroline du Sud. Sous son oreiller il trouva une lettre. On ne devait plus jamais les revoir ensemble.

Peut-on jamais reconquérir le bonheur?

Pour ce faire, le moment ne pouvait pas mieux se présenter. Mais dans cette grande maison si spacieuse il manquait tout de même cette pièce imaginaire où il serait si bon ce soir de laisser un petit peu de soi-même. Un vestiaire où tous les deux pourraient déposer tous ces impedimenta qui les font traîner de la jambe alors qu'ils devraient saisir au pas de course le grand espace qui se dégage devant eux. Quelle grande main empêchait donc que John ne prenne celle de Tanya tout en lui disant:

«– J'aimerais bien vous faire connaître mon chalet près de Lake Placid. À l'automne, le parc Adirondack est une pure splendeur. Je n'ai jamais encore eu l'occasion de faire partager toutes ces beautés à quiconque. J'y suis si bien qu'égoïstement j'ai peur qu'à plusieurs je ne sois sûr d'en avoir toute ma part. Je suis sûr qu'avec vous au contraire je découvrirais encore davantage ces lieux paradisiaques.»

Personne ne l'obligerait de préciser que ce jardin secret avait tout de même été à plusieurs reprises dans le passé un endroit idéal pour passer un peu de bon temps en bonne compagnie sans que la moitié de la planète en soit au courant. Tanya piquerait un bon fard et ajouterait, câline:

«– C'est bien vrai que personne ne vous y a jamais accompagné?

– À part John junior et Julia, non vraiment je ne vois pas, ajouterait-il avec un sourire malicieux.»

Mais au lieu de toutes ces perspectives heureuses, John ne peut s'empêcher d'évoquer bien plus prosaïquement l'affaire du *Washington* et la visite de Sir Alex. Et Tanya ne fait guère mieux. Elle démarre au quart de tour et se lance dans un long exposé du programme qu'elle s'est fixé dès qu'elle sera à son poste à Houston.

En même temps que le dessert, une belle papaye fraîche, la conversation s'est maintenant complètement centrée sur UTOPIA. Kiyomi, Luce, la Banque, la NASA, Houston...

Quand les enfants font une irruption bruyante en chahutant dès leur entrée, le rôle du chien dans le jeu de quilles n'a même plus besoin d'être distribué. Son double emploi serait assuré !

— Oh ! c'est vous, Tanya ! Bonsoir. Salut P'pa.

— Bonsoir Julia. Vous avez grandi depuis la dernière fois que je vous ai vue. Je ne sais pas si je vous aurais reconnue. Et vous, Junior, comment allez-vous ? Il paraît qu'on vous a trouvé un petit job pour les vacances chez nous ? Ça vous plaît ?

— Pas très excitant. Je suis aux archives au troisième sous-sol ; je dois faire un *Ten K*[1] par jour au milieu des rayonnages métalliques à classer de la paperasse.

— Comme cela, ça lui montre un peu les coulisses de la haute finance. À part cela, vous avez passé une bonne soirée ? demande John.

— On a vu un film sur la 3e Avenue et puis après on a pris une pizza chez Brancatto. Bon je vous laisse, je vais me coucher, je suis vanné. Bonsoir Tanya, bonsoir Papa.

— Salut, mon grand ! Tu montes aussi, Julia ?

Julia qui était bien contente d'une présence féminine pour lui tenir un peu compagnie semblait vouloir s'incruster.

— Je prendrais bien un peu de dessert avec vous. Si vous n'y voyez pas d'inconvénient ! Et puis tiens, mon Papa chéri, sers-moi donc un petit verre de vin.

— Votre père m'a dit que vous entriez en Première à Princeton à la session d'automne. Vous devez être contente, non ?

— Oh oui ! J'ai vraiment hâte d'y être. J'ai été voir le campus et je suis sûre que je vais m'y plaire.

— Quelle option allez-vous faire ?

— L'économie. Je voudrais bien faire ma maîtrise à Princeton et ensuite le doctorat à la London School of Economics. Vivre en Europe, c'est mon rêve et en Angleterre, on n'a pas le problème de la langue. Nous y sommes allés l'année dernière pour le tournoi de Wimbledon. C'était super, pas vrai ? P'pa ? Et puis tu te souviens, on avait fait le quartier branché. On était allés en boîte chez Tramps sur Jermyn Street. L'ambiance ! Je ne vous dis pas ! Vous êtes déjà allée à Londres, Tanya ?

— Oui, bien sûr ; mais pas pour m'amuser ! Enfin, il y a un temps pour chaque chose.

------

1. 10 km.

Et jetant un coup d'œil sur son bracelet-montre elle ajoute :

— Je crois maintenant qu'il est grand temps que je songe à rentrer chez moi. Je n'ai pas encore fini mes bagages.

— Parce que vous partez en voyage ? Où allez-vous ?

— À Houston, Julia.

— Vous y restez longtemps ?

— Euh... assez, oui. En fait, je vais y vivre.

— Quoi ? Vous déménagez ? Vous quittez la Banque ?

— Julia, c'est assez compliqué. Excuse-nous, on a fait tout cela sans te demander la permission, intervient John.

— Mais, alors, vous allez habiter où ?

— Bien, tout d'abord à l'hôtel pendant un mois ou deux, le temps de m'orienter.

— Super ! J'adorerais vivre à l'hôtel. Vous en avez de la chance, Tanya. Je vous souhaite bon voyage.

— Merci, Julia ! lui répond Tanya qui se lève et se dirige vers la sortie.

John la raccompagne et réalise que la soirée est terminée. Au bas du perron, il l'embrasse et lui dit :

— J'espère que vous avez passé une aussi bonne soirée que celle que j'ai passée avec vous.

— Excellente, John, vous êtes un hôte parfait. Je vous revaudrai cela à Houston une prochaine fois. Vous tâcherez d'être un peu libre pour moi, pour une fois...

Tanya marche un peu jusqu'à la grande avenue où elle trouvera sans peine un taxi pour rentrer chez elle. L'air frais lui fait du bien. Elle se sent les jambes un peu lourdes et les pensées confuses. Elle repasse le film de la soirée en sens inverse et constate qu'elle n'a pas souvent dit non à chaque fois que John lui a proposé du Chablis. Et elle n'a pas trop l'habitude. Une pensée lui vient sur ces dernières heures. Était-ce vraiment la soirée qu'elle avait prévue ? Avait-elle en fait prévu quoi que ce soit...

Un «yellow cab» ralentit à côté d'elle. Elle sursaute, comme sortie d'une étrange rêverie, quand le chauffeur lui demande :

— *Wher' you goin', Ma'm ?*

La course ne serait pas bien longue, mais elle laisserait un bon pourboire pour compenser.

Et ces quelques mots baragouinés par le chauffeur noir du taxi seront bien les derniers qu'elle entende d'un homme pour la soirée.

De son côté, John est à nouveau seul dans la grande maison. Julia est tout de suite montée dans sa chambre. Insouciante, elle ne s'est même pas rendu compte qu'elle aurait pu éventuellement gêner son père. Lui et Tanya, cela ne l'a même pas effleurée. Cela doit bien vouloir dire quelque chose. Résigné, il traîne un peu dans le living et range quelques ustensiles, puis monte lui aussi dans sa chambre.

Dans son lit, le journal lui tombe des mains. Ses yeux se posent sur une photographie dans un cadre sur une commode. Le mélange des vins lui a un peu brouillé les esprits et puis l'heure est tardive. Sans trop réfléchir, d'un geste machinal, il décroche le téléphone qui est sur sa table de nuit et compose un numéro en province. Il laisse sonner deux fois, puis d'un geste sec raccroche le combiné.

Il s'interdisait l'idée d'intervenir à nouveau dans l'histoire de Sarah.

La vie est un long fleuve tranquille. Ce soir, il en descendait le cours... très seul.

Tokyo, Japon

Chaque troisième jeudi du mois Kiyomi a un déjeuner chez Prunier, le grand restaurant français de Tokyo, avec les amis de son cercle financier : son *zakai*. On a raison de dire que dans ces réunions naissent des orientations et des impulsions économiques bien plus importantes que celles qu'on trouve à la sortie d'un Conseil des ministres. Les principaux chefs de ces *zakai* sont, comme disent les Japonais, le « gouvernement derrière le rideau ». Ce sont eux maintenant qui ont les mains sur les leviers de commande du pays.

Sur aucune liste officielle l'appartenance de telle ou telle personnalité du monde des affaires ne sera rapprochée de tel ou tel *zakai*. Mais ce n'est certainement pas un hasard si chaque mois, à la même place, le gouverneur de la Banque du Japon, l'état-major du *keidanren* – le très puissant syndicat du patronat – et le président de la Nissho, qui est la Chambre japonaise du commerce et de l'industrie, entre quelques autres, se retrouvent autour de Kiyomi chez Prunier.

Ils ont tous entre 55 et 60 ans et la trajectoire de leurs carrières respectives présente de frappantes similitudes. Ils sortent tous de Todai (l'université de Tokyo, une des plus cotées au monde) et n'ont pas oublié les dures années d'étude et la sélection impitoyable qu'ils ont dû surmonter. Dans ces épreuves, des liens fraternels se sont tissés; une camaraderie et un respect mutuel infaillibles les unissent; un serment d'allégeance les retient à jamais de discréditer, ou d'être discrédité par, un confrère. Tout ceci a un nom: l'esprit de corps, qui, au niveau où ils le pratiquent, tend à rejoindre l'esprit de caste. Ce sont les nouveaux managers du Nouveau Japon ou plutôt du Troisième Japon, comme ils aiment à le souligner pour ne pas marquer la cassure avec le Vieux Japon traditionnel qui est toujours présent en filigrane dans leurs cœurs; et puis cela cadre bien avec leur prétention affichée d'être la troisième puissance mondiale à l'aube du troisième millénaire. Et dans ce pays dominé par son économie et sa puissance productive, c'est à eux que revient la plus forte part du pouvoir.

Ils ont pris la relève du clan des militaires quand ces derniers, déchus, après la Capitulation et l'Occupation, ont disparu sans pour autant que s'éteignent les grandes valeurs qui avaient fait leur grandeur: audace, abnégation et panache. En s'installant à Tokyo, le général MacArthur avait tout fait pour éviter ce report d'énergie de l'Armée vers l'Entreprise car il savait bien que le fameux slogan des militaires de l'armée impériale, «mettre sous un seul toit les huit recoins de l'Univers», pouvait aussi s'agrémenter à une sauce civile; étant bien entendu que ce toit aurait sûrement ses quatre coins relevés à la mode nippone. Il imposa une politique antitrust et dispersa l'industrie. Mais dans les années '50, en pleine guerre froide, il fallut renverser la vapeur et laisser l'Allemagne et le Japon reprendre des forces et servir de bouclier devant la montée et le danger que représentaient la Chine et l'URSS. C'était la brèche que le Japon vaincu, meurtri et humilié par l'occupation américaine, attendait pour se relever et il s'y engouffra corps et biens.

«... N'ayant pas de passé, nous avons seulement un avenir. Nous avons pu commencer à zéro et voir grand». Voilà en quelques mots comment l'industriel Shoichiro Honda a expliqué la raison pour laquelle le Japon s'est jeté dans l'aventure industrielle de la seconde moitié du XXᵉ siècle avec tant de hardiesse.

Cette période fut propice à l'éclosion d'hommes neufs et à la résurgence d'anciens potentats. Kiyomi avait plutôt été de ces derniers. La compagnie financière fondée par sa famille s'était gravement compromise avec les militaires avant et pendant la Deuxième Guerre mondiale et cela est encore un mystère de constater que MacArthur ne l'ait pas châtiée à la hauteur de ses responsabilités.

Pendant les années d'occupation, le père de Kiyomi avait toujours pu se débrouiller pour tirer les ficelles sans se faire remarquer. En 1952, il put agir à visage découvert ; en 1960, Kiyomi, fraîchement émoulu de Todai, reprenait le flambeau et, quarante ans après, la firme Ogura Securities contrôle 30 % de l'activité boursière du marché de Tokyo.

Pour cette réunion, la première depuis la conférence de presse du Plaza, tous attendent les commentaires que va faire Kiyomi sur la situation. Mais, curieusement, aucun ne marque d'empressement pour le faire parler. Cela tient à un trait très important de leur caractère : ces grands décideurs, ces hauts responsables du pays le plus dynamique du monde, ne sont pas des gens pressés. Ils savent attendre et ils prennent le temps de vivre ; pour l'instant, il serait bien dommage que le délicieux poisson Garupa de la mer du Japon qu'on leur propose refroidisse dans leurs assiettes.

Kiyomi évoque l'incident du Plaza avec son voisin qui n'est autre que son camarade de promotion à Todai et ami de toujours, Shoza Matsui, un virtuose de l'indice Nikkei[1]. Financier reconnu sur la place, Shoza mène une activité boursière personnelle, tout en siégeant parmi les hommes clés du cabinet de Kiyomi au conseil d'administration d'Ogura Securities. Calculateur hors pair, il connaît l'art et la manière de décrypter une chronique boursière et semble agir avec un flair de voyant, tout en entourant sa personne d'un voile de mystère qui colle tout à fait avec le flegme de son caractère froid, impénétrable et peu expansif. Au point qu'en 40 années à côté de lui, Kiyomi serait bien incapable d'indiquer la couleur du mobilier de son salon et encore moins de dire le prénom de sa femme ou celui de ses enfants. Seul comptait le soutien qu'il pouvait lui apporter par sa simple présence quand il y avait des moments chauds à passer ou des choix délicats à faire. Justement, avec le projet UTOPIA, c'était l'occasion qu'il lui montre son savoir-faire.

Les amis conversent calmement, tandis que le reste de la tablée semble indifférent à ce qui est dit. Mais, mystère de la communication asiatique, à la fin du repas, aucun d'eux n'aura été tenu à l'écart de la quintessence de ce dont ils auront discuté.

– Comment vois-tu la situation maintenant avec tes «partenaires» ? lui demande Shoza.

– Gerry n'a rien fait d'autre que de mettre les pieds dans le plat, d'entrée de jeu. De toute façon, il fallait bien qu'on y arrive.

---

1. Indice des valeurs du marché boursier japonais.

Dans le fond, ce n'est pas plus mal. L'abcès est crevé; c'est du temps de gagné.

— Je me demande ce que tu fais avec un type comme lui. Il nous déteste... et tu le sais.

— Entre nous, il a de quoi. Tu sais qui il est... et ce que nous lui avons fait!

Tous deux ont un petit regard complice. Shoza continue:

— Ceci étant, les Américains ne sont pas en mesure de jouer les difficiles; et nous n'avons pas de sentiment à faire avec eux. Nos compagnies ont pris leurs marchés, nos banques sont les plus fortes et ils n'ont pas les moyens de financer leurs projets.

— Certes, Shoza nous possédons tout cela et c'est une grande réussite pour notre Pays. Tout le monde a encore dans la mémoire notre pays dévasté au lendemain de la Capitulation.

En disant cela il regarde dans le lointain par la fenêtre qui donne sur la magnifique baie de Tokyo. Puis il ajoute:

— Toutefois il y a une chose que nous avons perdue à jamais, le 7 décembre 1941, à Pearl Harbour, c'est la possibilité de communiquer avec leur âme.

Houston, Texas

C'est par un jour de grande chaleur et en plein midi que Tanya arrive au Texas. La centrale climatique de l'aéroport international d'Houston donne son maximum et malgré tout il fait toujours bien chaud dans ses locaux. Dans le hall des arrivées, elle est tout de suite prise en charge par le chauffeur du Ritz Carlton qui récupère ses bagages et la conduit à l'hôtel. Dans la limousine, les méfaits de la canicule sont un peu mieux contenus. Tanya regarde par la fenêtre le paysage de ce qui est d'ores et déjà son nouveau cadre de vie.

Pour importante que soit Houston, capitale mondiale du pétrole, ce n'est, par la taille, qu'une petite ville de province si on la compare aux grandes mégalopoles du Nord-Est des États-Unis. Triste record, avec un meurtre constaté chaque jour, c'est la ville la plus violente du pays si l'on rapporte ce chiffre au nombre d'habitants. Mais pour le moment, Tanya qui y arrive par le Gulf Freeway a plus l'occasion de s'attarder sur le premier aspect. La trentaine de tours qu'elle aperçoit en bouquet dans le lointain fait vraiment petite mine, surtout quand on a encore en mémoire visuelle le gigantisme de Manhattan. Elle se rappelle les images qu'elle avait vues du grandiose spectacle son et lumière qu'y avait donné, fin des années '80, le musicien français Jean-Michel Jarre et où il s'était servi de leurs façades miroitantes comme d'un écran pour des faisceaux laser géants.

Pour les résidents au long cours, voire permanents, les grands hôtels étudient des conditions particulières et veillent à certains aménagements et autres attentions. Comme en plus Tanya est une femme, la direction du Ritz Carlton avait prévu de redoubler d'efforts dans ce sens. Le directeur en personne est donc là pour l'accueillir dès son entrée. Après les politesses d'usage, il trouve tout de suite les mots qui conviennent à la situation. Il insiste lourdement pour qu'elle se sente le plus possible chez elle et en toute sécurité, en appuyant plus particulièrement sur ce dernier point. Il lui remet un bristol sur lequel il ajoute un numéro de poste auquel il lui sera toujours possible de lui parler personnellement. Puis il l'entraîne dans une petite visite guidée des lieux, en relevant avec un brin de fierté chaque point fort de cet inventaire. Après avoir passé devant la salle de gym et prenant la direction des étages, il commente avec enthousiasme tous les bons services que l'on peut attendre de ce lieu et de l'équipe de professionnels qui l'anime.

La suite qui lui a été réservée est au quatrième étage, sur l'arrière du bâtiment et ses balcons donnent sur la baie de Galveston. Elle se compose de deux pièces qui communiquent. La première est restée aménagée en chambre à coucher. Les coloris sont délicats et on sent qu'elle vient d'être refaite à neuf. Sur la commode patinée à l'ancienne, il y a un magnifique bouquet de fleurs coupées. L'autre pièce est plutôt préparée en salon-salle à manger avec, dans un coin, une table à écrire sur laquelle un embryon de bureau d'affaires est ébauché, puisque déjà un téléphone et un télécopieur ont été prévus. Une femme de chambre en livrée impeccable blanche à fines rayures bleu clair s'occupe d'ouvrir les valises et de disposer ses affaires dans les penderies. Le Directeur lui fait comprendre qu'elle lui sera plus particulièrement affectée en les présentant l'une à l'autre, puis il se retire juste à temps pour ne pas avoir l'air d'en faire trop, en affirmant une dernière fois:

— Nous ferons tout pour rendre votre séjour parmi nous des plus agréables.

— Voulez-vous que je vous fasse couler un bain?

— C'est une excellente idée, Alicia. Merci.

Puis elle passe dans l'autre pièce et pianote un numéro sur le clavier de son téléphone.

*

* *

Le building de la Oiler and Trust Corp avec sa cinquantaine d'étages était le plus haut et aussi le plus moderne de Houston, puisqu'à peine sorti de terre. C'était le souhait déjà ancien de Tom Luce que de pouvoir rassembler en un lieu unique le siège social de toutes les sociétés qu'il contrôlait dans son holding pétro-financier, et qui jusque-là étaient un peu éparpillées au gré de leurs circonstances de création ou encore de rachat. Il y en avait même qui étaient implantées en dehors du Texas et Tom le vivait presque comme un crime de lèse-majesté.

Comme il aimait à le répéter, et plus c'était en haut lieu, plus il s'en réjouissait: «Dans le pétrole, c'est comme dans le cochon: tout y est bon.» Ce qui se traduisait, pour lui, que pour tous les maillons de cette immense chaîne technologique, la seconde en coût et en complexité juste après l'ingénierie aérospatiale, il avait prévu d'étendre son contrôle, réalisant un modèle d'intégration verticale particulièrement réussi. La prospection géologique, l'outillage pour le forage, le raffinage, le transport, la distribution, les achats et reventes de terrains ou de concessions; chaque secteur donnait prétexte à la constitution d'une ou plusieurs sociétés d'exploitation opérant en cascade de manière à potentialiser au maximum tous leurs effets.

Tom Luce se voulait le grand chef d'orchestre pour régler et donner le ton à toutes ces séquences du film à grand spectacle qu'était devenu le cadre de sa vie. Il était présent sur le terrain chaque fois qu'il le pouvait pour toutes sortes d'événements. Quand un gisement était pour émettre ses premières gouttes d'or noir, il s'arrangeait toujours pour être là et palper longuement la matière boueuse, chaude et odorante qu'on avait extraite du sous-sol. Mais aussi lorsque le ciel s'obscurcissait par le fait d'une tête de puits en feu, il prenait place dans le rang avec les soldats du feu pour combattre cet ennemi de toujours. Il vivait aussi seconde par seconde la réparation d'une fuite dans l'enceinte à haute pression d'une tour de *cracking*, sachant que les techniciens qui s'y attelaient risquaient à tout instant ni plus ni moins que leur propre vie. C'est ainsi qu'il concevait sa fonction à la tête de son empire pétrolier: au contact des réalités plutôt que de faire des ronds-de-jambe dans la haute société. Plus récemment, alors qu'il venait d'entrer dans sa soixante-dixième année, sa passion pour les chevaux de course s'était faite encore plus forte et sans qu'il s'en rende compte le problème de sa succession à la tête du holding était en train de se poser. Ses deux fils Allan et Greg affûtaient patiemment leurs couteaux!

Tom avait connu une enfance particulière. Il était issu d'un ménage à trois: une mère et un père, comme tout le monde, mais il fallait y ajouter un Tonton un peu encombrant: le démon du jeu. Son père faisait une profession de jouer au poker la plupart de son temps, avec pour résultat immédiat que leur vie ressemblait à un jeu de yo-yo, entre quinte flush et paire de sept, allant de villas luxueuses que l'on quitte précipitamment aux chambres des hôtels où l'on ne vous pose pas trop de questions. Le tout sur fond de bluff permanent.

Rien d'étonnant dans ce contexte de retrouver Tom Luce à dix-huit ans tenir sa place dans des parties de poker d'un haut niveau. Un soir, il se trouvait à Reno dans le Nevada et avait conclu honorablement un marathon de 72 heures avec des pros du tapis vert. Sans trop savoir comment, il se retrouva à dire oui, devant le pseudo officiel de faction d'une chapelle de mariage, à une serveuse de bar qu'il fréquentait de temps en temps et qui avait bien dix ans de plus que lui. De cette union très courte (on divorce à Reno encore plus vite et plus facilement qu'on s'y marie) naquit une fille, Elisa-beth. Lisa vit actuellement à New York et est mariée de façon heureuse avec un homme d'affaires; elle sait qui est son père, mais les choses en restent là.

Après avoir connu les salles de jeu enfumées où, au bout d'un certain temps on ne sait même plus s'il fait jour ou nuit dehors, Tom ne s'était pas guéri du jeu, mais il changea de registre et préféra les grands espaces aérés des champs de course. Il se prit d'adoration pour tout ce qui avait trait aux splendides représentants de la race équine, sans pour autant rester insensible aux talents des hommes qui tenaient les rênes de tout ce petit monde.

Il s'installa au Kentucky, qui est le plus grand centre d'élevage de chevaux de course du pays. Il lia toutes sortes de connaissances avec les professionnels du milieu. Son savoir devint encyclopédique et sur cette base, ses dons instinctifs de joueur ne tardèrent pas à s'exprimer. Jour après jour son flair s'aiguisa comme une lame de rasoir et ses résultats financiers furent à la mesure. Mais il était toujours à la recherche du fameux gros coup, celui qui lui permettrait de décrocher et de se désintoxiquer.

C'est à Los Alamitos, l'hippodrome de Los Angeles, que cela se produisit. Il avait vu le cheval naître dans un haras du Kentucky et connaissait son jockey depuis sa première monte en course comme apprenti. Son entraîneur l'avait très adroitement engagé dans une course apparemment mineure où sa présence ne serait pas remarquée, mais dans son esprit il ne s'agissait que d'une étape dans la carrière de son poulain; dans son entourage on l'attendait pour plus tard dans la saison et sur un autre type d'engagement.

Mais Tom, pour on ne sait quelle raison, avait choisi de mettre en œuvre une tout autre situation. Le terrain était anormalement lourd pour la saison à Los Angeles et cela créerait certainement un peu de surprise. Il nota aussi que le jockey avec lequel il s'était longuement entretenu pendant le voyage qu'ils avaient fait ensemble, avait une forme et une lucidité époustouflantes.

Sur le champ de course, peu avant le départ, la cote de Flying Dust était idéalement à 30 contre un. Tom alla au guichet pour les grosses mises et mit le paquet. Le guichetier lui fit répéter le nom et le numéro de sa mise. Il finissait l'opération quand la course fut lancée. Il arriva dans les tribunes comme les chevaux abordaient la dernière ligne droite. De grosses mottes de terre volaient sous leurs sabots et le peloton ralentissait comme sous l'effet d'un fort vent debout.

Flying Dust émergeait pleine piste. Le jockey sollicitait les efforts de sa monture avec une cadence impeccable et sa trajectoire pleine piste était parfaite. Il remporta la course par une encolure et demie et Tom, qui y avait cru, empocha une belle somme sur son compte en banque.

Il est très difficile de savoir ce que Tom a fait exactement pendant l'année qui a suivi et il n'est jamais très prolixe sur sa biographie à ce moment. Ce qu'on sait, par contre, c'est qu'il réapparaît au Texas avec une licence de courtier immobilier en poche, au moment précis où le marché des terres pétrolifères bat son plein. Ce qu'il avait su réussir avec le muscle et le souffle des pur-sang, il le réitère avec les couches géologiques de la planète. Il a encore le don de savoir rencontrer le géologue astucieux, l'ingénieur courageux, le banquier audacieux pour constituer une équipe redoutable et redoutée sur toutes les places où se font les échanges.

Un peu plus tard, il épouse la fille d'un outilleur de renom dont le père en son temps avait été le plus important concurrent du père d'Howard Hughes. À partir de là, la belle entreprise à l'avenir prometteur a pris définitivement des allures de trust. Le mariage ne fut pas particulièrement heureux. Ils vécurent l'un à côté de l'autre pendant une vingtaine d'années et eurent deux enfants, Allan et deux ans plus tard Gregory, ainsi que quelques millions de barils de brut.

Quand sa femme mourut prématurément à l'âge de 55 ans, il ne l'avait pas vue depuis six mois et ignorait même qu'elle était malade. Ses deux chers fils, auxquels il ne s'était pour tout dire pas beaucoup intéressé, étaient sur le point de lui mitonner une petite revanche ainsi qu'une bonne retraite auprès de ses chers petits canassons.

Tom arrivait toujours tôt le matin à son bureau, vers 7h30, et quittait le building en début d'après-midi pour filer dans sa ferme à une heure de route du centre-ville.

Il possédait le plus grand haras des États-Unis avec plus de deux cents pur-sang à l'entraînement. Les écuries y était climatisées et on y trouvait deux pistes et un manège couvert et climatisé, ainsi qu'une piscine et une clinique vétérinaire spécialisée. Tom avait fait venir du Kentucky du personnel qualifié ; mais il avait aussi écumé d'excellents éléments venus des meilleurs haras du monde, de France et d'Angleterre surtout. Son écurie était maintenant au rang des meilleures du monde et ce n'était pas rien pour le pauvre gosse du Nevada que de côtoyer les Wildenstein, les Rothschild et aussi la reine d'Angleterre ; pour entrer dans ce gotha, il avait arraché une victoire au derby d'Epsom. En plus il avait triomphé sur toutes les belles pistes d'Amérique et d'Asie. En juillet chaque année, il se rendait aux ventes de yearlings de Deauville en Normandie et là, il adorait faire le bras de fer avec les acheteurs japonais ou les représentants des cheiks arabes lors de mises aux enchères à des sommes faramineuses.

Quand il remportait l'enchère, c'était souvent le début d'une histoire d'amour, surtout si le yearling ne décevait pas dans ses premiers canters tous les espoirs que son œil de lynx avait su débusquer. Il surveillait alors son entraînement de manière sourcilleuse et sa forme physique faisait l'objet de multiples attentions. La nuit, il lui arrivait de se réveiller pour aller lui tenir compagnie dans son box et même lui parler. À cinq heures le matin, il était sur la piste d'entraînement et jockeys et entraîneurs lui devaient une obéissance aveugle.

Il aimait bien l'odeur du *Grésyl*[1] dans ses écuries qui n'avaient d'écuries que le nom. Les murs étaient peints en blanc et des caméras de surveillance les balayaient en tous sens. Les lads et les soigneurs portaient tous des combinaisons blanches avec le nom de l'écurie dans le dos et celui du cheval qui leur était particulièrement affecté.

Mais aujourd'hui, exceptionnellement il ira au haras un peu plus tard car il doit recevoir Tanya à 14h et ce rendez-vous a une grande importance pour lui. C'est comme une nouvelle aventure, un nouveau défi, un ultime pari qui vont commencer; et pourquoi pas une nouvelle vie avec un bonus inespéré d'une bonne grosse centaine d'années encore à venir. En attendant Tanya, il fume le cigare en rêvassant devant la baie vitrée.

La suite directoriale qu'il occupe au dernier étage est luxueusement aménagée. Dans l'antichambre, il y a de nombreuses antiquités grecques, tandis que dans le bureau toutes les décorations sont à caractère hippique. Tom reçoit Tanya très courtoisement.

— Bonjour Tanya. Bien arrivée?

— Tout s'est bien passé Tom. Merci. Alors, par où va-t-on commencer?

— Eh bien, vous êtes ici chez vous... pour le moment. Je vous ai fait préparer tout un étage, le 39e. En attendant que vos futurs locaux sur le site soient prêts. Voici l'endroit où cela va se trouver.

Joignant le geste à la parole, il déplie sur son bureau une carte topographique d'Houston et de ses environs. Sur le papier, il désigne une vaste surface à l'ouest de la côte qui est délimitée grossièrement par un trait de crayon gras.

— C'est ici. Vous avez 10 000 hectares de terrain avec accès par plusieurs routes et un terrain d'aviation déjà en place. Mes avocats travaillent à la rédaction de l'acte signifiant le transfert de propriété et tout sera prêt pour la signature dans deux semaines. J'ai convoqué pour demain matin les représentants du bureau d'études pour la construction et la mise en place des bâtiments. Nous les recevrons ensemble; je les connais depuis longtemps. En attendant je vais vous montrer les bureaux que j'ai mis à votre disposition au 39e. Par la suite vous y garderez toujours un pied-à-terre; c'est plus commode pour moi que cela soit centralisé ici.

Ils descendent au 39e et Tanya fait connaissance avec l'équipe d'une dizaine de collaborateurs qu'il a détachée à son service.

---

1. Produit désinfectant que l'on mélange à la litière des écuries de pur-sang.

Pour la forme, on a préparé quelques bouteilles de champagne et tout le monde fait connaissance autour d'un verre, dans une atmosphère très sympathique. Tanya est en grande conversation sérieuse avec un certain Martin Abbott qui sera son assistant personnel pour l'immédiat; profitant de la diversion, Tom s'éclipse discrètement. Il a déjà fait trop attendre ses chers quadrupèdes!

Maison-Blanche, Washington, D.C.

Memorandum confidentiel

De :   *L'Institut des sciences politiques*

Préparé par : *Madame Sheikdawood*

À :   *La Maison-Blanche*

Sujet :   *L'Organisation des Forces Révolutionnaires de l'Islam*

Permettez-nous de commencer ce rapport par une brève description du monde de l'Islam. Nous croyons qu'une pareille démarche est essentielle parce qu'il est difficile pour l'Occident de comprendre ce que l'Organisation des Forces Révolutionnaires de l'Islam représente.

Le monde islamique se compose de plus de 25 % de l'humanité, soit approximativement 2 milliards d'êtres humains. L'Islam est la foi dominante du Proche et du Moyen-Orient, de l'Afrique et d'une grande partie du Sous-Continent Européen de même qu'en Indonésie et en Malaisie.

Le monde islamique est divisé en deux grandes sectes. Il y a d'une part le groupe sunnite, qui prétend que le prophète Mahomet n'a pas désigné de successeur à sa mort. D'autre part, le groupe shiite s'accorde sur le fait que le prophète Mahomet aurait choisi comme successeur son beau-fils, Ali Ibn Abi Talib, le mari de Fatima, sa fille, pour lui succéder. Les sunnites, qui représentent les 2/3 du monde de l'Islam, sont la classe dominante de l'Islam alors que les shiites, principalement d'origine iranienne, sont considérés comme leurs esclaves. La souffrance, les pleurs, la flagellation et le martyre sont les éléments essentiels de la culture shiite. En tant que membres d'une religion d'ordre mineur et faisant partie d'un groupe protestataire, les shiites ont été fréquemment persécutés par les sunnites au début du mouvement de l'islamisme. Le beau-fils de Mahomet, Ali Ibn Abi Talib, est mort martyrisé par les sunnites de même qu'un grand nombre de ses adeptes. Cet événement est un important point de ralliement de la culture shiite.

Depuis 25 ans, en fait depuis la chute du shah d'Iran (causée en grande partie par les États-Unis, nous y reviendrons plus tard), il y a un renouveau de ferveur dans le monde islamique. L'Occident a catalogué ce mouvement politique, religieux et social de mouvement intégriste islamique. En fait, il n'y a pas une terminologie équivalente dans le monde de l'Islam. Pour eux, ce mouvement ne fait qu'identifier ces gens à la religion de l'Islam. La presse occidentale et le milieu diplomatique ont diffusé le terme intégrisme par déduction de fait, les intégristes chrétiens étant ceux qui appliquent la Bible dans son sens littéral. En ce qui a trait à la religion islamique, qui est une religion beaucoup plus jeune que le christianisme et le judaïsme puisque son fondateur, Mahomet naquit en 570 ap. J.-C., personne n'a encore contesté le sens littéral et véritable du Coran. Donc selon nos standards, tous les islamistes, quels qu'ils soient, seraient des intégristes.

C'est un grand nombre de lignes de pensée et d'action combinées qui permettent à l'Occident de créer cette définition d'islamisme intégriste. La source de certaines de ces lignes de pensée provient de la pitié; d'autres lignes de pensée découlent d'une réaction violente au matérialisme de l'Occident. Par contre la plupart expliquent ce renouveau par l'effondrement social progressif et la naissance d'énormes banlieues bidonvilles dans ces pays en développement et déstabilisés économiquement. L'éclatement du cartel du pétrole couplé à une chute vertigineuse du prix du pétrole sont certainement les facteurs d'effondrement de ces sociétés à haut taux de naissance. À cela il faut ajouter plus de 1 000 milliards de dollars que les pays arabes, États et particuliers, ont investi dans l'économie de l'Occident et qu'ils se refusent de rapatrier pour développer leurs régions.

En avril 1979, le leader religieux shiite, Khomeyni, déclara l'Iran république islamique et subséquemment implanta une nouvelle constitution aux idées et aux volontés du Coran. Des mesures s'ensuivirent, tel le voile obligatoire pour les femmes. Les filles ont

114

été flagellées pour avoir porté du rouge à lèvres et les garçons de 9 à 12 ans furent envoyés sur la ligne de front dans la guerre Iran/Irak et moururent à titre de martyrs. Des centaines de milliers de jeunes shiites créèrent des vagues humaines pour nettoyer les champs minés par l'Irak.

Cet acte qui est le rappel de techniques de guerre de l'époque médiévale était pour la République d'Iran un retour à la pureté du passé. Après la mort de Khomeyni, le nouveau leader de l'Iran, Rafsandjani, bien que plus centriste, a toujours gardé près de lui les éléments du précédent gouvernement Khomeyni. Il a également profité de l'effondrement que l'Amérique a infligé à l'Irak dans la guerre du Koweit, couplé à l'éclatement de l'URSS, pour reconstruire en Iran le pouvoir militaire de l'époque du shah. Les achats de sous-marins, de missiles chinois, de pièces d'artillerie de l'Ukraine, font de l'Iran le pouvoir militaire du Golfe Persique.

Le mythe de la reconstruction de la Grande Perse, une Perse islamique intégriste regroupant, l'Iran, l'Irak, la Syrie et le Pakistan, fait graduellement son chemin. Cette Grande Perse serait un nouvel apogée pour l'Islam, qui retrouverait son statut d'après les grandes conquêtes de 750 ap. J.-C. faisant de l'Islam et de la Perse le trait d'union entre l'Asie et l'Occident.

Pour faciliter cette reconquête du grand empire islamique, l'Iran maille avec les sectes islamistes intégristes d'Égypte, du Soudan, de l'Algérie, de la Libye, du Liban, du Yémen et du ghetto de Gaza où il finance tout groupe préconisant l'intégrisme islamique et s'adonnant aux activités terroristes. L'Iran maintient également d'étroites relations avec les ex-républiques soviétiques de l'Azerbaïdjan, de la Tchétchénie, de l'Ouzbekistan, du Kazakhstan et du Tadjikistan, lesquelles ont une forte densité de population islamique et dont plusieurs sont en possession d'armes nucléaires.

Bien qu'à ce jour ces ex-républiques à l'exception de la Tchétchénie aient voué une allégeance à Moscou, nous avons noté une importante infiltration iranienne dans ces régions et un nombre significatif d'échanges commerciaux entre groupes islamiques d'origine iranienne implantés dans ces ex-républiques. D'ailleurs à cet effet, le peuple azerbaidjanais est composé aux deux tiers d'Azéris eux-mêmes composant la majorité du peuple iranien.

Nous en profitons pour souligner que dans ce dernier quart du XXᵉ siècle, les États-Unis d'Amérique ont grandement relâché leur influence sur la politique internationale, souvent pour des intérêts à court terme : ainsi, Jimmy Carter tira le tapis sous les pieds du shah d'Iran parce que l'opinion américaine n'appréciait pas les politiques internes du shah qu'elle qualifiait de tortionnaire ; Ronald Reagan a grandement aidé à l'éclatement de l'URSS en la dépeignant comme l'empire satanique et Georges Bush a réduit à néant l'Irak après son invasion du Koweit dans le but d'augmenter sa cote de popularité et de protéger un pétrole à bon marché pour l'Amérique.

Aucun des trois présidents américains n'a agi dans le but de maintenir l'hégémonie et l'idéologie de l'Amérique à long terme. Ainsi, Carter en radiant le shah a permis à Khomeyni et son régime encore plus tortionnaire de prendre le pouvoir en Iran. Reagan en aidant à l'éclatement de l'URSS a créé une plus grande insécurité pour l'Occident que la guerre froide et Bush en éliminant l'Irak a permis à l'Iran de cristalliser son idéologie de la Grande Perse.

La possession de l'arme atomique est un élément stratégique de la formation de cette Grande Perse. Différente des armes atomiques développées pendant la guerre froide, il s'agit d'une arme atomique de format terroriste qui permettra à l'empire islamique intégriste d'éventuellement exercer un pouvoir et d'obtenir une voix au chapitre de la géopolitique.

En fait, c'est une arme atomique à pouvoir limitatif mais implantée et infiltrée qui semble être la politique d'instrumentation de ce nouvel empire islamique. Le Pakistan est le maître d'œuvre de l'instrument diabolique.

En fait, le Pakistan, qui ne bénéficie à juste titre d'aucun crédit de la part du gouvernement américain à cause de son programme nucléaire, se transforma en une république semi-islamique en 1979. Le Pakistan est devenu un État chari'a où l'on pratique la flagellation et la lapidation publique. Depuis les années '70, après ses démêlés et sa troisième défaite avec l'Inde, le Pakistan a décidé de développer le projet 706.

Le Pakistan se procura donc du Canada un réacteur atomique commercial approvisionné d'uranium naturel. Quelques mois après sa mise en marche, les autorités pakistanaises empêchèrent l'inspection du site par l'Agence Internationale d'Énergie Atomique. Nos sources de renseignements nous confirment que le Pakistan fabrique, depuis longtemps, de l'uranium enrichi, soit depuis l'installation d'une ultracentrifugeuse dont les plans furent volés dans les Pays-Bas. Le Pakistan a en main un stock important de plutonium 239 produit par ce site.

Il est à noter que la capacité de fabrication de plutonium 239 par le Pakistan précède l'attaque par les États-Unis de l'Irak après son invasion du Koweit.

Nos sources nous confirment que le Pakistan a fait une entente secrète avec l'Iran dans le but de recréer la Grande Perse qui finalement donnerait l'avantage au Pakistan sur l'Inde. L'Iran aurait depuis plus de deux ans envoyé des forces armées sur la frontière du Pakistan et de l'Inde en échange de 450 kilos de plutonium 239 dont il aurait pris livraison il y a 6 mois.

Dans ce même ordre d'idées, l'Iran entretient des relations étroites avec le régime soudanais et à chaque semaine un Boeing 747 des forces armées iraniennes atterrit à Khartoum, capitale du Soudan, en provenance de Téhéran avec à son bord des gardes révolutionnaires et du matériel d'artillerie. Tous les arrivants prennent immédiatement la direction de la province du Dar Fur où les intégristes islamistes ont une base d'entraînement pour toutes formes d'activités subversives et terroristes.

Le nom officiel approuvé entre Khartoum et Téhéran pour cette opération est l'Organisation des Forces Révolutionnaires de l'Islam. Le but premier de l'Organisation est de maintenir le combat pour la libération de tous les territoires islamiques et la création de l'empire de l'Islam en confrontant l'ultime Satan, les États-Unis d'Amérique.

Les Libyens du Boeing au-dessus de Lockerbie, et le groupe de terroristes qui ont fait exploser plus de 500 kilos de TNT sous le World Trade Center en 1993, proviennent de l'Organisation. Les jeunes terroristes algériens de l'Airbus kamikaze de Paris en décembre 1994 étaient également des élèves de cette organisation.

L'Organisation se sert de la Libye et de l'arrogance de son régime pour ses fins. Les gardes islamiques entraînés par l'Organisation sont des fanatiques. Beaucoup d'entre eux sont de jeunes Palestiniens du Hamas, ce mouvement révolutionnaire du ghetto de Gaza. Ces jeunes sont fanatisés et pris en charge par le mouvement révolutionnaire Hamas dès qu'ils laissent le sein de leur mère. Le groupe Hamas financé par Téhéran contrôle le système scolaire du ghetto de Gaza. Ces jeunes de Gaza sont le nucléus et d'autres jeunes sont amenés de Téhéran, de Damas, de Tripoli, du Caire, d'Alger et d'ailleurs où prolifèrent les bidonvilles islamiques.

Nous savons avec certitude que, premièrement, l'État libyen assisté par l'Iran, a pour sa part attaqué le Washington et que, deuxièmement, la bombe de 1 kilotonne qui a explosé dans le Sahara provient du camp d'entraînement localisé dans le désert soudanais.

Nos services ont réussi à infiltrer le camp d'entraînement soudanais et nous sommes en attente de plus d'information.

(signé) L'Institut des sciences politiques.

6

Houston, Texas

Pour son premier mois à Houston, Tanya était contente car elle avait atteint tous ses objectifs. Tom avait fini par la prendre en affection et pour sa protégée, il n'y eut d'obstacle qu'il ne gomma devant elle, avec toute la puissance du bulldozer qui sommeillait en lui.

Max était comme un frère; malgré ses occupations, il trouvait toujours du temps pour lui expliquer la technologie du projet. Par son intermédiaire, le gratin de l'industrie aérospatiale mondiale avait été contacté et la plupart ralliaient UTOPIA dans les plus brefs délais, s'ils avaient été retenus. Presque tous venaient de la quasi défunte super-agence aérospatiale soviétique. Il y avait maintenant plus de cent chercheurs qui en provenaient et on en attendait encore d'autres pour les mois à venir. Parmi eux, des cosmonautes qui se faisaient une joie de retrouver les grandes sensations qu'ils avaient connues lors de leurs missions spatiales. Leur expérience était d'évidence un apport très favorable.

À leur tête, Tanya avait nommé Alexis Tomev, un Bulgare au faciès énigmatique. Les rencontres importantes se passaient dans le bureau de Tom et celui-ci avait toujours eu l'élégance de céder sa place à Tanya. Il entérinait toutes les décisions qu'elle prenait même si, dans le choix des hommes, certaines choses le dépassaient un peu. «Tous ces salamalecs pour des Russes... et chez moi par-dessus le marché!» Voilà ce qu'il s'était souvent pris à penser, lui qui, politiquement parlant, n'avait pas encore tout à fait digéré l'épisode de la guerre froide entre les deux blocs.

Quand il lui restait un peu de temps, c'était presque une détente pour elle que de compulser les dossiers de ceux qui postulaient une place sur la colonie spatiale, que lui envoyaient régulièrement John et Gerry. Et puis il y avait aussi la liste de ceux qui à leurs yeux devaient partir et il fallait déjà commencer les contacts dans ce sens. Des fois, elle se trouvait comme une maîtresse de maison qui place ses invités pour un grand repas. Pour ce festin ils seraient plus de 10 000... pour commencer!

Elle réfléchissait un peu à tout cela dans la voiture qui l'emmenait au Centre spatial où elle devait rencontrer Max et son équipe pour la réunion de chantier qu'ils tenaient au moins une fois par semaine. Elle le trouva dans son laboratoire où il s'activait avec une vingtaine de chercheurs pour boucler la troisième phase du projet UTOPIA, celle qui précède la fabrication proprement dite. Au fur et à mesure qu'ils le pouvaient, les différents chercheurs quittaient leurs écrans pour venir saluer Tanya et entamer la discussion. En principe, chacun d'eux était le responsable d'un domaine spécifique: l'aérodynamique, la propulsion, le nucléaire, les matériaux, la biophysique, et Max supervisait leurs actions afin de satisfaire aux exigences d'ingénierie d'UTOPIA.

— Bonjour Tanya, entrez, j'ai de bonnes nouvelles. Nous avons enfin trouvé *le* matériau.

En disant cela, il saisit une barre métallique d'un mètre de long et 15 centimètres de section. Il la tend à Tanya:

— Prenez, lui dit-il.

— C'est incroyablement léger!

— C'est un alliage ternaire aluminium-magnésium-titane que notre laboratoire de bio-matériaux nous a fourni et pour lequel nous sommes arrivés à l'optimisation maximale de la composition métallurgique. Il est à la fois très résistant, de faible densité et ignore la corrosion. Nous l'utiliserons en barre pour former la structure géodésique qui reliera les sphères entre elles, qui sera en fait une répétition de polygones de forme triangulaire.

— Et pour l'enveloppe externe, vous m'aviez dit que cela ne serait pas facile?

— C'est vrai, car en plus dans ce cas se greffent des problèmes de nature biologique. Nous avons besoin d'une structure très forte et capable de nous protéger contre les rayons cosmiques, les champs magnétiques, les radiations atomiques, une éventuelle collision aérolithique et, pourquoi pas, une contamination bactériologique.

— Mais il n'y a pas de bactéries dans l'espace?

— Qu'en savons-nous vraiment? Mieux vaut être pourvu que d'avoir à s'excuser!

Pendant toute leur conversation, les propos de Max s'illustraient d'images sur l'écran d'un ordinateur.

– Pour la coque externe, après cent et mille calculs, nous n'avons pu faire mieux que la structure dite en «nid d'abeille». Cet hexagone parfait que l'abeille fabrique à partir d'une substance qu'elle sécrète pour y déposer ses œufs a des proportions idéales: il permet la charge maximale pour la plus grande légèreté. On a encore pu vérifier une fois de plus que «la raison nous trompe plus souvent que la nature».

– Nous avons beaucoup à apprendre du monde animal. Les abeilles, je les aime bien... mais de loin. Je redoute leur piqûre... mais apprécie leur miel. Et ce nid d'abeille? également de votre alliage miracle?

– En gros, oui, mais la proportion des différentes phases variera. Et puis pour finir, la partie la plus externe sera recouverte d'une fine pellicule d'or à 24 carats afin qu'il y ait le moins d'électrons libres dans l'environnement le plus distal.

Max sort de son programme et invite ceux qui sont disponibles pour un lunch-express à la cafétéria.

*

*   *

À huit heures du matin, dans un haras de pur-sang, pour beaucoup la journée est presque déjà terminée; car c'est dans la fraîcheur du matin que l'entraînement des chevaux de course est le plus profitable. Tom n'en perd jamais une miette. Il resterait des heures à écouter le martellement sourd de leurs sabots sur la cendrée du grand ovale où ils font leurs canters, rythmé par les cris des jockeys leur intimant la bonne cadence. Il est là, attentif, le long d'une barrière, avec son éternel cigare aux lèvres et son chronomètre pendu à son cou, quand une Jeep sort du chemin pour s'arrêter à quelques mètres de lui.

– Il faut que vous rappeliez Ralph à son bureau. Il voulait absolument vous parler, lui dit l'homme qui était au volant, tout en ouvrant la porte côté passager pour lui montrer qu'il fallait qu'il vienne tout de suite.

– Et ça ne peut pas attendre? dit Tom en s'asseyant.

– Il avait l'air de dire que non, m'sieur Tom, lui dit le chauffeur en redémarrant.

Tom n'aime pas beaucoup cela. Ralph Sanders est son avocat, confident et ami depuis plus de vingt ans et si tout s'est toujours bien passé entre eux, c'est bien sûr parce qu'il est un professionnel hors pair, mais qu'en plus il n'est pas du genre à le déranger toutes les cinq minutes... et encore moins au haras.

Il le demande tout de suite sur sa ligne directe.

— Ralph, *Que passa*?

— Salut, Tom. Je suis vraiment désolé de te déranger. Mais, tu sais, il se passe des choses...

— Graves?

— Embêtantes. Ne me demande pas comment je l'ai appris, ça prendrait trop de temps. Voilà, ce sont tes fils...

— Ça m'aurait étonné. Quelles conneries ont-ils encore été faire?

— Eh bien, je m'en doutais un peu, mais j'ai eu confirmation: ils veulent te foutre dehors!

— Quoi?

— Tu as bien entendu. T'é-li-mi-ner!

— Et ils ont le droit de faire cela?

— Rien ne les empêche d'essayer.

— Et tu sais comment?

— Ils pensent que tu es devenu cinglé et ils veulent te mettre sous tutelle.

— Et pour quelle raison?

— Entre autres, à cause des terrains que tu as cédés sans compensation à UTOPIA...

— Mais c'est insensé! Je n'ai rien fait de mal! C'est peut-être le plus fabuleux investissement que j'aie jamais fait et ces petits cons...

— Et puis il y a aussi tes chevaux. Tu sais, Tom, tu as fait de gros achats récemment et, cette année, peu de chevaux ont été engagés...

— Mais tu ne vois pas que la saison prochaine je suis placé dans tous les plus grands meetings. Tu ne crois tout de même pas que je vais claquer mes futurs cracks pour des déplacements dans tout le pays dans des bourses à 10 000 \$, et tout cela pour le bon plaisir que *entrée* soit égal à *sortie* au bas d'un exercice comptable!

— Tom, bien sûr que moi je le sais. Mais le juge auquel on va soumettre tout cela n'est pas censé te connaître depuis 20 ans; et il aura en tête toute l'argumentation qu'ils lui auront fournie. Et au Texas, un père qui dilapide sa fortune, un empire qui s'écroule... on n'aime pas beaucoup cela. Alors il vaut mieux anticiper et nous préparer à la riposte. Voilà pourquoi il fallait que je te cause.

– Tu as bien raison... et comme on dit, la meilleure défense, c'est encore l'attaque. Il faut leur rentrer dans le lard, Ralph. Tu entends! Je t'en donne l'ordre! Ce ne sont plus mes fils! Juste des petits cons et ils méritent une bonne torgnole! Tu as carte blanche, Ralph, je te fais confiance. Comment va-t-on s'y prendre?

– J'ai déjà pris une première mesure...

– Super, Ralph. T'es vraiment le meilleur!

– Tom, dans ce genre de situation il faut éviter de pavoiser. Crois-en ma vieille expérience, les affaires intra-familiales sont rarement les plus faciles. Il y a toujours des sentiments...

– Tu veux faire du sentiment avec eux? Les traîtres! Je t'ai déjà dit d'oublier que ce sont mes fils!

– C'est facile à dire, Tom. Enfin, bref, j'ai pris les devants et ai fait une demande au juge pour qu'il te fasse faire un examen psychiatrique auprès de plusieurs experts qu'il nous nommera lui-même.

– Tu veux dire qu'il faut que j'aille chez un toubib pour les fous? Moi? C'est sérieux?

– C'est indispensable, Tom. Et surtout il ne faut pas le prendre à la légère. C'est très important. Et puis il faut aussi que tu fasses un bilan de santé complet.

– Mais je ne me suis jamais senti aussi bien!

– Tom, il n'y a pas une minute à perdre. Il faut jouer serré. Je ne te dis pas qu'ils ont raison... bien au contraire! Mais, pour la Loi, ce qu'ils font peut tenir debout.

– Eh bien, je te dis qu'elle est belle ta Loi!

– Ne t'inquiète pas et fais bien ce que je te dis, Tom.

– Ralph, tu leur as causé à ces minables?

– On m'a fait dire qu'ils étaient tous les deux en déplacement et injoignables pour deux semaines. C'est cousu de fil blanc.

– Les salauds! L'attaque dans le dos, le salut dans la fuite! Je ne sais vraiment pas où ils ont été chercher tout cela. Pas chez moi en tout cas! Enfin, merci pour tout, Ralph, et je te fais confiance une fois de plus. Salut!

– À bientôt, Tom.

Quand il repose le combiné, Tom reste quelques secondes sans réaction; triste et comme remué par un profond malaise. Heureusement, la porte s'ouvre et quelqu'un lui dit:

– M'sieur Tom, le véto voudrait vous voir parce que Faucon Maltais s'est mis à boiter.

– Dites-lui que j'arrive tout de suite.

Parce que l'Islam acquiert l'éthos de sa religion à la fois dans l'aspect spirituel et temporel de la vie, il réglemente la relation des individus tout autant avec Dieu qu'avec la société dans laquelle vivent ces individus. Il gère l'environnement social dans son ensemble par l'institution religieuse et la loi islamique.

Après la mort de Mahomet en 632 ap. J.-C., l'Islam, dirigé par une succession de califats, s'embarqua dans une aire de conquêtes qui propulsa l'islamisme dans un empire politique important: vers l'est, jusqu'aux Himalayas et vers l'ouest, à l'Espagne. Bagdad, cette île de verdure située entre l'Euphrate et le Tigre, en était la capitale, Madinat al-Salam (ville de paix), et elle fut le centre du monde jusqu'au Xe siècle.

Pour l'Islam, le combat est sanctifié. Le djihad est un combat présent dans la religion de l'Islam: la fin justifie les moyens et Mahomet exhorta les siens à se battre pour l'Islam. L'objectif du djihad est d'acquérir le contrôle de la politique et des affaires collectives des sociétés afin d'y instaurer la loi islamique.

Ce n'est qu'à la deuxième moitié de ce siècle que certains leaders islamiques ont consenti à séparer les affaires de l'État de celles de la religion et cela, dans un nombre restreint de pays islamiques. Plusieurs des leaders de ces pays préfèrent toujours le mariage de la religion islamique et des affaires de l'État, s'assurant une main de fer sur le pouvoir et le contrôle du pays. Les leaders trop «libéraux» ont été dépossédés, voire même tués.

Avec l'implantation de la République Islamique en Iran, au Pakistan, en Algérie, au Soudan, en Syrie, en Irak et dans le ghetto palestinien de Gaza, le djihad revit comme au VIIe siècle à l'époque des califes. Il rejoint les 5 autres piliers de l'Islam, soit le *shahada*, la déclaration de foi, «Il n'y a qu'un Dieu, Allah et Mahomet est son prophète»; le *dua* et le *sabat*, la prière intérieure et le rituel formel; le *sadaqa* et le *zakat*, le prêt à Dieu ou la taxe pour les pauvres, les orphelins et la guerre; le *ramadan* ou le jeûne pour une période d'un mois à tous les ans, symbolisant la période où le Coran fut transmis à Mahomet; et le *hadj*, soit le pèlerinage à La Mecque pour tous les islamistes, donnant ainsi un sens de fraternité au mouvement.

Depuis l'attaque du *USS Washington*, l'Administration présidentielle a été peu loquace, se contentant d'apporter des mesures de sécurité dans les bases militaires américaines et de mettre en garde ses effectifs au Moyen-Orient et en Europe. Elle a formé un comité de conseillers provenant des services d'information du Conseil de sécurité et du Pentagone. Le mandat du comité est de recommander une politique d'action pour enrayer le terrorisme.

La presse américaine interroge cette Administration présidentielle qu'elle qualifie de laxiste. L'explosion nucléaire dans le Sahara n'a pas fait les manchettes, le seul événement connu est l'attaque sur le *Washington* et son millier de morts. La confirmation de l'implication de la Libye est connue puisque des clichés des Mirage 2000 reposant au fond du bassin algérien ont été publiés. Aucun doute, ces Mirage 2000 sont la propriété de l'État libyen. Pourquoi l'Administration présidentielle n'agit-elle pas? Le peuple américain demande vengeance et n'aime pas avoir un Président qui se dérobe. La cote de popularité de ce dernier est au plus bas; du jamais vu.

Houston, Texas

C'est dans un silo souterrain d'une hauteur de 50 mètres que Max, accompagné de Michael, a amené Tanya. Construit de béton armé, ce silo de la NASA est effectivement le centre de test spatial. Au sol, repose une maquette d'UTOPIA à l'échelle de 1 pour 1 000, soit 1 000 fois plus petite. La maquette comporte les mêmes spécifications qu'aura éventuellement UTOPIA. L'objectif de ce test est de vérifier le comportement d'UTOPIA dans l'espace.

La sirène sonne et le groupe accompagné de techniciens sort du silo, lequel est fermé hermétiquement puis aseptisé. Dans une pièce adjacente, les techniciens font les dernières vérifications à leurs instruments et Max donne le feu vert pour le début du test. Le vide est créé dans le silo et, par l'entremise de caméras, des images de la maquette d'UTOPIA flottant dans l'espace libre du silo sont transmises sur les écrans des moniteurs.

– Le but de ce test qui durera 48 heures, dit Max à Tanya, est d'étudier l'environnement extérieur à UTOPIA. Dans l'espace, le vide et la radiation solaire non diluée font en sorte que la surface exposée aux rayons solaires est très chaude et celle à l'ombre est glaciale.

– De combien est l'écart? demande Tanya.

– Il fait 400° Celsius au soleil et –200° Celsius à l'ombre.

– Et vous êtes en mesure de créer un pareil environnement dans le silo ?

– Absolument, dit Max. Nous avons une technologie qui nous permet d'y arriver. Pour les prochaines 48 heures, ce modèle réduit d'UTOPIA tournera lentement sur lui-même dans son environnement. Un côté du silo cuira UTOPIA jusqu'à une température de 400° Celsius et de l'autre côté, grâce à un système de refroidissement au nitrogène liquide, le modèle réduit sera refroidi à une température de –200° Celsius. Dans 48 heures, ce modèle sera passé sous le rayon gamma et un ordinateur de haute puissance analysera le résultat. S'il n'y a pas d'anomalie, le test se poursuivra pour les prochains 3 mois ; s'il y a une anomalie, nous corrigerons.

– Quel type d'anomalies peut-on envisager ? demande Michael.

– Tout est possible, dit Max. Toutefois, des problèmes de structure sont les plus envisageables.

– Je n'étais pas consciente qu'UTOPIA tournait sur elle-même, dit Tanya.

– Évidemment, dit Max. Pour créer une gravité légère et distribuer également les efforts de chaleur et de froid, UTOPIA doit tourner sur elle-même ; toutefois, la rotation est très faible : environ 2 rotations à l'heure.

– Et ces panneaux, ce sont ses capteurs d'énergie solaire ? demande Michael.

– C'est la source d'énergie d'UTOPIA. Nous y installerons éventuellement un réacteur nucléaire, répond Max.

Genève, Suisse

Il arrivait parfois que l'on trouve Abdul seul sur la terrasse, face aux montagnes, et comme en proie à une intense réflexion. Fils du Désert, fasciné par l'immensité, peut-être essayait-il d'y retrouver un peu de l'infini des horizons désertiques qui lui manquaient tant.

Il savait que cet univers hostile, ce dénuement que le plus endurci des volontaires refuserait d'affronter, ce silence où même la parole d'un ami était de trop, seraient propices à l'humilité dont il avait besoin pour se sentir plus proche de Dieu. Dans ces moments de solitude et d'abstraction, il se sentait attiré par un ancestral rituel de retour vers le lieu qui l'avait vu naître et grandir. Il revoyait les images de son enfance, sous la tente sans confort, sans superflu ni complication inutile. Le Bédouin du désert ne voit aucune vertu dans la pauvreté. Il essaie même toujours de se préserver un petit rien de vice : du café, une femme, de l'eau fraîche et s'en fera son seul luxe. Mais il ne supportera aucune entrave à sa liberté. Rien ne l'empêchera de sentir l'air et le vent, de recevoir la lumière et le soleil, de connaître le vide et les grands espaces. Avec le ciel au-dessus de sa tête, la terre vierge à l'infini sous ses pieds, c'est là que se forment son esprit et, dans son regard, cette insouciance si altière devant le temps qui passe.

Abdul est tiré de sa profonde méditation par l'annonce qui lui est faite de l'arrivée de Michael et de Tanya. Il est vêtu d'une *yubbah* jaune-orangé dont l'encolure est ornée d'une broderie noire très ouvragée ; il se dirige vers le hall d'entrée pour accueillir ses invités. Son visage est empreint d'une sagesse et d'un calme indéfinissables. Il salue d'abord Michael qui lui rend la pareille tout en lui présentant sa compagne.

— Que la paix soit avec vous ! lui dit-il en s'inclinant respectueusement et en portant sa main droite à son cœur. Entrez, je vous prie.

Ils passent au salon et Abdul offre un cigare à son ami, puis s'adressant à Tanya il demande :

— Parlez-moi un peu d'UTOPIA. Comment se présente le projet ?

— Tout va pour le mieux, répond Tanya. Les études se poursuivent et si tout va bien avec le financement, nous envisageons le début de la construction pour février '99.

— Remarquable ! Et qu'êtes-vous venus faire en Europe ?

— Nous devons voir des investisseurs potentiels à Londres demain et, comme nous avions un peu d'avance, je voulais en profiter pour faire votre connaissance. Et puis, c'est aussi bon de se faire connaître par nos éventuels futurs résidents. Avez-vous l'intention d'en faire partie Abdul ? Vous savez, je suppose, que votre actionnariat dans la société de Michael vous en donne le droit automatique ?

— Vous m'en voyez très honoré. Mais voyez-vous, je ne pense pas que je sois fait pour une telle vie. J'estime avoir encore beaucoup à faire sur Terre.

— Je pensais que vous saviez vous contenter des immenses succès qui jalonnent votre carrière, dit Tanya.

– Certes, j'en conviens, il est vrai qu'aux yeux du plus grand nombre j'ai réalisé de grandes choses; mais au plus profond de moi-même, il me reste encore une ultime tâche qu'il me faut accomplir.

– Explique-toi, lui demande Michael.

– Un devoir. Un devoir sacré. J'ai été éduqué par ma famille pour devenir le chef de ma tribu; et c'est là-bas, dans le Rub'al-Khali que l'on m'attend et que très bientôt je retournerai.

– Tu veux nous dire que tu vas retourner dans le désert pour vivre en Bédouin avec ta tribu?

– Oui. Et il me tarde de plus en plus d'y être.

En disant ces derniers mots, ses yeux se sont mis à briller comme des olives noires, alors que tous les muscles de son visage restent figés comme s'il portait un masque. Cette déclaration faite, Abdul semble être devenu inaccessible, et tout ce qui pourrait se dire paraîtrait bien dérisoire. Aussi Michael et Tanya ne s'attardent pas plus qu'il ne faut.

Dans la voiture, sur la route qui les ramène vers Genève, un silence pesant s'est installé. Michael ne voit pas la nécessité de commenter la décision de son ami et Tanya comprend elle aussi qu'il n'y a rien à ajouter. La splendeur du paysage est parfaite pour les divertir de la touchante révélation qu'Abdul leur a faite. En arrivant dans le centre-ville, l'animation des rues et les décorations en vue des fêtes de Noël toutes proches achèvent complètement cette diversion. Michael rappelle à Tanya que pour cette fin d'après-midi ils ont un rendez-vous avec la Direction d'une grande banque de Genève et puis qu'après ils doivent encore voir Nabil Mostacci qui doit les rejoindre à six heures au bar du Métropole, l'hôtel où ils descendaient.

Leur visite avec les banquiers suisses ne leur laissera pas un souvenir impérissable. Le décor résolument froid et austère du lieu où ils sont reçus évoque pour Michael l'atmosphère que l'on retrouve à l'abord d'un édifice religieux. «Voilà ce qui se passe quand on voue à l'argent un tel culte!» ne peut-il s'empêcher de penser. Trois messieurs d'un certain âge, imperturbables dans leurs costumes croisés sombres, les attendent dans un grand bureau dont les murs sont lambrissés d'une boiserie foncée. Ils les écoutent poliment faire leur présentation du projet UTOPIA, mais on sent bien que ces histoires de soucoupes volantes ne les passionnent guère, même si la qualité peu ordinaire de leurs interlocuteurs ne leur a pas échappé.

Ils n'auraient rien contre l'idée, bien sûr, de prendre le train en marche, un jour... s'il démarre. En Suisse, on n'est pas pressé, on préfère encore l'omnibus au TGV[1]. En tout cas ce n'est pas chez eux que s'éveillera une vocation pour tenter l'aventure d'une vie de 200 ans sur UTOPIA. Leurs vies semblent réglées avec la précision des fameuses horloges faites dans ce pays et rien ne les a jamais préparés pour un tel bouleversement. Mais Michael et Tanya avaient atteint leur but qui était de faire passer l'information. Dans ce genre de prospection ils savaient tous les deux qu'il était toujours préférable de ratisser large. Et c'est ce qu'ils avaient fait.

L'entretien terminé, ils sont en avance et apprécient l'air frais et tonifiant de cette fin d'après-midi dans les rues du centre de la ville qui sont bien animées. Ils décident de regagner l'hôtel Métropole tout proche, à pied, afin de mieux profiter du spectacle de la rue et de humer l'indéfinissable air de fête que l'on ressent un peu partout juste avant Noël. Les belles boutiques de la rue de la Rive leur donnent l'occasion de faire un peu de lèche-vitrines, ce qui n'est jamais désagréable. Michael s'attarde à la devanture d'une bijouterie et il dit à Tanya:

– Accompagnez-moi, je voudrais voir les montres.

Dans le magasin, quelques clients s'affairent pour des achats de dernière minute. Michael se fait montrer plusieurs modèles par un vendeur à un comptoir, tandis que Tanya s'extasie devant une somptueuse parure d'émeraudes et de diamants qui est exposée sur un présentoir en satin beige rosé. Au bout d'un moment, Michael la fait venir à ses côtés; il lui prend la main et passe à son poignet une magnifique Rolex Président avec une couronne sertie de diamants et lui dit:

– Je voudrais me rendre compte de ce qu'elle donne en situation.

Tanya est surprise car elle croyait qu'il se cherchait une montre pour lui. Son visage se colore légèrement et prise de court elle lui dit:

– Je ne savais pas que vous cherchiez une montre de femme.

– Elle vous plaît?

– Elle est splendide! Mais je ne peux parler que pour moi-même. Je suis persuadée que vous devriez connaître l'avis de la personne à laquelle elle est destinée. Les goûts et les couleurs, vous savez?

_____
1. Train à grande vitesse.

– Eh bien, maintenant je le connais, puisque vous venez de me le donner.

– Parce que...

Michael ne la laisse pas terminer sa phrase. Il fait un petit signe autoritaire au vendeur pour lui signifier que son choix est bien arrêté sur ce modèle. Tanya, que l'émotion d'une telle situation inattendue a rendue un peu maladroite, se débat avec le fermoir pour tenter de retirer la montre. Michael l'en empêche. Il lui saisit le poignet et lui fait remarquer :

– Elle vous va à merveille... et en plus vous n'en aviez pas !

Le vendeur qui en a certainement vu d'autres s'éclipse avec la carte de crédit de Michael en leur disant qu'il pouvait faire un emballage cadeau s'ils le désiraient.

– Justement j'en ai une et j'y tiens beaucoup car elle me vient d'un être très cher.

– Eh bien comme cela vous en aurez deux. Faites-moi plaisir, j'aimerais que vous puissiez dire la même chose de celle-ci... un de ces jours.

Tout en disant cela il relâche lentement sa pression sur le poignet de Tanya, et quand toute contrainte cesse, Tanya est déjà en train de regarder le bijou avec beaucoup de pudeur dans le regard.

– Vraiment, Michael, vous me gênez ! Je ne devrais pas accepter un tel cadeau de votre part. Vous me mettez dans une situation embarrassante. Vous oubliez le poste que j'occupe !

Le vendeur revient avec un récépissé de carte-crédit ; pendant que Michael le paraphe, il le complimente pour la qualité de son choix et s'adressant à Tanya a cette formule finale :

– Vous verrez, Madame, je ne connais personne qui ait pu regretter un tel achat.

Il les raccompagne à la porte et leur souhaite de bonnes fêtes de fin d'année.

Dans la rue sur le chemin de l'hôtel qui est maintenant tout proche, Tanya se tient un peu à distance, sans rien dire, un peu boudeuse et comme contrariée de s'être laissée prendre à un piège. Dans l'instant elle ne sait pas trop comment réagir et instinctivement se laisse aller à en faire trop.

– J'espère qu'avec tout ça, nous n'allons pas être en retard au rendez-vous avec Mostacci !

Michael s'approche d'elle, prend sa main et l'amène devant ses yeux :

— Quelle heure se fait-il donc? Vous avez une montre maintenant?

— Vous exagérez vraiment, Michael. Vous auriez dû me prévenir avant de m'imposer ce cadeau. Je n'ai pas dit d'ailleurs que j'allais le garder.

— Vous avez raison, j'aurais dû vous prévenir que j'allais vous faire une surprise! Je vous assure que je n'avais rien prémédité. C'est venu comme cela. D'un seul coup. Sans réfléchir. Je me suis fait un grand plaisir à essayer de vous en faire un petit. Enfin, vous pouvez toujours réfléchir et si demain vous jugez toujours que je me suis mal conduit, eh bien, on avisera. D'accord?

Tanya n'a aucune raison de ne pas croire à la bonne volonté de Michael. Il serait vraiment difficile de continuer de lui répondre en gardant un ton vindicatif, mais heureusement ils arrivent à la porte tournante de l'hôtel Métropole et leur petite discussion enfantine ne peut en franchir le pas.

Ils se dirigent tout de suite vers le bar où les attend Mostacci qui, pour venir, n'a eu que la rue à traverser. Dès qu'il aperçoit Michael, son visage s'éclaire d'un franc sourire et il l'accueille avec beaucoup de chaleur. Michael fait les présentations et tous les trois portent un toast pour célébrer leur rencontre. Après les avoir servis, le barman replace la bouteille de Pommery cuvée millésimée dans son seau, derrière le comptoir.

— Nous arrivons de chez Abdul, dit Michael. Tu es au courant de ses projets.

— Oui, évidemment, il m'en a parlé. Je sais que pour un Occidental, ce qui lui arrive est un peu difficile à comprendre.

— Tu sais, chez nous aussi on a des mystiques. Je peux te dire qu'on connaît tous dans nos entourages des gens qui, un beau jour, craquent, plaquent tout, famille et business, et larguent les amarres. On les retrouve un peu partout, dans un monastère tibétain, une secte hindoue ou sur une coquille de noix au gré des océans!

— Tu as raison, mais vois-tu, il faut que tu comprennes qu'aux problèmes d'identité intimes et personnels que connaît notre ami, s'ajoutent ceux encore plus importants qui assaillent la conscience collective de son peuple et qui s'étendent à l'Islam tout entier. Il se sent concerné et désire aider ses frères et sœurs qui ont besoin de lui et qui ne le lui cachent pas.

– Et qu'est-ce qui l'empêche de faire tout ce travail à partir de Genève ?

– C'est précisément cela qui est impossible. Un des grands malheurs de l'Islam est justement de devoir subir des décisions qui ont été prises par les Occidentaux et qui ne tiennent pas compte des réalités et des individualités sociales. Le véritable monde de l'Islam n'a jamais été divisé par toute une série de frontières ; historiquement, le monde de l'Islam prend ses racines dans une structure de tribus nomades et c'est seulement en retournant sur cette base que des solutions pourront être trouvées. Dans ces conditions, il devient évident qu'Abdul fasse le même cheminement.

– Vous pensez donc que le retour au système tribal serait une réponse au terrorisme islamique international ? demande Tanya.

– Abdul en est persuadé. De toute façon, il n'a pas beaucoup de choix, car le monde islamique est en pleine crise ; même en Arabie, il y a de graves conflits internes et son peuple est menacé. Le ver n'est pas dans le fruit depuis hier ! Ce sont les colonisateurs qui en traçant leurs frontières ont tout chamboulé. Au début ils voulaient la paix et puis ensuite le pétrole. Mais à quel prix ont-ils fait tout cela ? Ce n'est pas d'un trait de plume, fût-il par centaines d'exemplaires celui des délégués de l'ONU, que l'on éradique des siècles et des siècles de tradition ! Pour beaucoup en Arabie, le pouvoir de la famille royale régnante est usurpé. On la dit inféodée à l'Amérique et, entre nous, sur le fond les Arabes n'ont pas tort. L'Occident a besoin d'un interlocuteur pour lui garantir la stabilité des approvisionnements en pétrole dont il a besoin.

– Et toi, dans tout cela où te situes-tu ? demande Michael.

– «Frère dans la prière ; mais pas dans la soupière»...

Cette formule fait pouffer de rire Tanya ; Michael s'en amuse également, la trouvant adaptée à tant d'autres situations communément rencontrées de nos jours.

– ... je suis de tout cœur avec eux, continue Mostacci, mais hélas ! dans les décennies passées j'ai fonctionné à l'interface des deux mondes et pour eux je suis un paria, un traître, un suppôt de Satan. Quoi qu'il en soit, je serais bien incapable d'avoir la force intérieure pour opérer un tel revirement de situation... et puis je suis bien trop vieux pour une telle aventure humaine. Je n'ai par ailleurs aucun regret de ce que j'ai fait. Je crois honnêtement que, lorsque je l'ai fait, c'était la meilleure option. Le vent de l'Histoire a tourné. C'est certainement autre chose qu'il convient de tenter maintenant.

Et puis je suis fier de ce que va faire mon neveu. Je sais que ce qu'il entreprend est beau et noble.

Londres, Angleterre

À 10h35, heure locale, l'airbus de la Swissair atterrit à l'aéroport de Londres-Heathrow avec à son bord Tanya et Michael en provenance de Genève. Une présentation du programme UTOPIA avait été prévue, pour une centaine d'invités, en grande partie des chefs d'entreprise et des investisseurs potentiels, ainsi que quelques journalistes, tous triés sur le volet. Michael indique donc au chauffeur de taxi de les conduire à l'hôtel Connaught, à Mayfair, où la réunion devait se tenir. Ils retrouvent Max Kopel qui est arrivé le matin même d'Houston, pour un rapide déjeuner au grill de l'hôtel.

À 14 heures tout est en place; les «big boss» sont là, sagement assis face à l'estrade de présentation. De toute évidence, l'affaire UTOPIA éveille bien des curiosités que Tanya, Michael et Max vont s'efforcer de transformer en intérêts certains. Max fait sa démonstration habituelle et, en plus, montre un vidéo des tests les plus récents qu'ils ont faits dans le silo souterrain. Quand il en est à décrire une phase plus particulièrement étonnante de son programme, il laisse échapper des intonations si fortes que l'auditoire devient très vite captivé par l'idée d'en savoir encore et encore un peu plus. Il termine son exposé sur un montage de synthèse où, en un peu moins d'une minute en fondu-enchaîné, apparaît le globe terrestre vu de l'Espace, puis par l'opération d'un zoom géant tous les agrandissements successifs, pour finir sur une image de *Big Ben* avec un «Hello! London!» qui s'inscrit en générique de fin.

La lumière revient et, pour beaucoup, c'est un peu comme le son du réveil qui met fin à un beau rêve. Un sujet de Sa Majesté se doit toujours d'avoir une certaine réserve: le flegme britannique; il est en ce moment soumis à rude épreuve. On entendrait penser: «Où suis-je? Où vais-je?...» et parfois, même, «irai-je?»

Tanya ramène tout ce petit monde sur terre et engage les auditeurs à leur soumettre leurs questions. Le premier à demander la parole est vraisemblablement un scientifique:

– Le «mal de l'espace» est bien une réalité. Comment pensez-vous en éviter les méfaits?

133

– Ce problème existe et est malheureusement bien connu des cosmonautes. À la NASA, nous parlons de S.A.E. : Syndrome d'Adaptation à l'Espace. Mais sachez que cet écueil biologique est lié à l'absence de gravité. Dès qu'ils sont attachés sur leurs sièges, nos voyageurs de l'espace n'ont plus aucun problème. Alors, je vous rassure, sur UTOPIA personne ne sera jamais attaché 24 heures sur 24... (remarque qui occasionne quelques rires dans l'assemblée)... mais rappelez-vous plutôt que j'avais signalé que nous créerons une gravité légère de l'ordre de 5 %, qui nous permettra de poser nos pieds sur le sol et non sur les murs ; de cette façon, les systèmes auditifs et visuels resteront accordés comme ils le sont sur terre, ce qui permettra de conserver le sens de l'orientation qui nous est essentiel. J'ai la conviction, que je vous invite à partager, que les résidants d'UTOPIA s'y sentiront aussi bien et, qui sait, même peut-être mieux que sur Terre. Plus de sensation de lourdeur et plus rien de toute la fatigue physique qui s'y rapporte.

– Cela n'entraînera pas de chute de tension ?

– Pour la même raison que nous serons en gravitation légère, et non en absence de gravité, la tension ne sera que peu affectée par ce nouvel écosystème auquel nous allons nous soumettre. Bien sûr, la tension va d'une façon générale baisser – ce qui, soit dit en passant, est toujours bien mieux que le contraire – et la masse des liquides extra-cellulaires devra s'adapter à ces nouvelles conditions de vie. Pour cela les futurs résidants devront se soumettre à un programme de mise en condition physique et mentale qui est en cours d'élaboration sous le contrôle de médecins et de biologistes de la NASA.

– Alors les «vieux» comme nous, dit un monsieur d'un certain âge et d'un embonpoint certain en se tournant vers les plus proches de ses semblables, ils n'ont aucune chance d'aller faire d'encore plus vieux os là-haut ?

– Nous ne voyons pas les choses de manière aussi manichéenne. Il y aura certainement des contre-indications absolues au départ immédiat d'un individu pour la colonie spatiale. Mais je vous dirai que pour un vol long-courrier aussi de telles conditions existent ! Un officier pilote de chasse à la RAF passera moins de temps au centre d'entraînement que Joseph Silk, notre dernier Prix Nobel de physique, qui nous téléphone chaque semaine pour savoir si malgré ses 72 ans il fait toujours bien partie de notre liste. Rien ne dit d'ailleurs que le premier nommé a les plus grandes chances d'être accepté. La condition physique est une chose ; mais la santé mentale et morale en est une autre! Quoi qu'il en soit, cette durée de mise en condition en immersion totale ne sera en aucun cas inférieure à six mois. Les psychologues de notre équipe pensent que, déjà à ce stade, entre 20% et 25% des postulants s'élimineront d'eux-mêmes, incapables de surmonter l'épreuve du vase clos avec en ligne de mire le sacro-saint jour où ils doivent signer leur départ... et aussi leur non-retour.

– ?!?

– Nous croyons utile de préciser que dans l'état actuel de nos connaissances la réversibilité du phénomène n'est absolument pas possible à garantir. C'est pour cette raison, entre autres, qu'il faudra que nous soyons très vigilants dans notre mode de sélection. Mais je vous rassure, l'équipe bio-médicale est très au point et chaque candidat sera aidé au mieux pour voir clair en lui, être au fait de toutes sortes de techniques de relaxation afin d'éliminer le stress, de pouvoir surmonter toutes ces difficultés et d'apprendre à vivre dans l'optique d'une vie beaucoup plus longue.

– Et là-haut, on mangera des pilules? demande un invité, qui avait certainement eu une nounou française dans son enfance.

Tanya s'attendait à Londres, grande place financière, à des questions d'ordre économique; mais étant la seule femme de l'é-quipe, elle se sent la mieux placée pour répondre à cette digression culinaire. Elle lui rétorque:

– Gardez-les si vous restez sur Terre et continuez à manger tous ces surgelés-surcongelés-micro-ondés qui sont le lot commun de nos jours. Vous en aurez sûrement besoin! Par contre sur UTO-PIA, nous créerons une ferme spatiale et le circuit alimentaire ne sera pas aussi pollué et qualitativement incertain qu'il l'est ici-bas. Nous étudions tout ce problème agro-alimentaire au sein d'un bu-reau d'étude, le Système de Contrôle Écologique de Support de Vie, que l'on nomme SCESV. Vous êtes les bienvenus pour le visiter si vous venez à Houston. Vous aurez même droit à une dégustation. À part les viandes rouges, tout ce que nous mangeons sur terre pourra y être produit... mais autrement mieux. Nous n'emporterons aucun insecticide ou autre pesticide sur UTOPIA. Poissons, vo-lailles, fruits et légumes seront produits de façon beaucoup plus naturelle. L'aliment restera «vivant» et il sera bien plus respecté comme tel; de façon à ce qu'il transmette bien l'intégralité de sa richesse nutritive et non un vague reliquat mal défini une fois qu'il a subi tous les maux nécessaires que j'ai cités tout à l'heure et que notre mode de vie croit bon de lui infliger.

Les représentants des secteurs agro-alimentaires et chimiques en prennent pour leur grade. Nonobstant cette remarque qui ne leur était pas spécialement élogieuse, c'est le président du syndicat regroupant les industries pharmaceutiques qui prend la parole :

— Pouvez-vous nous préciser la surface que vous serez en mesure de mettre à la disposition de la recherche pour le développement de nouveaux principes pharmacologiques ?

— Compte tenu de l'importance de ce secteur et des espoirs que nous y mettons, nous pensons pouvoir porter cette disponibilité à la hauteur de 50 000 mètres carrés.

— Et à quel prix ?

— De l'ordre de 25 000 dollars du mètre carré l'an.

L'homme qui vient de poser ces questions se tourne vers ses voisins et commente la nouvelle véhémentement. Ce sont indéniablement des confrères de la même profession et ils savent tout l'intérêt que leurs recherches peuvent espérer dans un tel environnement. Le procédé électro-chimique de séparation moléculaire qui sera possible dans l'espace permet d'envisager une potentialité médicale 500 fois plus importante que celle dont on dispose sur Terre. La liste des pathologies que cette technologie bouleversera serait longue...

Puis viennent les industriels de l'informatique, de l'électronique, de la robotique, qui trouvent en Michael un parfait orfèvre en la matière pour leur répondre.

La question de la participation japonaise ne sera pas soulevée.

Le ciel est donc toujours bien bleu... même si nous sommes à Londres, quelques jours avant Noël.

Sur la fin, les questions ont un peu tendance à se chevaucher et l'attention baisse. Tanya indique à tout le monde, en forme de conclusion, que des brochures avec toute l'information complémentaire nécessaire vont leur être remises.

Max piaffe un peu d'impatience, car il doit voir le fameux astro-physicien Stephen Hawking chez lui à Cambridge. Sa maladie l'empêche de se déplacer. Tanya voudrait bien avoir du temps pour faire son shopping de Noël à Londres juste avant de rentrer à New York par le vol des British Airways de 19h30. Michael lui a proposé de l'accompagner à Heathrow.

— Mais avant je voudrais aller sur Burlington Arcade faire des emplettes.

— Je n'y vois aucun inconvénient. Si vous ratez votre vol, ce n'est pas si grave après tout...

136

– Vous voulez rire ! Ce serait une catastrophe ! On m'attend à New York. Et puis un Noël sans ma famille ! ce serait trop triste.

Chez N. Peal, un fabricant de cachemire, Tanya a du mal à fixer son choix. Finalement elle se décide pour deux pulls.

– Et vous Michael, vous ne rentrez pas au pays pour les fêtes de fin d'année ?

– Non, je retourne en Suisse dès demain matin. Je passerai les fêtes à Gstaad. Depuis la mort de mes parents, cela ne me dit rien de passer ces moments au pays...

– Je suis désolée d'avoir évoqué cela, Michael.

– Ne vous excusez pas. De toute façon, je suis un vieux loup solitaire !

La vendeuse les interrompt :

– Je vous mets un papier-cadeau différent pour le modèle homme et le modèle femme, Madame ?

– Euh !... oui, c'est cela, un paquet pour chacun.

– Vous livrez à domicile ! Eh bien, il en a de la chance cet animal-là !

– Michael, dépêchons-nous, nous allons être en retard !

– Mais je ne souhaite que cela !

– Vous êtes cynique !

– Non, seulement un peu jaloux.

– Vous devriez savoir que la jalousie est bien plus qu'un défaut. C'est une maladie ! Venez !

– Et pourquoi ne serait-ce pas vous qui viendriez avec moi ? Vous ne préféreriez pas un petit séjour à la neige, plutôt que d'aller vous geler à New York ?

– Michael, une autre fois peut-être. Je dois rentrer. C'est une vieille promesse que je dois tenir.

– Sinon le Monsieur de la montre ne sera pas content ?

– C'est ça ! Si vous êtes sage, un jour, je vous le présenterai. Vous le trouverez charmant, j'en suis sûre.

Tanya était radieuse avec ses paquets-cadeaux à la main quand ils quittèrent le magasin.

Il la déposa devant la porte de l'aérogare et demanda au chauffeur de taxi un instant avant de démarrer. Juste avant de ne plus être à portée de vue, elle se retourna et lui envoya un baiser avec la main.

Abdul avait définitivement quitté le Nid d'aigle. À son arrivée à Riyad, il n'avait pu éviter quelques visites importantes; mais il avait hâte de quitter les tours climatisées de la ville où se brassent les milliards de l'or noir pour aller retrouver ses racines dans les sables rouges et gris d'*ar-ramlah* (c'est le nom que les Nomades donnent au désert) dans le Rub'al-Khali, la terre de ses ancêtres. Comme toutes les tribus de la région, ils descendaient d'Ismaël, fils d'Abraham. Ils étaient de sang pur et maîtrisaient depuis des générations la guérilla du désert, tout en dominant le pays dans un kaléidoscope de permutations d'alliances. Depuis la mort du père d'Abdul, ce sont les chefs des divers clans de la tribu qui ont assuré de façon collégiale l'intérim en attendant le retour d'Abdul. Son arrivée attendue et souhaitée réinstaurait la lignée patriarcale à laquelle tous tenaient.

C'est dans une vallée formée de dunes de plus de 50 mètres de hauteur que la rencontre avec Abdul doit se faire. Une grande tente cérémoniale a été érigée, au milieu de plusieurs autres de taille plus modeste, dans laquelle ont pris place tous les chefs de clan. Parmi les tapis et les coussins, la place du maître a été préparée. Quand il arrive, ils le saluent respectueusement tout en vénérant le Cheik. Tout de suite, des serviteurs apportent théières et tasses pour célébrer l'événement en buvant du thé brûlant ou du café parfumé à la cardamome. À part quelques formules de bienvenue marmonnées comme des prières, le silence presque sacré de cet endroit n'a pas encore été rompu. Celui qui semble le plus vieux se décide enfin à parler après de longues minutes qui semblent avoir été une éternité.

— Il était grand temps que tu arrives.

— Mais encore? Explique-toi, lui ordonne Abdul.

— Cheik, nous avons perdu le contrôle de la situation sur notre territoire. Ils sont partout et prêchent le djihad aux pèlerins quand ils vont à La Mecque. Dans toutes les villes, ils ont mis des centres de recrutement. Ils forcent nos enfants à leurs idées et nous menacent avec leurs armes. Quand ils peuvent, ils amènent nos fils dans des camps lointains sous prétexte que le djihad est le 6e pilier de l'Islam et qu'ils ne peuvent se soustraire à ses lois.

— Et où sont ces camps? demande Abdul.

— Au Soudan, l'allié de l'Iran. Mon fils y est parti et a pris de grands risques en faisant semblant de rentrer dans leur jeu. Nous avons collecté beaucoup d'informations sur ces camps...

138

Cette première nuit sous la tente dans la froidure de la nuit désertique a comblé toutes les aspirations d'Abdul et rassasié tous ses sens. Sa métamorphose est maintenant achevée et sa détermination est totale. Il soulève le volet en toile de la tente et contemple, dans la nuit étoilée, les silhouettes douces et longues des dunes qui coupent le ciel; et il pense que le désert dans toute sa nudité est tout aussi sensuel que le corps d'une femme.

DEUXIÈME PARTIE

ANNÉE 1999

7

New York, New York

En début d'année, Gerry a convoqué une réunion du conseil d'administration d'UTOPIA, histoire de mettre les pendules à l'heure avec le directorat.

C'est à l'hôtel St-Régis de New York, dans une suite privée avec salle à dîner adjacente, que l'assemblée débute à 10 heures 30, avec Gerry demandant à Tanya un résumé de la situation.

Cette dernière avait préparé un rapport d'une douzaine de pages que chaque membre du Conseil avait reçu pour analyse, en prévision de l'assemblée.

Le rapport de Tanya relève les principaux faits de l'année qui vient de se terminer. Il donne l'état des dépenses et des argents nécessaires pour la nouvelle année ainsi que le planning d'UTOPIA pour l'an '99.

— Je vois que vous planifiez le commencement des opérations à la base de Houston au début de l'an prochain, dit Gerry.

— Nous avons au cours de l'automne autorisé un programme de construction. Plus de 25 000 hommes travaillent sur le chantier et selon l'estimation des ingénieurs, la majorité des travaux sera terminée à la fin de cette année. Ce dont nous avons le plus besoin, c'est le centre d'entraînement des résidants futurs d'UTOPIA. Tous devront y faire un stage de 6 mois avant leur départ. Ce centre est une réplique de la qualité de vie sur UTOPIA et c'est là que l'évaluation des futurs colons d'UTOPIA sera faite. Beaucoup d'efforts sont déployés pour que le centre soit opérationnel dans les prochains 12 mois, dit Tanya.

— C'est un grand programme de construction, ajoute Tom. Et je suis fier que mon nom y soit attaché. Houston n'avait pas connu une pareille manne depuis longtemps.

– Et comment nous le finançons, ce programme? demande Michael.

– Nous sommes en financement mezzanine[1] depuis le début. À ce jour, la Banque, l'initiatrice de ce projet, a déboursé ou engagé près de 3 milliards de dollars dans le programme, dit John.

– N'est-ce pas là une forte somme à haut risque? demande Kiyomi. Il est rare de voir une banque s'avancer autant.

– Nous avons bien étudié notre dossier, dit John. Effectivement, il s'agit là d'une première pour une banque. Toutefois si l'on compare notre situation à celle que vous connaissez bien, Kiyomi, soit les institutions japonaises, le risque de la Banque est largement restreint par tous les actifs de cette dernière qui ne sont pas en équité. En bout de ligne, si la Banque fait le financement mezzanine dans son entier, soit environ 100 milliards, il y aura 7% des actifs de la Banque en équité, dans UTOPIA et d'autres projets, ce qui nous compare avantageusement aux institutions financières japonaises qui, quant à elles, ont investi en équité dans des entreprises jusqu'à hauteur de 20% de leurs actifs. Les banques nippones sont reconnues pour posséder des portefeuilles importants de titres dans les sociétés qui sont ses clientes. Le système japonais est construit de la sorte. Ici, la Banque ne possède pas de titres dans les sociétés qui sont les clientes de la Banque. Nous n'avons que des obligations de ces sociétés.

– C'est exact, dit Kiyomi. Mais ces sociétés japonaises dans lesquelles les banques et institutions financières japonaises ont investi sont des sociétés établies qui possèdent des marchés prouvés.

– Nous pensons, dit John, que le programme UTOPIA a des actifs réalisables et nous sommes convaincus de la viabilité du projet.

– Je note, dit Gerry, que le programme a obtenu un bon d'exécution du Consortium des assurances.

– Oui, dit John. Nous avons longuement négocié avec le Consortium de Londres et ces derniers se sont mis d'accord pour garantir la bonne fin des travaux du programme d'UTOPIA, à la condition que la somme de 100 milliards de dollars soit mise en place et dépensée au programme UTOPIA. Toute autre somme excédentaire nécessaire pour la construction de la base terrestre, la colosnie spatiale et les super-navettes, sera déboursée par le Consortium.

– Et quelle garantie a été offerte? demande Kiyomi.

---

1. Financement temporaire.

– Aucune, la Banque a toutefois avalisé et a donné au Consortium la garantie qu'elle trouvera la somme des 100 milliards de dollars, même si cette somme ne provient pas de la Banque dans son entier.

– Je vois, dit Kiyomi qui ajoute en regardant Tanya :

– Dans votre rapport, vous mentionnez que nous avons formulé une offre de financement du programme UTOPIA ; toutefois vous n'y apportez aucune conclusion. Où en sommes-nous quant à cette offre ?

– Pour l'instant, dit Tanya, aucune décision finale n'a été prise. Comme John l'a exprimé, le programme est en mode de financement mezzanine. Il est certain que nous devrons décider d'un financement à long terme sur ce programme. Toutefois, il semble que l'administration du programme d'UTOPIA à Houston analyse divers scénarios. D'une part, nous avons en place un grand nombre d'investisseurs privés qui sont d'accord pour investir ensemble jusqu'à hauteur de 50 milliards de dollars dans le programme, si ces derniers sont assurés d'une place là-haut avec un conjoint de leur choix. Nous avons plus de 10 000 de ces investisseurs potentiels et à chaque jour nous recevons des demandes supplémentaires ; ces demandes de résidence viennent de partout dans le monde. Plus d'un millier nous proviennent du Japon et d'Asie. Nous avons même quelques demandes de Chine. Environ 3 000 demandes nous proviennent d'Europe, du Sous-Continent et de l'Inde. Quelques centaines nous viennent du Moyen-Orient et une centaine, d'Amérique du Sud. Quant au reste, plus de 5 000 demandes, elles proviennent des États-Unis et du Canada. Nous avons établi un département à Houston qui analyse ces demandes et prépare des interviews. Nos procédures préliminaires sont les mêmes que les procédures utilisées à l'Immigration et chaque candidat devra être interviewé et avoir un dossier en ordre. J'ajoute cependant que le feu vert n'a pas encore été donné à cette forme de programme d'auto-financement. Nous avons également plusieurs demandes du côté du secteur des activités manufacturières. Bon nombre de grandes corporations veulent profiter des avantages que donne la production manufacturière dans un espace de gravité légère.

– De quel type d'industrie parlons-nous ? demande Tom.

– Nous avons une forte demande dans deux secteurs de l'industrie, soit les produits pharmaceutiques et l'industrie des puces, dit Tanya.

– De combien d'espace industriel disposerons-nous là-haut? demande Tom.

– Environ 150 000 mètres carrés, répond Tanya. Et de cela, le tiers a été réquisitionné par le Pentagone. Il reste donc 100 000 mètres carrés.

– Dites-moi, est-ce que le gouvernement américain paiera un loyer là-haut? demande Tom.

– Le prix du loyer des lieux occupés par le Pentagone sera le même que celui versé au mètre carré par les entreprises manufacturières.

– L'industrie des puces aura certainement besoin de 50 000 mètres carrés de surface, dit Michael, pour la réalisation des puces en gravité légère. La nouvelle génération de puces, celle qui remplacera le pentium, sera en mesure de créer l'intelligence artificielle, un ordinateur ayant la capacité de porter un jugement, de penser et d'exécuter. Pour y arriver, il est essentiel que le transport de l'information à l'intérieur des puces de cet ordinateur se fasse beaucoup plus rapidement, environ 100 000 fois plus vite. Nous connaissons la technologie pour y arriver, cependant nous ne pouvons pas l'appliquer sur Terre, nous avons besoin d'un environnement à gravité légère pour y arriver.

– Cet espace manufacturier a donc une valeur considérable, dit Tom.

– Tout à fait, dit Michael. D'ailleurs en ce qui a trait à l'industrie des puces, si j'obtiens de cette assemblée la garantie de 50 000 mètres carrés d'espace là-haut, j'aimerais monter un partenariat pour arriver à fabriquer ces puces.

– Et de quel montant d'argent parle-t-on en ce qui a trait au loyer? demande John.

– Nous parlons de quelques milliards annuellement, dit Tanya. Avec des royautés qui s'ajouteraient à cela.

– Et vous seriez prêts à monter un partenariat là-dessus? demande Gerry à Michael.

– Absolument, dit Michael. Ceux qui posséderont cet emplacement sur UTOPIA contrôleront l'industrie des puces sur Terre.

Et regardant Kiyomi, Michael ajoute:

– Advenant que j'obtienne un pareil mandat du Conseil d'UTOPIA, je m'engagerais à donner une partie minoritaire du partenariat à l'industrie japonaise et à l'industrie européenne. Néanmoins, il est essentiel pour l'Amérique de contrôler ce projet. C'est son avenir qui se joue.

Tout était dit et Kiyomi voyait dans ces paroles de Michael s'effondrer toute possibilité pour les industries japonaises de contrôler le secteur manufacturier d'UTOPIA. Il demande donc:

– Qu'en est-il du secteur pharmaceutique?

Tanya prit un document et dit:

– J'ai en main un courrier du p.d.g. d'une multinationale pharmaceutique, lequel nous avons rencontré à Londres lors de notre voyage en décembre. Il demande une rencontre avec le Conseil afin d'analyser la possibilité pour sa corporation de louer les espaces alloués à l'industrie pharmaceutique.

Sur ce, Tanya remet la lettre à Gerry qui la lit attentivement. En effet, il s'agissait bien là d'une des plus importantes corporations de produits pharmaceutiques et cette dernière avait des ramifications importantes aux États-Unis, y employant plus de 100 000 personnes et y étant présente depuis plus d'un siècle, de sorte que cette grande corporation faisait partie du patrimoine américain alors que dans les faits elle était britannique.

– C'est intéressant, dit Gerry qui demande à la secrétaire de donner copie de cette lettre à chacun des membres du Conseil.

À 12 heures 30, Gerry ajourne l'assemblée jusqu'à 14 heures et invite les membres du Conseil à passer à table.

Pendant le déjeuner consistant d'une salade et de crustacés servis en aspic avec un chablis grand cru et les eaux minérales adéquates, Tom fit part à Gerry de ses difficultés avec ses fils et de son problème de succession. Il lui demanda son opinion. Gerry suggéra de tenter de régler et surtout d'essayer d'éviter le scandale. La presse en raffole. Quant à Kiyomi, la journée n'était pas facile, il se sentait isolé; John, qui pressentait ce sentiment chez Kiyomi, leva son verre à sa santé et à sa prospérité.

Après le déjeuner, la réunion reprit et il fut décidé que la Banque maintiendrait et continuerait son financement mezzanine, que Tanya continuerait au poste de la direction générale, que le p.d.g. de la multinationale pharmaceutique serait invité à une discussion avec le Conseil, que Michael devrait formaliser une proposition ferme au Conseil quant au projet des puces et que la proposition financière japonaise du programme serait mise à l'écart pour l'instant, mais que la participation minoritaire japonaise serait bienvenue dans le partenariat des puces et celui des produits pharmaceutiques.

À 16 heures, Gerry ajourna l'assemblée du Conseil.

L'Arabie, royaume des mille et une nuits des temps modernes, avec le passé prestigieux d'une civilisation millénaire et une fabuleuse richesse pétrolière, avait vraiment tout pour dériver vers la plus outrancière des modernités occidentales. C'était compter sans le rempart fortifié qui la maintient à l'écart de toutes ces tentations ravageuses: l'Islam. Depuis ses origines, le pays ne connaît que la loi coranique.

Chaque jour, dans le monde, c'est plus d'un milliard de croyants qui se tournent vers La Mecque, la ville sainte où le prophète Mahomet vit le jour. Il est dit que tout fidèle devra s'y rendre en voyage au moins une fois dans sa vie... s'il en a les moyens financiers et s'il peut laisser à sa famille suffisamment de provisions pour le temps de son absence. Lors de cet intense moment de sa vie religieuse, le pèlerin tournera sept fois autour du sanctuaire de la Kaaba, au centre du vaste quadrilatère de la Grande Mosquée; puis il ira embrasser la Pierre Noire, sertie dans son flanc oriental, ultime vestige de la demeure d'Abraham, renouvelant le geste de Mahomet. À Médine, quatre cents kilomètres plus au nord, il visitera le tombeau du prophète. C'est la seconde ville sainte de l'Islam, avant Jérusalem, endroit duquel Mahomet partit pour les cieux.

Les deux cimeterres entrecroisés qui figurent sur l'emblème du pays symbolisent la protection que les tribus bédouines, et plus particulièrement celle d'Abdul, ont garantie pour ces lieux saints, sans faille, depuis plus de treize siècles.

L'émir, chérif de La Mecque, chef reconnu de la région du Hedjaz, était jusqu'à l'arrivée d'Abdul le dépositaire de cette responsabilité sacrée. Apprenant le retour du cheik, il est allé chez lui, dans le Rub'al-Khali, sous sa tente, pour lui rendre compte de la situation et lui promettre obédience.

— L'Arabie est infestée de cellules révolutionnaires. Dans les villes surtout, la violence et la contrainte font la loi. Dans les mosquées, les imams prêchent les vertus du djihad. Ils aident les pauvres et encouragent les familles pour qu'elles envoient leurs enfants dans des camps où on les endoctrine.

— Que fait le roi, dans tout cela?

– Il ne peut faire grand-chose. S'il envoie ses troupes contre les intégristes, c'est la guerre civile! Il a vu ce qui s'est passé en Algérie et dans d'autres pays encore. Il tempère autant qu'il le peut et en un sens il a raison.

L'Émir tire quelques bouffées de son narguilé. Le soir tombe sur le village de toile et la lumière rouge sombre, qui indique le début de la nuit désertique, emplit ce lieu d'une quiétude douce et profonde qui contraste bien avec la gravité des propos échangés. Abdul est assis à même le sol, en tailleur, et fixe la ligne de dunes, dans le lointain, si nettement marquée par le contre-jour finissant.

– En tout cas, je te fais le serment qu'ils ne viendront jamais ici, moi vivant. Ce n'est qu'une nuée de criquets!

Disant cela, la main d'Abdul fouette l'air, puis se referme comme sur un insecte imaginaire, pour finir en poing brandi.

– Et comment comptes-tu t'y prendre? demande l'Émir.

– Comme nos ancêtres l'ont fait! Comme eux nous repousserons l'envahisseur.

– J'aime t'entendre parler de la sorte, Cheik! Tu es notre chef! Nous te suivons!

Tous les participants qui assistent à cette rencontre manifestent leur approbation et on sent qu'une grande ferveur vient de se concrétiser sur cette ébauche de riposte.

– Il me faut 2 000 hommes! Chaque clan devra fournir 200 de ses meilleurs guerriers!

– Nous n'aurons peine à en trouver plus! dit un chef de clan, enthousiaste.

– Je préfère que nous nous limitions à ce nombre. Nous serons peu, mais très efficaces. Et puis il faut assurer nos arrières. Nous serons prêts pour contrôler chaque quartier, chaque rue et chaque mosquée de La Mecque et de Médine. Vous serez prêts pour un combat-éclair, sans faiblesse ni merci pour l'impur; pour celui qui s'approprie de façon indue les grâces du Prophète.

À ce dernier mot, Abdul se baisse en avant et baise le sol, imité dans cette prière par le reste de l'assemblée.

L'hospitalité des Hommes du désert n'est pas une notion usurpée. Les visiteurs sont dirigés vers des tentes qui ont été préparées pour eux. Ils vont sûrement se concerter longuement pour coordonner leurs actions et sceller dans leurs pensées leur union sacrée. Abdul les laisse et part droit devant lui dans le désert, alors que déjà la température nocturne commence à être glaciale...

De retour à Tokyo, Kiyomi est attendu à l'aéroport Narita par un chauffeur de l'Ogura Securities et dans la voiture qui le mène au centre-ville, il est informé que le Conseil d'administration l'attend dans la grande salle de réunion. Une fois à ses bureaux de Chiyoda, il se rend dans sa salle de bain personnelle, se douche, revêt une chemise propre avec un complet rafraîchi et se dirige vers la salle du Conseil.

Lorsqu'il entre dans l'enceinte, toutes les têtes se tournent vers lui. De toute évidence, le silence est maître des lieux; d'ailleurs il n'est pas rare de maintenir un silence et s'épier pendant 2 à 4 heures avant qu'un premier propos ne soit échangé. Cette tactique de guerrier est une pratique favorite des hommes d'affaires nippons et Kiyomi, dans son fauteuil de président, réalise que cette réunion est une autre session d'examen visuel *sine verbis*.

Les membres du Conseil de l'Ogura sont tous les p.d.g. de grandes sociétés japonaises, que ce soit dans le secteur industriel, bancaire ou commercial. L'Ogura, contrôlant plus de 30% de l'indice Nikkei, est incontournable et l'obtention d'un siège au Conseil est l'accès à l'antichambre du pouvoir et la consécration du milieu des affaires. Ces membres du Conseil proviennent pour la plupart des racines profondes de la société japonaise, soit de son milieu rural. Pour ces capitaines de l'industrie, les préoccupations sociales sont absentes et quant à eux l'intérêt collectif du Japon passe avant tout par leurs sociétés. À l'exception de Kiyomi, ils ne parlent d'autre langue que le japonais et n'ont pas de volonté à en apprendre une autre. La seule croyance de ces samouraïs est double: le travail et l'exploitation commerciale du travail. Il n'y a pas d'autre loi et c'est au monde entier qu'ils ont prouvé la valeur de leur principe en devenant les banquiers du Monde. Pour eux la défaite est impossible puisqu'ils possèdent tout.

Après s'être épiés pendant 2 heures sans qu'une parole ne soit prononcée, Kiyomi regarde sa montre et il demande au greffier assis à sa gauche en retrait:
— Y a-t-il des sujets de discussion à l'ordre du jour?

– Non monsieur, aucun sujet n'est inscrit, répond le greffier regardant ses notes sur son bureau de secrétaire et qui ajoute :

– Seulement une note signée par Koichi-san demandant la convocation de cette réunion et le quorum majoritaire. Je crois qu'ils attendent un rapport de votre voyage.

Kiyomi prend la note remise par Koichi et examine les signatures donnant le quorum nécessaire ; cette demande de rapport n'est pour lui qu'une mise en scène de mauvais présage et il dit :

– Lorsque j'aurai un rapport à faire au Conseil sur mes voyages, je convoquerai moi-même celui-ci pour l'en informer.

Kiyomi termine l'assemblée du Conseil en levant la séance et se refusant d'adresser la parole à quiconque.

Houston, Texas

Bill Cunnington était l'héritier d'une grande famille anglaise d'éleveurs-entraîneurs de chevaux de course. Sur le Continent, il avait tout raflé. Aussi, quand Tom lui proposa un contrat en or pour venir exercer ses talents sous le soleil du Texas, il accepta son offre ; plus par goût du défi que par l'appât du gain. Tom ne comprenait pas toujours toute la subtilité de son savoir-faire transmis de père en fils depuis plusieurs générations, lui qui avait tout appris sur le terrain, à l'autre extrémité de la chaîne, au franchissement du poteau d'arrivée, ignorant tous les maillons reliant le jeune poulain au futur crack. Mais malgré tout cela, ils s'entendaient bien et formaient un couple professionnel très efficace.

Ce matin-là, Bill eut toutes les peines du monde à détacher son patron de la piste d'entraînement et des écuries. Ils devaient tous deux mettre la touche finale à leur plan de campagne pour la saison de courses qu'ils devaient faire en Europe. Pour son retour, Bill mettait un point d'honneur à ce que tout aille bien ; quant à Tom, il souhaitait que son arrivée en force soit bien remarquée et, pourquoi pas, fasse mal. Finalement, il dut aller le chercher lui-même pour l'amener dans son bureau afin qu'il lui donne son avis sur les dernières dispositions prises. La date du départ approchait et comme ils avaient prévu de déplacer une quarantaine de pur-sang, il y avait bien des choses que Bill ne pouvait prendre sous son seul bonnet.

– La traversée transatlantique se fera en deux fois avec l'avion-cargo spécialement aménagé.

151

– J'aime mieux cela, dit Tom. «Ne jamais mettre tous ses œufs dans le même panier». Ces vieux DC8 cargos ont de la bouteille. On ne sait jamais ce qui peut arriver.

– J'ai trouvé un manoir de 20 pièces dans la forêt du Lys, près de Lamorlaye, à 5 minutes des pistes de Chantilly. Je vous assure, dans ce coin, les habitants ne parlent pas, ils hennissent, lui dit Bill en rigolant. Blague à part, tout ce qui est au top du galop en France vit et habite dans ce périmètre. C'est très important, car nous ne pouvons pas déménager tous nos gens, ni toutes nos installations. Il faudra recruter sur place et mieux vaut être là où tout se tient.

– D'accord, mais prenons quand même le maximum de chez nous. Je me méfie de ces Français !

– Voici le calendrier des grands événements hippiques auxquels nous comptons participer...

Le téléphone les interrompt.

– C'est pour vous ! dit Bill en lui passant le combiné.

– Ah ! c'est toi, Ralph ! Alors où en est-on ?

– Écoute, Tom, à défaut de te la faire bonne, je vais te la faire rapide. Je viens de parler avec les avocats de tes fils. On n'est pas franchement bien...

– Qu'est-ce que tu me chantes là ? J'ai été chez les zinzins faire tout un tralala, raconter ma vie, mes envies et que sais-je encore avec un «Dr Freud-de-mes-deux» et ils ont même dit que tout était en ordre...

– Tout ça, c'est du vent ; ils vont faire nommer un contre-expert et nous voilà tous embarqués dans la guerre de Cent Ans.

– Et alors, tu es pressé ? Moi pas. J'ai de quoi tenir.

– Tom, sois raisonnable. Tu as 73 ans, et un interrogateur habile pourrait arriver à te faire dire ce qu'il veut et, pourquoi pas, n'importe quoi. Tu sais, entre vieillesse et sénilité, la frontière peut être bien mince. Mets là-dessus l'interprétation que sera amené à en faire un juge, et tout ce que je peux te dire, c'est que le résultat des courses est à lire dans le marc de café. Et tout cela, c'est pas mon style.

– Alors tu proposes de te coucher ? Bonne nuit, Ralph. Moi, je n'ai pas sommeil.

– Il ne s'agit pas de cela, Tom. Tu te doutes bien que je ne suis pas là pour te border la nuit.

– J'aime mieux cela. Quelle solution honorable nous reste-t-il donc ?

– Il faut que tu transiges avec eux.

– Alors ça, jamais.

– Écoute-moi au lieu de faire ta tête de mule. Pour le moment encore, j'ai réussi à obtenir avec leurs avocats que l'on négocie le rachat de leurs parts. Tu les paies et ils taillent la route. J'ai vu avec ton financier. On peut encore leur faire avaler pas mal de couleuvres, pour le moment; car ils connaissent en fait bien moins tes affaires et toutes leurs imbrications qu'ils ne le pensent.

– Ça ne m'étonne pas! Ils croient tout savoir, ces cons-là; et moi je suis l'imbécile qui ne sait ni lire ni écrire!

– À la bonne heure! Tu comprends enfin; parce que dis-toi bien que dès qu'un juge des Tutelles aura mis son nez là-dedans, ce ne sera certainement pas gagné pour eux, mais pour nous c'est la catastrophe. Tu saisis?

– Oui, je comprends. Mais je ne te dis pas oui pour autant. J'ai du mal à admettre qu'il va me falloir – je dis bien falloir – m'asseoir à la table des négociations avec eux pour leur payer l'achat d'une chose qui est déjà à moi! Désolé, Ralph, mais pour le moment ça ne passe pas. Ça coince. Je l'ai en travers de la gorge!

– C'est sûr, Tom. Allez, ne t'en fais pas; je suis sûr que tu vas trouver la bonne échappée.

– Merci d'avoir appelé, Ralph.

Bill, qui était déjà un peu au courant de la situation, a suivi la conversation. Il comprend que ce ne sera plus bien le moment de poursuivre leur discussion dans de bonnes conditions.

– Vous n'avez pas d'enfants, Bill, n'est-ce pas?

– Euh... non, Tom. Je le regrette souvent.

– Eh bien, vous ne connaissez pas votre bonheur!

Memorandum confidentiel

De :   *Services de Renseignements des États-Unis,
Conseil National de Sécurité, Pentagone*

À :   *La Maison-Blanche*

*Sujet : L'Organisation des Forces
Révolutionnaires de l'Islam.*

Les Services de Renseignements ont eu peu de succès dans leur tentative d'infiltration du camp d'entraînement dans le désert soudanais. Notre informateur fut découvert et éliminé par les forces révolutionnaires. À ce jour, nous sommes incapables de donner plus d'information sur ce camp. Notre satellite espion ne photographie en effet que des images d'un village de paysans du désert, les installations du camp étant toutes pour la plupart sous terre ou camouflées. Quant aux entraînements de terrain, ils sont faits dans le désert et les lieux d'entraînement ne cessent de varier. Pour obtenir plus d'information sur ces postes d'entraînement qui varient continuellement et qui sont souvent déguisés en mission scientifique, nous aurions besoin de 10 satellites espions braqués continuellement dans cette région. Nous pensons toutefois qu'avec nos moyens plus limités, nous arriverons à des résultats dans un avenir proche.

Quant à une intervention américaine dans la région avec nos missiles Tomahawk munis d'ogive conventionnelle nous ne croyons pas que nous détruirions le camp d'entraînement puisque les endroits stratégiques sont localisés à une profondeur de 15 mètres. Les Tomahawk à ogive conventionnelle manquent de pénétration et bien que les habitants de ce petit village soient tous pour la plupart des terroristes engagés, le monde de l'Islam interpréterait notre attaque comme une agression injustifiée et le tout se retournerait contre l'Amérique.

Par ailleurs, l'utilisation de nos forces Delta au cœur du Soudan ne nous apparaît pas recommandable ; même, une pareille proposition est vouée à la défaite à cause de la méconnaissance du terrain et des éléments. La règle de base de toute guérilla est la connaissance physique des lieux et nous ne voulons pas réitérer notre expérience iranienne des années '70 lors de la tentative de libération des otages en Iran.

Un débarquement militaire au Soudan est certes une solution qui nous permettrait d'obtenir des résultats positifs et acceptables sur le plan militaire. Cependant, une pareille stratégie dépasse largement l'aspect militaire, développe le spectre d'une guerre au Moyen-Orient impliquant directement les États-Unis et sera sûrement impopulaire dans l'opinion publique et privée américaine.

Une solution qui nous apparaît envisageable est d'introduire l'une de nos propres bombes nucléaires de 1 kilotonne dans le camp terroriste de la province du Dar Fur. L'explosion de cette bombe détruirait la matière fissile entreposée dans le camp et évidemment sa population. À 24 heures d'avis, il nous est possible via la 7e Flotte en Méditerranée d'expédier la bombe montée sur un de nos missiles Tomahawk dont la précision de tir est assurée.

Si cette option, que nous privilégions, est retenue, nous pensons qu'il est d'ores et déjà essentiel d'entreprendre une campagne d'information auprès de la presse internationale et américaine par le biais de nos services, et de remettre en main propre à des journalistes dont nous connaissons la loyauté l'information nécessaire quant à la situation nucléaire au Pakistan, ses liens avec l'Iran et le programme de la Grande Perse. À ce dossier se joindra la documentation sur les camps terroristes dans la province du Dar Fur au Soudan et le stockage de matière fissile dans cette région. De sorte qu'une fois l'explosion nucléaire survenue, la presse conclura d'elle-même qu'il s'agit là du résultat d'une erreur de manœuvre de la part des terroristes.

Ce memorandum a été préparé par les 3 conseillers membres du Comité et il a été dactylographié par un des conseillers en présence des 2 autres sur une dactylo conventionnelle à ruban bleu. Aucune copie n'a été reproduite sous quelque forme que ce soit. Document autodestructible.

Sincèrement vôtre,
Le Comité d'étude.

Le Président des États-Unis feuillette une fois encore le rapport confidentiel. Déjà, à plusieurs endroits, l'encre bleue devient illisible, le papier pelure se craquelle, rappelant le processus d'autodestruction par lequel il a été traité. La journée est grisâtre et les bonnes nouvelles sont rares. Le Président se prend à s'apitoyer sur son propre sort et à réfléchir sur le vrai sens de l'exercice du pouvoir suprême. Solitude également extrême, quand tout va mal et qu'une décision importante doit être prise. Du temps où il était Gouverneur, qu'un problème grave se présentait mais n'était pas urgent, il quittait tout pour un jour ou deux et quand il revenait tout lui semblait plus facile. Pas question ici d'avoir de telles inclinations! La Maison-Blanche est une vraie tour de verre et ses entrées sont bien gardées... même pour un Président. Il appelle vite son conseiller personnel et lui fait lire le document alors que déjà certaines lignes dactylographiées ont disparu.

— Une bombe atomique! Rien que cela! Tu te prends pour Truman?

— Cette question, vois-tu, Albert, je pense que tous mes prédécesseurs ont bien dû la voir au moins une fois se profiler dans leurs pensées...

— Et tous, de Kennedy à Clinton auraient eu bien tort, car malgré les apparences ils s'en sont sortis sans y avoir recours!

— Bien d'accord; mettons les Russes à part, jamais ils n'ont eu en face une situation où c'est l'autre qui pourrait commencer à distribuer les échantillons! Nous savons qu'il leur reste 430 kilos de plutonium 239 et des envies à revendre de nous en faire baver! Alors?...

— Admettons que tu envoies en «poste aérienne» un petit colis de 1 kilotonne sur Tripoli. Après, on découvre qu'il n'y avait pas de plutonium: toi, tu sautes! et dans le monde c'est le super-souk...

— Et si je ne fais rien, on dit que je ne fais rien, et le jour où on se fait taper, je suis le bouc émissaire parfait; et pour les présidentielles de 2000, on fera le super-score! Autant même que le parti fasse l'impasse totale, ce qui serait une grande première!

— Ne t'énerve pas! nous n'avons reçu jusqu'à présent aucune menace directe...

— ... pour le *Washington* non plus nous n'avions pas eu droit au bristol! Nous avons une épée de Damoclès au-dessus de la tête, Albert! Je le sens!

— Je ne me permettrai pas de mettre en cause ton sens de l'intuition. C'est ton point fort et je te le concède volontiers. Par contre, tu me surprends de ne pas réagir plus aux sondages. Il faut regarder les choses en face: nous sommes au plus bas. Il faut absolument réagir. Trouver un truc.

— Je te connais, Albert. Pour que tu me parles comme ça, c'est que tu as quelque chose en tête.

156

– Tu veux mon avis?

– Et pour quelle autre raison crois-tu que je te paie des vacances à Washington-les-Bains?

En disant cela, le Président fait allusion au mal – tout relatif d'ailleurs – qu'il s'était donné pour convaincre Albert Campden de quitter la Floride et son cabinet d'avocat pour monter à Washington et devenir son conseiller aux affaires intérieures, après avoir été un brillant directeur de campagne.

– Je crois que tu fixes un peu trop tes soucis sur la bombe qu'ils ont fait péter au Sahara...

– Je ne devrais pas? Tu en as de bonnes!

– C'est bien sûr important. Voire même grave! Mais c'était dans le désert. Tous les jours, des types conduisent un peu vite sur le *freeway* en ayant pris un petit verre avant. S'ils ne se font pas prendre, personne n'en parle. S'il y a un accident, cela fait du bruit: les journaux, la télé, etc. Là c'est pareil. Dans le désert, pas vu, pas pris! C'est interdit par la Convention sur la non-prolifération des armes atomiques; on a déjà fait une citation à l'ONU, et cela prendra beaucoup de temps avant qu'ils ne nous répondent sur ce point. Tout cela a même déjà disparu de la presse! Par contre, à moins que tu n'aies pas voulu voir, on a bel et bien quelque chose sur le feu avec UTOPIA. Il faut faire très attention à tout ce que tu es prêt à laisser faire. L'opinion publique est en alerte. Elle veut savoir, et sur ce point tu es beaucoup trop discret. Tu laisses parler à ta place. Remarque que c'est toujours très bon, car après on peut faire un démenti sur ce qui n'a pas plu. Mais il ne faut pas abuser du procédé.

– Je sais très bien que la participation japonaise en fait tiquer plus d'un. Tu crois que si on arrivait à faire en sorte que l'État s'implique dans le projet UTOPIA et contribue à les pousser vers la sortie de secours, cela créerait le choc que l'on attend pour recoller les wagons au train?

– Un gamin de dix ans pourrait te répondre! Mais le problème est que nous n'en–avons–pas–les–moyens!

– Alors, si je te comprends bien, il faut que je fasse en sorte de tout stopper. D'après toi, c'est en me faisant la tête du grand Avorteur National que je vais passer à la postérité. Sous Kennedy, les USA ont conquis l'espace; on a marché sur la Lune sous Nixon. Et pendant mon règne, on est retombés sur le derrière! Quelle gloire!

– Grandeur et décadence. Toute l'histoire de l'humanité tient dans cette alternance.

– Et d'après toi, il suffirait de choisir dans quel camp on souhaite se trouver?

– Je sais bien que ce n'est pas si simple. À toi de jouer. Je te laisse réfléchir. Que Dieu te vienne en aide!

– Tu peux dire: «nous» vienne en aide. Je joue peut-être mon poste de Président; mais vous tous et moi-même, nous jouons notre vie d'hommes libres, au mieux... et notre vie tout court, au pire! Enfin je te remercie de ton éclairage. Tu as raison. Je prendrai une décision cette semaine.

Le conseiller sort et le Président reste face à la fenêtre sans rien faire quelques instants. Il pense avec regret à tout ce que ce grand pays a pu accomplir en d'autres temps. On lançait un *liberty-ship* de 10 000 tonnes par jour en 1945! En juillet 1969, Neil Armstrong foule un sol qui n'est pas celui de la Terre!

Il devait bien y avoir une solution!

8

Détroit, Michigan

Depuis qu'il avait pris la présidence d'UTOPIA, Gerry s'était allégé de nombre de ses responsabilités dans la capitale mondiale de l'automobile. Il avait fait d'innombrables allers et retours sur New York et Houston et plusieurs grands voyages : Europe, Japon... Aussi, quand il avait la possibilité de passer quelques jours à Détroit, restait-il le plus souvent chez lui, sur les rives du lac Saint-Clair. Miss Francis, plus précieuse que jamais, faisait la liaison avec le bureau de la grande cité et elle passait alors une grande partie de son temps chez Gerry.

Ce matin en arrivant, elle a l'air un peu plus préoccupée que d'habitude et semble pressée de parler à Gerry. Dès qu'elle le voit, elle lui tend une lettre de la Maison-Blanche qu'elle n'a pas ouverte et qu'elle tient à part du reste du courrier et des dossiers qu'elle a apportés. Barbara est là et cela l'arrange, pour laisser Gerry un peu plus tranquille pour cette lecture. En quelques secondes, le ton est donné. Gerry semble consterné. Ses deux bras, dont celui qui tient la lettre, lui tombent le long du corps et il annonce aux deux femmes :

– C'est incroyable ! Ils m'annoncent qu'ils reviennent sur leur décision précédente.

Il lève les yeux au ciel et ajoute :

– La politique ! Quelle belle invention ! Miss Francis, s'il vous plaît, appelez John. À cette heure il doit être à la Banque. Il n'y a pas de raison qu'il ne soit pas de la fête lui aussi !

La secrétaire pose tout de suite sa tasse de càfé et saisit un téléphone sur lequel elle compose un numéro de manière très automatique. Quand elle obtient John, elle lui passe Gerry, puis s'installe au bureau un peu à l'écart tandis que Barbara s'éclipse.

– Salut, John. Mauvaise nouvelle. La Maison-Blanche m'annonce à l'instant qu'elle a l'intention de retirer ses billes du programme UTOPIA.

– Tu as bien dit *intention*?

– Écoute, je te lis la dépêche.

Quand il en a achevé la lecture au mot-à-mot, un lourd silence s'établit du côté de John. Gerry demande :

– Tu es toujours en ligne?

– Oui, oui... je réfléchis; ce n'est bien sûr pas *la* bonne nouvelle et on ne fera pas la fête dessus. Remarque qu'il parle bien d'une *intention de* et pour finir il souhaite nous rencontrer dans les plus brefs délais. Il n'y a à mon avis aucun caractère rédhibitoire.

– Tu as raison. Remarque qu'il y a de quoi s'inquiéter. Tu as vu la presse à notre sujet?

– Et la situation internationale! ajoute John.

– Il ne doit plus savoir où donner de la tête. C'est peut-être le moment pour nous de tirer notre épingle du jeu. Il faudra jouer serré, John. Tiens-toi prêt. Dès que j'obtiens un rendez-vous, je te le fais savoir. Prends ton beau costume...

– Arrête ton char, tu veux?

– À bientôt, John.

Maison-Blanche, Washington, D.C.

L'accueil du Président est bien moins chaleureux que la dernière fois qu'ils se sont rencontrés. Le conseiller aux affaires intérieures assiste à l'entretien.

– Je suis vraiment désolé, dit le Président, mais dans la conjoncture actuelle il ne nous apparaît plus du tout raisonnable, aux yeux de l'opinion publique, que l'État américain s'engage dans le projet UTOPIA.

– Et sans votre appui, monsieur le Président, ce projet n'est pas viable, dit John.

– En une époque où malheureusement l'évidence est que le citoyen américain ne se sent plus en sécurité, laisser supposer qu'une intrusion japonaise – fût-elle économique, comme elle le prétend – est favorisée par le Gouvernement est plus qu'une maladresse; c'est une faute grave. L'attaque du *Washington*, puis ce coup de semonce atomique ont ébranlé la conscience collective. Le Pays attend une réponse ferme, et si possible rassurante, de ma part dans les plus brefs délais. Je peux toujours leur proposer la Lune, Mars et Jupiter; ils n'en ont que faire. Au contraire, ils croiront à une dérobade et ce sera pire... et puis cela ne solutionne pas le problème.

— Vous voulez dire que si vous aviez la possibilité de contrer cette menace terroriste, le projet UTOPIA tel que nous vous l'avons présenté serait toujours d'actualité? demande Gerry.

— Tout à fait. Ne croyez pas que je change d'avis comme une girouette! Quand on s'est vus la dernière fois, nous n'avions pas toutes ces histoires sur le dos. Je crois toujours au fond de moi-même que le projet d'une colonie spatiale sous forme de 51e État américain est un grand projet pour notre nation et je n'avais surtout rien contre le fait qu'il se soit cristallisé sous mon mandat. Mais allez faire comprendre cela à des gens qui ont peur! Et le Congrès n'est pas là pour arranger les choses. J'ai les mains liées.

— Et du côté de la CIA? propose John.

— Elle devrait nous aider; mais hélas! c'est l'histoire de l'élève qui a dépassé le maître! Car n'oublions pas que c'est elle qui a mis le ver dans le fruit, au temps de la guerre froide. Obnubilés que nous étions par «l'empire du mal», nous avons financé, armé et conseillé les islamistes intégristes lors de cette croisade contre les communistes, ennemis de Dieu. C'est nous, à l'époque, qui introduisions des exemplaires du Coran dans toutes les républiques de l'URSS concernées par un islamisme latent. Ils se sont débarrassés des communistes et n'ont rien trouvé de mieux à faire que de se retourner contre leur bienfaiteur imprudent, au point qu'aujourd'hui ils ne cachent plus que la guerre contre l'Amérique est une priorité de l'Islam. À l'heure actuelle, la CIA a perdu son latin dans cette affaire qui l'a complètement dépassée. Elle s'époumonne à tenter de récupérer des missiles que nous avions fournis aux rebelles et qui n'ont pas servi; pour tout arranger, les convois d'armes qui partaient vers les rebelles revenaient chargés d'héroïne. Officiellement, cela n'empêche pas Robert Gates, ancien directeur de l'Agence, de déclarer que tout ce qui s'est passé là-bas est l'un des plus grands succès de l'administration républicaine. Alors que dans les faits l'engagement américain a contribué à faire de ces régions l'un des principaux centres internationaux du trafic de drogue et le noyau central du terrorisme mondial. Alors, en ce qui me concerne, je dis: doucement les basses avec la CIA. Je ne suis pas du tout disposé à couvrir à nouveau de tels agissements. Voyez ce qu'il nous en coûte maintenant !

— Qu'en pense le Pentagone ? hasarde John.

— Si vous avez aimé le Viêt-nam, vous adorerez leur réponse à ce sujet. Pas moi ! Il vaut mieux tout sauf cela !

Un silence tombe à l'évocation de tous ces souvenirs douloureux. C'est alors que Gerry propose :

— Je vous écoute depuis un moment et tout d'un coup je pense qu'indirectement, par UTOPIA, nous aurions peut-être une carte à jouer dans cette crise terroriste.

— Alors là, vous m'épatez ! lâche le Président.

— Pouvez-vous nous accorder un moratoire de 30 jours avant de nous formuler votre réponse finale ?

C'est le conseiller qui se permet d'intervenir :

— C'est une affaire très sérieuse. Chaque seconde compte. Pouvez-vous au moins nous donner une indication vague des moyens auxquels vous pensez, pouvant laisser supposer que vous êtes plus forts que nous ?

— Je ne pense pas que nous soyons plus forts que quiconque dans cette affaire. Seulement je pense à une voie d'abord différente. Nous avons des partenaires d'UTOPIA au Moyen-Orient et il se trouve que leur fréquentation prolongée récemment m'a fait comprendre qu'ils avaient, pour d'autres raisons, le même ennemi que nous en ce moment.

— Et qui sont-ils ces partenaires ? demande le Président.

— Des nomades du désert d'Arabie, répond Gerry.

— C'est du Mickey-Mouse, votre affaire ! dit le conseiller.

— Dans les fables de La Fontaine, il y a aussi l'histoire d'une petite souris et d'un lion. Et savez-vous qui l'emporta ? dit Gerry.

Le Président pousse un soupir tout en s'enfonçant dans son fauteuil. Peut-on encore croire à une fable quand on est le Président des États-Unis ? John ne sait trop quelle contenance prendre au vu de la tournure des événements.

— Vous m'êtes infiniment sympathique, Monsieur. Pour cette raison je vais essayer d'y croire à votre histoire de Bédouins-sauveurs de l'humanité. Mais vous n'avez pas plus de trente jours pour me convaincre.

— J'espère bien que vous en entendrez parler bien avant, monsieur le Président.

Depuis leur sortie du bureau présidentiel, John et Gerry ne se sont pas adressé la parole. L'atmosphère est lourde et tendue. Pour une fois, le courant ne passe pas entre eux. Dans la voiture officielle qui les reconduit à l'aéroport, John a du mal à se contenir:

– Vraiment Gerry, je me demande ce qui a pu te prendre de proposer une telle ineptie! Comment veux-tu que nous soyons encore crédibles par la suite? Au Président du pays le plus puissant du monde tu parles, pour le sortir d'affaire, d'une tribu de Bédouins du désert! Tu imagines les gus avec leurs chèvres, les chameaux et les moukères!

– Je sais, John, cela peut paraître gros! Mais des fois ce sont des trucs qui marchent. Aurais-tu donné gagnants les montagnards afghans contre l'Armée Rouge? Non? Et pourtant! Michael m'a mis au courant d'une certaine situation; et tout à l'heure, dans le bureau ovale, j'ai eu une vision. Avais-tu mieux à proposer?

– Excuse-moi, mais je ne sais pas ce que Michael t'a dit.

– Je ne t'en ai pas parlé, parce qu'à l'époque cela n'avait aucune importance pour nous.

– Comment comptes-tu t'y prendre? demande John un peu confus de sa remarque précédente.

– Je t'expliquerai dans l'avion, lui dit Gerry au moment où la voiture s'arrête à côté du Learjet.

Ils montent à bord et tout de suite le petit biréacteur met le cap sur La Guardia. Dès qu'il le peut, Gerry appelle Michael à Palo Alto et lui demande, après une brève description de la situation, de le rejoindre le plus tôt possible à La Guardia pour un départ outre-Atlantique le soir même. À midi, il dépose John à La Guardia et le Learjet repart pour Détroit où Gerry avait une réunion très importante de prévue l'après-midi.

Dès son arrivée, il signifie aux pilotes de prendre toutes les dispositions pour un vol de nuit sur Londres ce soir même via La Guardia. Il avise Miss Francis qu'il sera absent pour les 48 heures à venir et lui demande de garder le contact permanent avec le télécopieur de bord du Learjet.

À 20h15, le Learjet se pose à La Guardia pour la troisième fois de la journée. Au restaurant du petit terminal des avions d'affaires, Gerry retrouve Michael, qui arrive de San Francisco par un vol régulier. Ils dînent rapidement, le temps que le Learjet soit tout à fait prêt pour cette traversée atlantique impromptue.

En vol, Gerry explique avec force détails toutes les circonstances qui ont motivé cette précipitation :

— Tu m'as bien dit que ton partenaire Abdul était retourné en Arabie afin de faire face à l'intégrisme islamique, rappelle Gerry.

— C'est exact.

— Et Abdul, d'après toi, c'est un tout bon !

— Un pur et dur. Du haut de gamme ! Tel que je le connais, il n'y va pas pour se contenter d'un rôle de figuration.

— Et sais-tu comment le joindre ?

— Précisément ? Pas la moindre idée. Le désert, c'est un peu vaste pour y aller au flan ! Il faudrait que j'interroge Mostacci. Où atterrissons-nous ?

— À Londres. Mais pas à Heathrow, car à l'heure où nous arrivons l'aéroport est trop encombré. Nous nous poserons à Luton.

Michael, devant l'urgence de la situation, appelle Mostacci à Genève, sachant que là-bas il est 2 h du matin. Il lui explique brièvement la situation et sans hésiter ce dernier répond qu'il peut compter sur lui, qu'il sera à Luton au petit matin.

Gerry passe le plus clair de son temps en communication téléphonique avec son bureau. Il dit à Michael :

— Pour les visas, tout est O.K. On nous apportera les autorisations à Luton quand nous arriverons.

Michael va bavarder quelques instants avec les pilotes, puis le décalage horaire fait son effet et il sombre dans un profond sommeil. Ce n'est qu'à 6h GMT que Gerry le rejoindra après avoir fini son dernier entretien téléphonique.

À 8h35 GMT, le Learjet touche le sol britannique. Il achève son roulage et vient s'immobiliser selon les consignes des contrôleurs au sol, juste à côté du Mystère 20 de Mostacci.

Ils se rencontrent autour d'un petit déjeuner à l'anglaise, œuf et bacon à la cafétéria de l'aéroport. Michael présente Mostacci et Gerry. Le nouvel équipage du Learjet, qui avait dormi au fond de la cabine sur des couchettes de fortune, fait la jonction avec les deux pilotes qui viennent d'en terminer. Gerry décide qu'ils peuvent rester à Londres en attendant son retour d'Arabie où, quoi qu'il en soit, ils resteront au moins une nuit ; le commandant de bord du nouvel équipage les rejoint au bar et dit à Gerry :

– Nous avons une *clearance*[1] pour Riyad dans vingt minutes. Le plan de vol prévoit un peu plus de sept heures, la machine est O.K. et les conditions météorologiques sont bonnes, Monsieur.

– Merci Niels ; nous arrivons. Vous prendrez bien un petit café pour vous réveiller.

– C'est déjà fait, merci. Et puis je préfère celui de la machine expresso que nous avons à bord. À tout de suite !

Le Learjet décolle. Le plafond est très bas et le manteau nuageux si épais qu'il lui faut plus de deux minutes pour le percer et retrouver un ciel qui, au-dessus de toute cette crasse, n'a jamais été autrement que très bleu avec un soleil rayonnant. Gerry et Mostacci se font face dans les fauteuils pullman et font plus ample connaissance :

– Depuis quand êtes-vous l'ami d'Abdul Shah ?

– Depuis toujours, répond Mostacci. Notre banque de Beyrouth avait déjà comme clients les ancêtres d'Abdul à sa fondation en 1810. Par la suite, il lui arrivait même d'accompagner son père quand celui-ci venait faire un dépôt. Il n'avait pas encore quinze ans et il ne perdait pas une miette de nos entretiens.

– Mais ces dépôts, ils étaient si importants ?

– C'est un peu délicat de vous répondre. Enfin, disons que je préférais quand même qu'ils se fassent chez moi, plutôt qu'ailleurs !

– Je vois... je vois. Mais d'où tirent-ils donc toutes ces richesses ?

– Écoutez, je suis banquier, pas enquêteur ! Disons qu'au tout début de notre relation, officiellement ils faisaient le commerce des chèvres et des chameaux. Ils devaient bien aussi un peu pirater quelques caravanes qui transitaient vers la Perse. Mais je n'étais pas là pour le voir !

– Et cela se fait toujours de nos jours ? demande Gerry.

– Non, bien sûr. Tout cela c'est du passé, du folklore. De nos jours ils touchent du Royaume d'Arabie d'importantes redevances en paiement des droits d'exploitation pétrolière qu'ils lui concèdent sur leur territoire ancestral du Rub'al-Khali.

– Mais que font-ils donc dans ce désert ? demande Gerry.

– Ce désert, comme vous dites, est pour eux la plus belle demeure du monde. Ils élèvent des chèvres et des moutons. Ils vivent tranquilles et apparemment insoucieux de tout.

---

1. Délivrance d'un couloir aérien.

Mostacci se tourne vers Michael, qui est de l'autre côté de la minuscule allée centrale, et continue à son intention :

— Et quand ils se réveillent à 5 heures du matin, ce n'est pas pour courir en jet d'une capitale à l'autre... c'est pour aller chasser une belle pièce, aux aurores pointantes, dans leurs si belles étendues désertiques.

Michael fait mine de ne pas entendre cette aimable remontrance dont il sait bien au fond qu'il ne croit pas un seul mot.

Le Learjet est depuis longtemps à son altitude de croisière au niveau 350[1] et suit sa trajectoire, avalant les balises radars les unes après les autres. Niels l'a mis sur *autopilot* et préfère se rendre en cabine plutôt que de converser par le haut-parleur ; dès qu'il a quitté le cockpit, le copilote se place le masque à oxygène sur le visage, ce qui est la procédure réglementaire.

— Nous avons pris des paniers-repas à Luton. Quelqu'un a faim ?

Aucun candidat pour cette expérience gastronomique en haute altitude ne se fait connaître. Il va aux w.c. en queue de l'appareil et sur le retour leur annonce :

— Nous avons un vent favorable qui devrait nous faire gagner une bonne demi-heure.

— Tant mieux, lui dit Gerry. À propos, où sommes-nous ?

— On vient de passer Chypre.

— Ça devient bon ! commente Mostacci.

Un peu avant 14h30, le Learjet est pris en charge par le contrôle aérien de l'aéroport de Riyad ; et à 15h15 GMT, Niels le pose sur la piste de King Khalid International Airport, l'un des plus modernes aéroports du monde. Le roulage au sol est interminable pour rallier la zone des avions privés, bien à l'écart de celle où se garent les charters de pèlerins. Ils passent ainsi à côté d'une immense et magnifique mosquée pouvant accueillir plus de cinq mille fidèles, qui jouxte un des grands terminaux. Mostacci avait tout arrangé. Les douaniers ont envoyé une escouade mobile pour effectuer les formalités d'immigration ; et un hélicoptère Bell Ranger se tient prêt au décollage. Direction plein sud pour le Rub'al-Kahli.

Avant de prendre place dans l'hélico avec Michael et Mostacci, Gerry lance à Niels :

— Amusez-vous bien... et soyez sobres !

_____
1. 35 000 pieds.

166

– Vu où on est, ça ne risque rien. Vous prenez ce moulin à café? lui répond Niels en désignant le Bell Ranger, dont la grande pale a déjà commencé de se mouvoir.

À 100 mètres du sol, l'hélicoptère fonce au-dessus d'une mer de dunes. On imagine souvent l'Arabie comme un pays uniformément plat. Mais en allant vers le sud, ce cliché n'est plus toujours valable. Par moments, le pilote cabre l'appareil pour sauter des petites collines rocailleuses. Après 45 minutes de ce dernier petit vol sans histoire, mais plein d'enseignements géographiques, Mostacci leur montre un petit village de tentes avec des troupeaux de chèvres et de moutons tout autour. Il le désigne du doigt:

– C'est ici qu'habite Abdul.

Le pilote amorce une descente; la pale est au grand pas et des volutes de sable tourbillonnent de plus en plus au fur et à mesure qu'il approche du sol. Enfin il s'immobilise et quand ils en descendent, Abdul est déjà là pour les accueillir.

– Michael! C'est trop d'honneur que de te recevoir dans mon humble demeure, dit Abdul en l'étreignant de façon particulièrement forte et prolongée.

– Tu ne m'attendais pas de sitôt...

– Et certainement pas ici!

– Abdul, je te présente notre ami Gerry. Comme je te l'ai dit, il est à la tête du programme UTOPIA et c'est lui qui a un peu forcé les circonstances de cette visite.

– Soyez le bienvenu, lui dit Abdul en lui serrant la main. Puis il salue de manière tout aussi fraternelle Nabil Mostacci qui attendait sagement son tour.

Abdul est vêtu de sa *yubbah* jaune clair sur laquelle se détache une dague placée à la ceinture. Sur sa tête, il porte de manière altière un *twab* couleur terre de Sienne. Il a vraiment l'air de ce qu'il est: un Seigneur du Désert. Il invite ses hôtes à pénétrer sous la grande tente patriarcale en coton égyptien. Dehors, la température est torride, une légère brise souffle, douce mais brûlante. Tous apprécient bien la fraîcheur entretenue sous la tente, dont les volets latéraux sont relevés pour laisser passer un peu de lumière. Le sol est recouvert de magnifiques tapis persans dont les couleurs ont été adoucies par la patine du temps. Deux jeunes femmes attendent les visiteurs et en geste de bienvenue leur parfument le cou avec de l'encens et de l'eau de rose. Ils s'assoient tous les quatre sur de très beaux coussins brodés autour d'une petite table sur laquelle on apporte le traditionnel plateau de cuivre avec la théière fumante dessus.

– Nous aurions grand besoin de ton aide, Abdul. Pour ne rien te cacher, le projet UTOPIA a du plomb dans l'aile. L'administration américaine est en train de nous retirer son soutien.

– Je ne vois pas comment, avec la meilleure volonté, je pourrais m'y substituer!

– Laisse-moi t'expliquer. Ce n'est pas UTOPIA qui a besoin de toi, mais l'Amérique tout entière!

– Que puis-je faire? Je suis perdu au milieu d'à peu près nulle part!

– Voilà ce qui se passe. Écoute bien, Abdul. Nous sommes actuellement en Occident sous le coup d'un chantage terrible de la part du Grand Terrorisme International. L'attaque du *Washington* pour commencer; une bombe atomique qui pète dans le Sahara et voilà plus qu'il n'en faut pour mettre tout le monde à genoux. Et c'est ce qui se passe. Nous devons passer sous les Fourches Caudines. Le Président doit d'abord sortir le pays de cet imbroglio tragique avant de pouvoir se lancer dans le support d'UTOPIA. Si personne ne trouve une solution pour contrer les terroristes, l'escalade meurtrière va continuer et le projet ne verra pas le jour. Si par contre un petit génie sorti d'une lampe d'Aladin résout le problème, tout le monde peut prendre une bonne bouffée d'oxygène et à nouveau des projets de grande envergure comme UTOPIA et d'autres peuvent se poursuivre. Et ce petit génie sur lequel nous comptons, c'est toi, Abdul.

– Nous avons eu quelques opérations heureuses sur le plan local...

– Ne fais pas le modeste! Nous avons tous suivi et admiré la maestria avec laquelle vous avez bouté les cellules révolutionnaires hors de la région du Hedjaz et rendu à son émir toute la légitimité qui lui revenait.

– C'est effectivement tout ce que nous voulions. Maintenant la paix est revenue et, vu la leçon que nous leur avons donnée, je pense qu'ils ne sont pas près de revenir. Cela a été très salutaire et la solidarité nationale qui faisait la grandeur de l'Arabie a ressurgi...

– Vous disposez donc d'une surface encore plus grande maintenant? fait remarquer Michael.

Abdul ne dit rien. Il semble perdu dans une longue réflexion.

– Que penses-tu de tout cela, Nabil? dit-il en regardant vers Mostacci.

– Je suis là, lui répond ce dernier.

– Nous avons besoin de l'Amérique et l'Amérique a besoin de vous, déclare péremptoirement Gerry.

– Je n'aurais jamais imaginé cela, mes amis, dit Abdul d'une voix basse et monocorde. J'ai, bien entendu, une petite idée sur la question; mais dites-moi donc d'abord ce que vous attendez de moi?

C'est Gerry qui se sent le mieux habilité pour lui répondre:

– Nous avons appris que leur quartier général est au Soudan. Par la voie traditionnelle, ce bastion est imprenable par une attaque terrestre classique. Imaginer une offensive aérienne ne garantit nullement un succès total, par contre c'est vraiment, dans les circonstances actuelles, aller titiller la queue du Diable; ce peut être l'étincelle qui mettrait le feu aux poudres d'un éventuel conflit mondial. Je vais droit au but: nous pensons qu'avec vos hommes vous êtes les mieux placés pour les infiltrer...

– Nous avons essayé. C'est impossible!

– Enfin, cela doit être quand même plus facile de les approcher avec un Bédouin plutôt qu'avec un G.I. en grand uniforme en arrivage direct de Floride!

C'est Nabil Mostacci qui enchaîne:

– Les hommes du désert ont l'atavisme de guerriers redoutables. Ils défendront également une cause qui leur est juste aux yeux de Dieu. Si en plus tu es à leur tête, rien ne les arrêtera! En tout cas pas cette bande de petits malfrats qui mangent à tous les râteliers. As-tu des regrets pour ce qu'ils ont fait récemment en chassant les intégristes de La Mecque et de Médine?

– Ils ont été sublimes. Ne connaissant ni la peur ni le doute. J'ai été un chef comblé!

– Je suis sûr, dit Mostacci, que tu es en train de croiser la mission sacrée pour laquelle tu te sentais prédestiné.

– C'est peut-être toi qui as raison. Quoi qu'il en soit, je ne peux prendre aucune décision seul, dans cette affaire. Il me faut en référer aux autres chefs de clan.

– Eh bien, nous vous laissons, dit Gerry. Nous allons à Riyad et nous reviendrons demain.

– Pourquoi ne restez-vous pas ici. Nous avons de quoi vous recevoir. À moins que le Désert ne vous fasse peur!

– Peur? avec toi, ici, près de nous? dit Michael.

– L'hélicoptère nous permettra d'aller chercher les principaux chefs de clan et nous pourrons tenir un Conseil ce soir même, ici.

– Nous nous faisons une joie d'accepter, dit Gerry.

– Eh bien, ne perdons pas de temps!

Sur ces mots, Abdul, joignant le geste à la parole, fait une volte-face décidée; il quitte la tente d'un pas ferme tout en lançant des ordres précis aux hommes qui l'attendaient un peu à l'écart sous l'auvent. Deux d'entre eux vont au devant des trois visiteurs, et dans un anglais impeccable les invitent à les suivre.

La tente qui leur est proposée est tout aussi agréable que celle où a eu lieu la réception, mais est de taille plus réduite. À l'intérieur, de grands pans de coton égyptien brun avec des reflets d'un vert grisâtre délimitent des alvéoles dans lesquelles tout ce que l'on souhaite trouver pour une nuitée de fortune a été disposé. Les trois hôtes prennent position et tout de suite, fatigués par les effets conjugués du voyage et de la chaleur, s'assoupissent.

L'hélicoptère a commencé ses rotations entre les différents *douars*[1] à la recherche des chefs de clan. Quand il termine son dernier vol, la nuit est déjà tombée sur le village et avec elle une impressionnante quiétude envahit ce lieu.

Réveillé par la fraîcheur de la nuit, Gerry se lève, passe un pull et sort de la tente. L'instant est magique. Captif du si beau spectacle de la Nature, Gerry se laisse tomber à genoux dans le sable encore un peu chaud et se met à remercier Dieu. Il se sent proche d'Abdul et pendant une fraction de seconde il envisage de se convertir à l'Islam. Une jeune femme voilée passe un peu plus loin, faisant le service du thé. Il la suit sur le chemin de sa tente où il retrouve ses deux amis. Ils boivent un peu tout en discutant.

Plus tard, un homme du désert leur rend visite de la part d'Abdul et leur dit :

— Mon Maître vous fait dire qu'il est en grande discussion avec les chefs de clan et il s'excuse, vous devrez dîner sans sa présence. Il vous verra demain matin.

Il part et Michael ironise un peu :

— Qui dort, dîne ! N'est-ce pas ?

Au centre de leur tente une table a été dressée en grand apparat. De la viande de mouton rôtie et délicieusement assaisonnée leur est servie. Par moments, des éclats de voix montent de la tente où se tient la réunion et leur parviennent, brisant le silence de la grande nuit désertique.

La routine du village est bien simple. Au lever du jour, l'imam grimpe au sommet de la dune et de ce minaret naturel, il appelle les

---

1. Petits villages arabes.

fidèles pour la prière du matin. Sa voix est perçante et les vocalises orientales qu'elle colporte de tente en tente assure le réveil de toute la communauté.

Les trois invités n'échappent pas à ce réveil en douceur. On leur apporte des boissons chaudes et sucrées ainsi que des dattes et des gâteaux au miel ; et dès qu'ils ont fini ce petit déjeuner, l'homme qui les avait visités la veille au soir revient pour leur dire qu'Abdul est maintenant prêt pour les recevoir. Les volets de sa tente sont relevés, et c'est à ce petit détail que l'on pouvait savoir que leur venue était souhaitée.

Abdul les accueille à bras ouverts et tout de suite l'Émir et les principaux chefs de clan prennent place. Abdul se lève et dit :

— Nous avons discuté très tard cette nuit et nous avons décidé d'accepter de vous venir en aide. Mais il faut savoir que nous aurons, bien entendu, besoin de votre assistance.

— Tout à fait d'accord, dit Gerry en se tournant vers Michael et Mostacci.

— Nous savons que le camp principal des terroristes se trouve dans le désert du Soudan. Pour nous y rendre, il faudra franchir la mer Rouge et avant cela *tangenter* le territoire d'Israël. Il faudra également que l'on renforce nos armements. Nos frères Afghans nous ont remis quelques exemplaires de missiles Stinger que les Américains leur avaient donnés pour combattre les Russes ; mais nous manquons de missiles anti-chars. Pourrez-vous nous en procurer et nous assurer le passage dans ces lieux sous haute surveillance ?

— Nous le pourrons sûrement ; pouvez-vous nous expliquer en gros votre plan ? demande Gerry.

— Nous pensons pouvoir mettre sur pied une armée de mille hommes en tout qui marchera vers le Soudan sous forme d'environ une quinzaine de caravanes de chameaux. De cette façon, ce déplacement passera inaperçu. Leurs routes seront faites en sorte que toute précision sur leur convergence soit rendue impossible.

— Et quand pensez-vous être prêts pour l'attaque finale du camp d'entraînement ? demande Gerry.

— Si l'équipement demandé nous est rapidement livré, et si le passage de la mer Rouge s'arrange facilement, nous y serons avant 60 jours.

— Euh... c'est que nous ne disposons que d'un moratoire de 30 jours ! indique Gerry.

— Désolé, mon cher ! lui dit Abdul. On n'a pas encore fait des chameaux qui font du cent à l'heure ! Blague à part, notre seul chance de succès pour cette attaque surprise au cœur de leurs lignes réside dans la discrétion sublime avec laquelle nous les approcherons. Avec des blindés ou des camions, nous n'avons pas une chance.

— Eh bien, je crois qu'il faudra faire avec cette donnée, dit Gerry.

— Nous avons une autre requête, dit Abdul.

— Laquelle? s'inquiète Gerry.

— Les chefs de clan exigent la présence de Michael sur le terrain.

— Mais, pourquoi donc? demande le principal intéressé par cette exigence un peu inattendue.

— Difficile à vous expliquer en deux mots. Parmi les chefs de clan qui ont pris cette décision de vous aider, tous ont au moins un proche, fils, frère ou cousin, qui fera partie de cette expédition... de laquelle tous ne reviendront certainement pas...

— Évidemment, dit Gerry. Mais pourquoi Michael et pas quelqu'un d'autre?

— Vous n'avez pas bien compris. Nous ne sommes pas en train de désigner des otages. La présence que nous suggérons avec vigueur relève plus d'une question d'honneur. Et puis, de cette façon, les hommes de l'expédition auront moins le sentiment qu'ils peuvent être trahis en cours de route.

— Dans ces conditions, Messieurs, je crois que je n'ai guère beaucoup le choix, dit Michael.

Abdul s'approche lentement de Michael, et le regarde droit dans les yeux en lui disant:

— Fais-moi confiance, Michael. Je serai toujours à tes côtés... et toi aux miens.

Les deux hommes s'étreignent longuement. L'Émir a observé toute cette scène sans donner aucune manifestation de sa présence. Maintenant qu'il a compris qu'un accord sacré avait été conclu, il se lève et tous les chefs de clan réunis autour de lui laissent éclater leur joie. En arabe, ils profèrent quelques exclamations guerrières qui en disent long sur leur détermination. On les sent tous impatients d'agir. L'Émir prononce de petites phrases rythmées que tous les chefs reprennent en chœur avec beaucoup d'enthousiasme. Abdul et ses trois invités se retirent et sortent de la tente.

Dans le vol de retour, vers Riyad, Michael, Gerry et Mostacci sont marqués par une étrange impression. Cette journée et cette nuit

172

dans le désert resteront à jamais gravées dans leurs mémoires. Et puis tant de choses se sont passées! L'avenir qui en découlera est aussi chargé de lourdes incertitudes et de si graves conséquences...

Houston, Texas

– Le SCESV se divise en quatre secteurs : les besoins humains, le support de vie, le management des déchets et le système de contrôle et d'écologie, dit Max à un groupe d'ingénieurs de la NASA ainsi qu'à Tanya qui analysent les plans de la base terrestre d'entraînement d'UTOPIA. Les besoins humains définissent notre régime alimentaire et la méthodologie de préparation de cette nourriture : la prévention de tout effet toxique et les considérations d'ordre social, de sorte que l'humain s'assure d'un support adéquat afin qu'il puisse fonctionner à son optimum sur UTOPIA. Quant au secteur support de vie, nous incluons l'approvisionnement et l'emmagasinage de nourriture. Il est à noter que les algues et plantes à semence seront toutes deux cultivées sur UTOPIA. Ce secteur comprend la nutrition ainsi que la croissance et la récolte des plantes et légumes et toute la nourriture nécessaire à l'alimentation des poissons et de la volaille. La revitalisation de l'atmosphère inclut l'oxygène, l'extraction du dioxyde de carbone et le contrôle des contaminants, lequel est en grande partie réalisé par la plante araignée. Toute l'eau circulant sur UTOPIA sera filtrée dans des solariums chargés de plantes du type de la plante araignée. Un troisième secteur, le contrôle des déchets, inclut la collecte et le traitement de tout rebut, y compris l'extraction de toute forme d'éléments nutritifs. Et quant au système de considération écologique et de contrôle, il s'agit du système qui gère tout ce que j'ai mentionné et qui veille à son bon fonctionnement. En fait, le SCESV tire ses origines du modèle environnemental terrestre.

Tanya et les ingénieurs de la NASA étudient le plan général et Tanya demande à Max :

– Le centre d'entraînement, Max, sera donc opérationnel à la fin de cette année, nous pourrons alors y voir le SCESV en opération ?

– Absolument, les travaux avancent rapidement à la base de Houston et je pense même que nous aurons terminé avant la fin de cette année, de sorte que nous pourrons commencer la phase IV, soit la fabrication et l'assemblage de la colonie spatiale. Nous avons déjà des centaines d'ingénieurs qui travaillent sur les devis et les plans. Nous estimons que la fabrication des pièces ne prendra pas plus que 6 mois et par la suite, nous monterons les pièces dans l'espace à raison de 4 navettes quotidiennes.

— Et comment vont vivre ces gens qui assembleront la colonie spatiale, reviendront-ils sur Terre à chaque jour? demande Tanya.

Max appuie sur une touche de son clavier d'ordinateur et dit:

— Non, non, regardez. Nous construirons en premier lieu une structure de 75 mètres de long et de 10 mètres de large. Cette structure ressemble plus ou moins à une série de boîtes de conserve attachées l'une à l'autre. Ce sera l'habitat d'une centaine de travailleurs qui y vivront. La structure permettra l'accostage de la supernavette. Notre intention est d'établir 3 de ces structures, de sorte que nous aurons environ 300 travailleurs dans l'espace qui construiront la colonie spatiale et ces travailleurs seront assistés par une armée de robots qui exécutera le travail de montage d'UTOPIA.

Détroit, Michigan

Gerry avait tenu un conseil d'administration via une conférence téléphonique avec toutefois l'absence de Michael, lequel était officiellement en cure de traitement dans la région du lac Majeur au nord de l'Italie.

Kiyomi, quant à lui, après avoir raccroché le combiné, jubilait dans son bureau de Chiyoda. Les difficultés que connaissait le programme d'UTOPIA ne pouvaient qu'être à son avantage.

John Matthews avait demandé une aide financière du groupe japonais. En effet, il devenait difficile pour John de justifier une sortie de fonds même pour les opérations courantes de la direction générale d'UTOPIA. Ce potentiel refus présidentiel remettait en question le programme à court terme.

Par contre les Japonais étaient prêts à poursuivre le financement du programme jusqu'à la phase IV. Pour eux, il s'agissait d'un investissement à long terme. Le Conseil d'administration de Kiyomi se souciait peu des résultats trimestriels en autant qu'ils sécurisaient pour eux le contrôle du programme. En y investissant les milliards manquants, tôt ou tard, soit avec ce Président ou le prochain, le programme UTOPIA obtiendrait le feu vert de l'Administration américaine. C'est donc avec un sentiment de vainqueur que Kiyomi, au nom du Conseil d'administration de sa corporation, écrivit une lettre de réconfort à John.

Il y stipulait que l'Ogura Securities était d'accord pour, d'une part, rembourser la Banque de toutes avances faites au programme d'UTOPIA à ce jour et ce jusqu'à hauteur de 3 milliards de dollars et, d'autre part, s'engageait à verser d'ici la fin de l'année une somme supplémentaire de 7 milliards de dollars pour couvrir les coûts de développement du programme d'UTOPIA, jusqu'à la phase IV. En contrepartie, la partie japonaise obtiendrait sur l'éventuelle UTOPIA le contrôle du secteur manufacturier. Kiyomi terminait en confirmant que sur réception d'une missive signée par John et Gerry approuvant la proposition japonaise, l'Ogura Securities s'engageait à faire parvenir dans les 48 heures, via le système de transfert inter-bancaire Swift, une première somme de 3 milliards de dollars.

John et Gerry n'avaient d'autre choix que de se plier aux exigences nippones et ils firent parvenir leur acceptation par écrit.

9

Depuis le départ des trois visiteurs, le village de tentes où Abdul s'était retiré avait mis un peu de temps pour retrouver le calme et la sérénité qui seyaient si bien à ce lieu. Quelques antennes paraboliques supplémentaires avaient fait leur apparition un peu à l'écart du camp, là où était stationné le groupe électrogène.

Dans la journée Abdul vaquait à ses occupations habituelles. À 8 heures, on relevait les volets de sa tente, ce qui signifiait qu'on pouvait venir le voir. En tant que chef de clan et de tribu, il était aussi le juge suprême de toute la région. Comme il disait, on faisait.

Vers midi, on lui servait un repas simple et frugal. Abdul mangeait peu: des fèves pas trop cuites, du riz avec des épinards et un gâteau sucré avec son café faisaient son régal. L'après-midi, aux heures très chaudes il faisait volontiers une petite sieste, puis selon l'humeur du jour prenait le temps de la réflexion, lisait ou encore, ces derniers jours, élaborait sa tactique pour l'attaque du camp soudanais. Souvent, après la prière du soir, il partait pour une chevauchée solitaire dans le désert, puis il revenait et s'assurait que tout allait bien dans le village.

Le soir, il dînait seul et en silence. Des petits cubes de mouton rôti agrémentaient le plat de riz qui lui était servi. Et puis avant de s'endormir, Abdul, passionné de poésie arabe, organisait sous sa tente des nuits cérémoniales où l'on jugeait en sa présence le meilleur poème ou l'agréable conteur. Les jeunes se plaisaient à réciter les œuvres des grands poètes. L'un d'eux y alla une fois de ces beaux versets:

Vos enfants ne sont pas vos enfants.
Ils sont les fils et les filles de l'appel de la Vie à elle-même.
Ils viennent à travers vous mais non de vous.
Et bien qu'ils soient avec vous, ils ne vous appartiennent pas.

Vous pouvez leur donner votre amour mais non point vos pen-
sées,
    Car ils ont leurs propres pensées.
    Vous pouvez accueillir leurs corps mais pas leurs âmes,
    Car leurs âmes habitent la maison de demain, que vous ne
pouvez visiter, pas même dans vos rêves.
    Vous pouvez vous efforcer d'être comme eux, mais ne tentez
pas de les faire comme vous.
    Car la vie ne va pas en arrière, ni ne s'attarde avec hier.
    Vous êtes les arcs par qui vos enfants, comme des flèches
vivantes, sont projetés.
    L'Archer voit le but sur le chemin de l'infini, et Il vous tend de
Sa puissance pour que Ses flèches puissent voler vite et loin.
    Que votre tension par la main de l'Archer soit pour la joie ;
    Car de même qu'Il aime la flèche qui vole,
    Il aime l'arc qui est stable.[1]

Tout comme la chanson orientale, la poésie arabe, au gré de son diseur, peut se délier pendant des heures et rejoindre les mystères de l'infini.

Mais certains soirs, les rencontres étaient plus prosaïques et sa tente ressemblait à un bureau de chef d'état-major: cartes géographiques déployées, ordres brefs, consignes acquiescées d'une brève inclination de tête.

Le temps passait et Abdul avait une vision de plus en plus claire de la stratégie qu'il allait développer. Il n'arrêtait jamais de faire et refaire dans sa tête la partie d'échecs à l'échelle humaine qu'il allait déclencher. Chaque composante de sa petite troupe avait déjà, dans son plan, pris l'identité du rôle qu'elle devra jouer sur le terrain en fonction des aptitudes qui lui étaient propres. Il prenait presque plaisir à imaginer telle permutation, à oser telle innovation, à envisager l'inescomptable. S'il en avait eu la possibilité, il aurait sûrement consulté des documents sur ce sujet. Le traité *Blitz Krieg* du célèbre stratège Bismarck lui aurait peut-être apporté quelques lumières. Mais en avait-il besoin dans la situation particulière qu'il allait provoquer? Sur le modèle d'une croisade, avec des hommes venus de la nuit des temps et des armes futuristes, quelles analogies pouvaient bien exister?

---

1. Khalil Gibran, *Le Prophète*, Casterman, 1956.

Un matin, son vieil ami Hayed vint le voir sous sa tente. Cet homme l'avait vu naître et son père ferma ses yeux sur son visage.

– Entre, Hayed. J'aime que tu viennes me voir. Si tu pouvais savoir combien tu m'as manqué ces dernières années!

– Salam, Abdul.

– Parle! Qu'est-ce qui me vaut cette visite?

– Maître, on vient de nous annoncer que ton ami Michael est en chemin.

À cette nouvelle, une joie intense s'inscrit dans les traits du visage d'Abdul. Le vieil homme le remarque et se trouve tout étonné que l'on puisse avoir un pareil ami: si blanc de peau et si bizarrement accoutré.

– C'est vraiment ton ami? demande Hayed.

– Plus que cela, Hayed: un frère!

– Alors, c'est aussi mon frère! dit Hayed sans trop y croire en parlant d'un homme qui n'est même pas musulman.

Abdul lui en dit un peu plus sur Michael; et puis Hayed retourne dans le silence du désert.

Plus tard dans l'après-midi, un guetteur remarque une colonne de poussière dans le lointain annonçant l'arrivée prochaine d'une caravane. Abdul saute à cheval et la rejoint au grand galop. Il repère tout de suite le chameau sur lequel est monté Michael, qui n'a pas tout à fait le même pas que les autres animaux du convoi.

– Michael! Quelle classe tu as sur ce chameau!

– Tais-toi Abdul! J'ai les reins en compote! Heureusement qu'on arrive. Je n'en peux plus!

– Eh bien, si tu savais ce qui t'attend!

On fait agenouiller le chameau de Michael et celui-ci met pied à terre avec délectation, tandis qu'Abdul en fait autant de son cheval. Les deux amis s'étreignent longuement; puis Abdul lui propose de rejoindre le village de tentes sur le cheval d'un des siens qui l'avaient suivi. Côte à côte, les chevaux étant au pas, les deux hommes conversent amicalement en direction des tentes. Michael porte une saharienne claire et un chapeau colonial de même couleur, et au sujet de ses habits, Abdul lui dit:

– Il faut absolument que tu portes les mêmes vêtements que nous. Tu verras, tu t'y sentiras bien plus à l'aise. Et puis, comme cela, les gens du village ne te prendront plus pour un étranger.

– Justement, j'allais te demander l'adresse d'un bon tailleur! lui répond Michael qui venait de se rendre compte que le port du pantalon pour monter à dos de chameau n'était pas bien adapté.

En arrivant au village, Michael et Abdul se désaltèrent, puis on conduit Michael à sa tente dans laquelle des habits locaux ont été préparés à son intention. Abdul l'aide un peu à se vêtir tout en lui indiquant le nom et la signification des différentes pièces et accessoires. Il lui dit:

– Tu porteras les vêtements de La Mecque; et comme moi tu deviendras un de leurs chefs!

– Tu vas un peu vite en besogne Abdul. Dans ma tête je me sens comme un gosse la veille du Mardi gras; sur un chameau, je ferais rire une escouade de croque-morts et quand tu vas me donner un flingo, je vais me sentir aussi à l'aise qu'une poule avec une paire de ciseaux. Et avec tout cela ils vont m'accepter pour chef? Tu les prends pour quoi, tes hommes?

– Michael, ils savent déjà que ta force est dans ta tête. Ici, l'habit n'a jamais fait le moine! Ils te prendront pour ce que tu es, Michael.

– Bon, d'accord, je te fais confiance; mais laisse-moi un peu de temps pour m'acclimater. À propos de temps, Abdul, il faut que je te dise: ça urge! À Washington, ils ont la courante. Deux mois, c'est trop! Il faut absolument qu'on leur montre une preuve de ton efficacité le plus rapidement possible.

– Est-ce qu'ils savent que dans ce genre d'actions, l'échantillon n'existe pas?

– Je sais bien, Abdul; mais tu sais, les politiques, ce sont les rois du «Y a qu'à». Avec eux, tout est dans la parlotte. C'est pour cela que c'est dur de s'entendre.

– Écoute, Michael. Ce soir, puisque tu es là, nous tiendrons notre ultime réunion avec tous les chefs de clan. Et puis nous n'avons pas perdu de temps, puisque déjà plusieurs caravanes sont parties afin de ne pas éveiller de soupçons dans la population. Pour brouiller les pistes, nous n'aurons pas tous le même mode de transport et donc pas la même vitesse. Je t'expliquerai tout cela plus en détail ce soir. D'ici là repose-toi bien. Fais le vide en toi. Un autre Michael est en train de naître.

– Tâche plutôt de me rassurer et qu'il n'y en a pas un qui soit en train de mourir.

– Ne pense jamais comme cela, Michael. Je suis là. À ce soir, Prince du Désert!

– Prince d'opérette, tu veux dire!

Seul sous sa tente, Michael se repose un peu et apprécie la fermeté du lit qui lui maintient bien son dos endolori. Il fait quelques

180

ablutions puis enfile son nouvel habit. Sans miroir à sa disposition, il ne peut qu'imaginer le résultat. La mélopée de l'imam, pour la prière du soir l'appelle en dehors de sa tente et à cette occasion il se mêle aux autres habitants du village. Il ne ressent alors aucune gêne particulière et se trouve plutôt bon caméléon. Il reconnaît la tente d'Abdul et s'y dirige tout de même promptement avec un peu le sentiment du marin qui sent son port, un soir d'orage.

Abdul qui s'y trouve l'accueille :

– Michael, tu es impeccable. Quelques heures de soleil en plus pour ton visage et plus personne ne te distinguera des nôtres. Entre. On mange et puis on va à la réunion.

Pour la venue de Michael, un menu plus gastronomique a été préparé à la demande d'Abdul. La table est couverte de nombreuses *khemias*, c'est-à-dire des assiettes où sont disposées de petites quantités de nourriture appétissante faisant penser à des salades. Michael se délecte de fines tranches de poivrons de belle couleur verte qui ont macéré et reposent dans une belle huile d'olive très odorante. Quand ils ont fini ces hors-d'œuvre, on leur apporte des brochettes et un plat de riz. Puis ce sont des pâtisseries orientales tout miel-et-sucre qui font le régal de Michael.

– Cela t'a plu ? s'inquiète Abdul.

– J'ai adoré...

– ... Eh bien, tâche de mémoriser ; parce que là où l'on va, j'aurai du mal à te garantir un tel service !

– Tu n'as pas besoin de me le dire. Je sais bien que je ne viens pas de signer pour trois semaines au Club Med !

– Viens, je crois que nos amis nous attendent.

Ils se lèvent de table et se dirigent vers une tente voisine où les attendaient les chefs de clan, alors que déjà dehors la nuit est tombée sur le village. À la vue de Michael, en *yubbah* et sachant qu'il comprenait parfaitement leur langue, les chefs de clan sont tout de suite mis en confiance et la réunion peut commencer.

Devant l'Émir et les chefs de clan, Abdul fait un résumé de la situation. Il confirme que 150 hommes ont déjà pris le départ. Ils traverseront la mer Rouge en face de l'Égypte en empruntant des *dow*, ces boutres typiques qui y cabotent habituellement. À destination, ils achèteront montures, nourriture et habits locaux et prendront la direction du Soudan.

Pour le reste de la troupe, Abdul explique, surtout à l'intention de Michael, qu'ils gagneront Najran et Abha, les deux grandes villes de la province d'Azir, par leurs propres moyens. Les animaux seront montés dans des camions, comme cela se fait pour les vendre, et par la route tous monteront vers Aqaba, tout au nord du pays, à la frontière jordanienne. Passage à Eilat, en territoire israélien, où après avoir fait le plein complémentaire en armes et munitions, on embarquera par cargo pour Qoseïr, un port de la côte orientale égyptienne.

— Tout est en ordre avec les autorités israéliennes ? questionne Abdul en s'adressant à Michael.

— C'est O.K. avec le Consulat U.S. sur place qui nous mettra en relation avec un haut responsable militaire israélien, lui dit avec assurance Michael.

— Arrivés en Égypte, nous aurons le même itinéraire que nos prédécesseurs, qui correspond d'ailleurs à une route couramment utilisée par des caravanes de marchandises.

— D'ailleurs, c'est vrai ! On est tous des marchands ! On va leur vendre de drôles de pruneaux aux frangins ! s'exclame Michael, ce qui fait rire toute l'assemblée.

— À la prochaine pleine lune, nous ferons notre jonction, dans les montagnes sur les hauteurs du Dar Fur...

En disant ces derniers mots, Abdul a le regard fixe ; sa voix tombe un peu, puis il incline la tête ; les autres font de même, et Michael comprend que ce vœu se prolonge en prière collective. Après quelques minutes de recueillement intense avec en bruit de fond les petits claquements des toiles de tente battues par la brise nocturne, ils se saluent tous les uns les autres et quittent la tente, l'Émir en dernier. Ils savent que jusqu'à leur prochaine rencontre, la route sera longue.

Michael et Abdul restent seuls, un instant sans rien dire.

— Voilà, Michael. Tu peux le constater : c'est parti. Plus rien ne pourra plus nous arrêter maintenant.

— J'ai bien remarqué cela ; mais tu ne leur as pas parlé de l'attaque du camp soudanais. Pour moi, c'était la phase essentielle du plan que tu devais leur exposer ?

— Vous autres, Occidentaux, vous avez le don pour élaborer des stratégies super-orchestrées, avec des minutages où chacun a son rôle, avec un rôle pour chacun. Et puis, passe-moi l'expression, il y a le « grain de sable », le passage à niveau de service et patatrac ! tout se casse la figure. Dès le départ, celui qui avait la montre glisse sur une peau de banane et c'est la catastrophe. Tout le monde est perdu. Chez nous, chaque homme a son instinct... et son destin. Et voilà, mon cher Michael, sur quoi je compte pour réussir notre mission.

– Évidemment: l'atavisme et la destinée, ce sont des trucs qui tombent rarement en panne!

Michael est dans le fond tout à fait d'accord avec l'analyse de son ami, lui qui a toujours pensé que l'éducation des esprits occidentaux donnait beaucoup trop de primauté au rationnel et pas assez au développement de l'intuition. En une fraction de seconde il réalise que tout le plan d'Abdul est en fait de ne pas en avoir, tout du moins comme on entend cela d'habitude. Il pense alors que les constructeurs géniaux des pyramides et d'autres grands monuments du Moyen Âge procédaient un peu de la même façon; puisque ce qui avait germé dans leurs esprits passait jusque dans les ongles d'un anonyme tailleur de pierre, parfois même un siècle plus tard, et sans que jamais un plan écrit n'ait été mis entre les deux. Et tout cela, avec une dose de mystère impossible à définir, a donné les plus grands chefs-d'œuvre de l'Humanité. Il conclut que la recette devait être bonne. Cela le rassurait un peu, car de cette sauce dépendait à coup sûr sa propre vie; et peut-être même celle de bien d'autres encore.

Abdul et Michael regardent sans rien dire la grande carte de la péninsule arabique sur laquelle a été tracée le chemin à parcourir avant l'embarquement. Michael s'inquiète des possibilités des chameaux pour les faire rallier le Soudan:

– Tu crois qu'ils vont tenir le coup, avec une telle charge? demande-t-il à Abdul pour se rassurer.

– On voit bien que tu n'es pas d'ici pour te poser pareille question. Depuis la nuit des temps, toutes ces étendues ont été sillonnées en tous sens et des millions de tonnes de marchandises y sont passées à dos de chameau justement.

– Que pouvait-on avoir besoin de transporter aussi absolument pour tenter de telles aventures?

– Toutes sortes de choses, mais surtout des aromates et le fameux encens qu'on exportait en grandes quantités vers la Méditerranée. D'ailleurs la route de l'encens ne passe pas loin d'ici. Sur des photos prises par satellite, on peut encore voir la trace des pistes des anciennes caravanes qui faisaient ce transport; elles sont maintenant enfouies sous 200 mètres de dunes de sable. Les Romains avaient tenté d'en prendre le contrôle... mais autant avoir voulu devenir le Maître du désert. À la convergence de toutes ces pistes devait se trouver la fameuse ville-marché de Ptolémée, qui selon la légende aurait disparu dans le désert comme une Atlantide des sables. Et puis toi qui es chrétien, tu connais l'histoire des rois mages?

L'Histoire Sainte nous dit que justement ils transportaient de l'encens, de la myrrhe et des aromates... à dos de chameau. Comme tu peux le voir il y a bien des légendes et des mystères qui flottent sur tous ces lieux. La route que nous suivrons au départ est celle que la Reine de Saba a prise en 970 av.J.-C. pour rencontrer le Roi Salomon.

— Mais combien de temps mettaient-ils pour faire tout cela ?

— Il fallait compter soixante jours pour aller du Sud Yemen au golfe arabique !

— Eh bien, ce n'est pas rien ! Je ne m'y vois pas !

— À ce propos, il faut absolument que tu apprennes à monter et conduire un chameau ; d'abord pour ne pas te faire repérer, et ensuite pour ne pas te fatiguer inutilement.

— Je ne demande pas mieux. Tu connais quelqu'un qui pourrait m'apprendre ?

— Bien sûr ! Dans chaque clan nous avons des dresseurs émérites qui veillent sur les troupeaux. De nos jours encore, c'est le moyen de transport le plus utilisé des hommes du désert. Demain, je demanderai à Omar, notre chef chamelier, de s'occuper de toi et de t'apprendre à te débrouiller avec ta monture.

— Je me fais une joie à l'idée de passer des heures en équilibre sur le dos de ces bestioles !

*
*   *

Au point du jour, un premier rayon de soleil darde un trait d'une lumière douce, un peu tamisée par le volet de la tente de Michael, laissé entrouvert. C'est ainsi qu'il ouvre les yeux sur la journée qui commence. Curieusement, sa première pensée n'est pas pour le déplacement et l'attaque du camp soudanais ; il fixe immédiatement son attention sur la leçon de chameau qu'il doit prendre avec Omar.

Comme prévu, celui-ci vient le chercher et le conduit vers le lieu où les animaux sont parqués. En bon maître, Omar lui fait un petit commentaire théorique sur le sujet avant d'aborder la pratique. Omar parle avec enthousiasme de son sujet, tandis qu'ils marchent vers l'enclos. Michael apprend des choses très intéressantes sur son futur compagnon de route. Il découvre tout d'abord que son chameau est en fait un dromadaire. Il n'a qu'une bosse. C'est le chameau d'Asie qui en a deux ; arrivant en Arabie il en perd une et améliore encore ses performances. Son endurance et sa sobriété sont légendaires. Omar les résume en chiffres : 18 litres d'eau lui suffisent en tout et pour tout pour une pleine semaine de labeur dans le désert. Paradoxalement, au pays de l'Or Noir, c'est à l'eau, plutôt rare, que carbure celui que tout le monde ici nomme le « vaisseau du désert » ! Mais, fait qu'il n'aurait pas soupçonné, cet animal est capable de courir très vite ; dans certains pays africains, les courses de dromadaires sont même très populaires. Dans un ressaut de sa mémoire, Michael retrouve la racine de dromadaire : en grec, *dromos* signifie course.

Sur ces deux bonnes nouvelles, le propos d'Omar se présente désormais sous de bien meilleurs auspices, et le regard qu'il porte sur ces étranges créatures n'est plus tout à fait le même qu'au temps de son ignorance.

— Maintenant Michael, il te faut choisir ta monture ; pour ce qui va suivre, il vaut mieux que vous soyez habitués l'un à l'autre.

— Et comment veux-tu que je m'y prenne ? Je n'ai pas la moindre notion pour diriger mon choix.

— Regarde. Observe et laisse parler ton instinct. De toute façon, ici nous n'avons que de belles bêtes.

Michael et Omar se promènent dans l'enclos. Michael a beau chercher, il ne trouve aucun indice directeur.

— Que penses-tu de celui-là ? lui dit Omar à l'approche d'un beau spécimen semblant les regarder du coin de l'œil.

— Pourquoi pas ! Celui-là ou un autre...

— Non, ce n'est pas pareil. Celui-ci est spécial.

— Et qu'a-t-il donc de particulier ?

— C'est le mien. Si tu veux, il est à toi.

Sans attendre la réponse de Michael, Omar fait venir l'animal vers lui en l'appelant gentiment d'une voix très douce. D'un geste gracieux, il lui intime l'ordre de plier ses antérieurs si fins en une génuflexion spectaculaire ayant l'air d'être faite au ralenti. Les postérieurs suivent, et avec l'aide d'Omar, Michael prend place sur l'animal déjà sellé.

De loin, Abdul observe la scène ; par la suite il saura apprécier les progrès rapides de Michael dans la maîtrise de sa monture.

La première partie du voyage avait été comme une ultime répétition pour le chemin qui serait bientôt à faire en terre ennemie. En Arabie, un accroc était toujours envisageable sachant qu'il serait sans conséquence; plus tard, il fallait s'y préparer: le moindre contretemps pouvait être fatal à leur mission.

Le parcours routier entre Najran et Tabuk tout au nord du Hedjaz leur avait fait épargner beaucoup de temps et d'efforts inutiles. Maintenant qu'ils étaient arrivés, leur présence en ces lieux et formes ne soulevait aucune curiosité là où ils passaient. Il aurait en effet fallu bien de la perspicacité pour voir dans ces paisibles caravanes de Bédouins la troupe en pleine offensive qui s'y cachait.

Michael faisait de son mieux pour se fondre parmi les hommes. Comme eux, il s'abstenait de boire dans la journée. À l'aube, il buvait sa ration d'eau et prenait quelques dattes en provision de bouche. Si vraiment il ne pouvait faire autrement, alors il se désaltérait avec du lait de chameau qui avait un goût amer, mais était très nourrissant. Chaque jour, il gagnait en expérience; par moment même il lui arrivait d'apprécier ces longues randonnées à dos de chameau dans ces paysages grandioses aux résonances historiques nombreuses. Mais il lui arrivait aussi de détester sa monture; surtout quand elle avait trop mangé de ces herbes épineuses avec des petites pointes blanches qu'elle digérait mal, lui donnant une haleine épouvantable. Et aussi quand il lui prenait la fantaisie d'un pas boiteux qui lui martelait la colonne vertébrale. Mais à part cela, Michael ne regrettait pas le choix que lui avait fait faire Omar.

Abdul avait un comportement bien différent qui détachait bien le chef de guerre de l'anonymat de ses troupes. En marge de la caravane, il chevauchait un magnifique alezan; parfois il rejoignait un autre convoi, puis ralliait le sien. Son œil de lynx veillait sur tout – dans et en dehors de la caravane – ce qui aurait pu être un danger pour ses hommes. Le soir, quand tout était plus calme, le groupe profitait de la fraîcheur pour se mouvoir dans de meilleures conditions. Il arrivait alors à Abdul de revivre dans l'imaginaire l'époque expansionniste des tribus islamiques après la mort du prophète Mahomet. Leur passage plusieurs siècles auparavant marquait ces terres magnifiques, sur lesquelles le soir se posait, d'un charme et d'un mystère impressionnants. C'est avec familles et troupeaux que ses ancêtres avaient quitté l'Arabie pour conquérir la Perse affaiblie par la chute de l'Empire byzantin. Cette expansion leur fut très profitable. Une grande culture arabe se développait sur la richesse des villes saintes alors qu'au même moment l'Occident sombrait dans l'obscurantisme moyenâgeux.

Abdul abandonna soudain sa réflexion, car l'heure était plus que venue de choisir leur dernier bivouac avant la frontière jordanienne.

Le soir les hommes mangeaient copieusement et dormaient généreusement. Avec un peu de chance, l'un d'eux avait pu tirer une gazelle dans le désert; et s'ils n'en avaient pas croisé, un mouton faisait l'affaire et rôtissait à la broche sur un feu de bois. Puis on plaçait des guetteurs et tout le monde se couchait à même le sol, sous un bout de toile tendu pour se protéger de la rosée nocturne.

Le lendemain matin dès l'aube, les choses sérieuses allaient commencer avec la sortie d'Arabie et le passage dans une zone sous surveillance constante.

La piste qu'ils vont emprunter pour passer la frontière jordanienne est un ancien sentier des caravanes d'autrefois, qui est si escarpé que les hommes doivent descendre de leurs montures pour le passer, une fois que trois éclaireurs ont déclaré la voie libre. C'est seulement la nuit suivante qu'ils abordent le passage de la seconde frontière où, cette fois, de l'autre côté ils sont plus ou moins attendus.

Très vite, la caravane d'Abdul est localisée par une patrouille israélienne. Le contact entre les deux groupes est assez délicat. Abdul s'immobilise devant la jeep du commandant israélien et Michael observe le petit jeu de toise auquel ils se livrent quelques instants. Entre le jeune officier en uniforme et le guerrier à cheval, un étrange dialogue sans mot s'engage. Ils se dévisagent et dans leurs regards alternent divers sentiments: curiosité, respect avec un zeste de dédain. Michael mesure sur le moment à quel point ce qu'ils ont demandé aux uns et aux autres a pu être difficile à concevoir et admettre.

En anglais, l'officier s'adresse à Abdul et à Michael qui venait de se faire connaître:

– Montez avec moi. Je dois vous amener au Q.G. d'Eilat où vous êtes attendus. Vos hommes peuvent s'établir pour la nuit à cet endroit, dit-il en montrant une petite vallée en contrebas. Ils n'ont rien à craindre, vous êtes sous notre protection.

Une partie de la patrouille reste sur place tandis que la jeep, dans laquelle ont pris place Michael et Abdul, ainsi qu'une petite auto-mitrailleuse d'escorte se dirigent vers le Q.G. militaire de la région d'Eilat. L'officier ne se montre pas bien loquace pendant ce trajet qui dure environ une demi-heure. Michael lui demande s'il a déjà reçu d'autres caravanes, mais celui-ci lui répond évasivement.

Arrivés à Eilat, on les conduit dans le bureau du colonel Shlomo Lidor des services de renseignements israéliens. Ce dernier se montre beaucoup plus accueillant, ce qui n'exclut pas une certaine fermeté dans le ton.

— J'ai reçu comme ordre de vous donner le support nécessaire pour votre traversée de la mer, et vous remettre le complément d'armes dont vous aurez besoin, dit le colonel.

— C'est bien ce qui était convenu, confirme Abdul. Combien de groupes sont déjà passés?

— Vous êtes le quinzième groupe; ce qui veut dire le dernier également; et c'est tant mieux, car les Jordaniens commençaient à se douter de quelque chose. Plusieurs groupes ont été interceptés et questionnés. Pensez-vous qu'ils vous ont vus?

— Je crois bien que non, dit fièrement Abdul.

— Bien, tant mieux, dit le colonel. Nous allons vous regrouper, car pour le moment nous avons préféré disperser les groupes.

En disant cela il montre une carte d'état-major de la région sur laquelle sont pointés avec des pastilles magnétiques rouges les emplacements des différents campements.

— Autre chose: je vous demanderai, à vous ainsi qu'à vos hommes, de nous confier tous vos armements personnels tant que vous serez sur le territoire israélien.

— Je regrette, dit Abdul, mais il ne saurait en être question. Mes hommes ne se sépareront jamais de leurs armes! Ce sont des guerriers avant tout!

— Certes, chez vous, vous faites ce que vous voulez; mais ici en Israël vous devez vous conformer à nos lois.

— L'ambassadeur des États-Unis a notre parole d'honneur que nos intentions belliqueuses ne vous sont pas adressées.

— Je ne fais qu'exécuter des ordres. Désolé.

— Nous ne nous séparerons jamais de nos armes! lance Abdul, qui se lève, crache sur le bureau et déclare qu'il est prêt à retourner chez lui.

Michael pressent l'incident diplomatique et intervient dans la discussion avec vigueur et passion. Il retient Abdul en lui saisissant la manche.

— Mon Colonel, cela fait plus d'un mois que je vis avec ces hommes et je me porte garant de leurs intentions sur le territoire d'Israël. Et puis réfléchissez un moment: vous allez leur confisquer

188

une carabine et un coutelas aujourd'hui et demain leur confier une batterie de missiles prêts à l'emploi. C'est ridicule. Les temps ont changé. Essayez donc d'avoir une vue moins étroite.

– Je crois avoir bien compris. Je vais en référer à mes supérieurs avec un avis favorable concernant la requête de votre ami. Nous avons bien mieux à faire que de nous chipoter. Et puis sur ce coup, nous devons marcher la main dans la main.

– J'aime mieux cela, dit Abdul.

Il fixe l'officier supérieur droit dans les yeux et lui dit:

– Vous avez ma parole!

Sur ce, les deux hommes se serrent la main. «Ouf!» pense Michael, qui avait entrevu le pire un instant.

– Bienvenue à Eilat, pour vous et vos hommes, dit le colonel. Reposez-vous. Si vous voulez, vous êtes nos invités à l'hôtel King Salomon.

– Je vous remercie, dit Michael à cette offre. Mais je serai tout aussi bien dans le désert avec mes hommes.

– Comme vous voulez. De toute manière, nous nous voyons demain ici avec vos chefs de clan. J'ai reçu un document classé «Secret-Défense» concernant l'offensive que vous préparez. Nous avions déjà travaillé à documenter ce sujet... comme d'autres. C'est notre boulot. Puisque vous nous soufflez le projet, nous nous sommes dit: pourquoi ne pas vous faire bénéficier des connaissances que nous y avons acquises? Comme vous pouvez le constater, nous sommes favorables à votre projet, non seulement pour vous faciliter la tâche mais aussi pour vous y aider, voire en être partie prenante.

– Vous nous en voyez ravis! conclut Michael.

Eilat, Golfe d'Aqaba

Le minuscule bout de côte par lequel Israël accède à la mer Rouge est un site touristique très renommé. Toute l'année, des touristes venus du monde entier y affluent, assurés d'une météo sans caprice et attirés par les agréments balnéaires et les plongées sous-marines dans les eaux du golfe d'Aqaba. L'arrière-pays est sans attrait particulier. On a peu de chance d'y trouver un vacancier qui délaisserait les belles plages de sable et les magnifiques palaces du littoral d'Eilat.

Les Israéliens ont regroupé les hommes des différents convois dans une petite plaine jouxtant le terrain militaire qui est à l'écart de la ville, presque à la frontière jordanienne. Il y a quelques arbres et un peu de végétation, ce qui permet un peu de masquer la présence des Bédouins. C'est là que se font dans le plus grand secret les ultimes préparatifs pour l'offensive du camp soudanais.

Ici, on se prépare fébrilement pour aller semer le feu, la tempête et la mort; et là-bas, à quelques kilomètres à peine, on savoure, dans la plus grande insouciance, les délices de la paix. Les deux mondes s'ignorent; et dans l'esprit de ceux qui savaient quelque chose, c'était bien comme cela que tout devait se passer.

Des camions bâchés de l'armée vont et viennent aux abords du camp militaire, acheminant à leur terme les équipements et matériels dont les Bédouins avaient besoin. Au fur et à mesure, les instructeurs de *Tsahal*[1] mettent au courant les hommes d'Abdul du fonctionnement de certaines armes sophistiquées. C'est souvent avec étonnement et incrédulité que les militaires israéliens les regardent arrimer de tels fleurons de la technologie moderne sur le dos de leurs chameaux, réalisant des combinaisons étrangement anachroniques: des outres et des ballots de coton dissimulant des tubes lance-missiles.

Michael observe une de ces scènes en compagnie de l'officier supérieur qui commande la région militaire du Néguev. Il ne peut faire autrement que de remarquer sa stupéfaction ainsi que celle de son entourage dont fait partie l'attaché militaire américain.

— Étonnant! n'est-ce pas, mon Général? dit Michael, lançant un peu le bouchon pour tâter le terrain.

— Inquiétant! vous voulez dire. Je viens de parler au ministre de la Défense, à Jérusalem, il pense que cela va être une action du genre «Raid sur Entebbe». Avec minutage comme pour un hold-up dans une banque suisse. Je me demande ce qu'il en penserait s'il était à ma place?

— Évidemment, c'est autre chose! appuie l'attaché militaire américain. Mais je vous rassure. Le Pentagone n'aurait pas donné son appui et toutes ces armes sans savoir où tout cela pouvait aller.

— Ce n'est pas ce qui est pour me rassurer. Vous souvenez-vous de l'affaire des otages américains de Téhéran? Le Pentagone avait donné le feu vert et ça a malgré tout été un super-flop. Voyez-vous, ce qui me chiffonne le plus, c'est de savoir sur qui vous allez tomber.

Il se tourne vers Michael:

— Ce sont des tueurs! Des tu-eurs! Avec toutes les variantes: des apprentis, des confirmés et des experts. Et ils ne font pas joujou avec des canifs et des pistolets à amorce! Nous savons qu'ils ont

---

1. Armée d'Israël.

des chars chinois T-72 avec des canons de 122 mm et un arsenal très bien garni.

– Par la force, rien n'était possible, dit Michael.

– Il ne restait donc que la ruse, et c'est pour cela que malgré tout, nous approuvons la manœuvre. Ne voyez aucune critique dans ce que je vous ai dit. Et pour tout vous dire, plus je vous vois agir et moins je serais étonné que cela marche. Tout cela a été très bien vu. Compliments.

À ces mots, Michael rit un peu sous cape, car il se souvient de l'improvisation et de la confusion dans lesquelles cette idée a germé.

Puis le général ajoute :

– Mais n'oubliez jamais qu'il est des fois facile d'approcher une panthère qui s'est assoupie ; mais quand elle se réveille, il faut être bien sûr de lui coller une balle entre les deux yeux... du premier coup. Parce que sinon il peut être possible de ne pas pouvoir disposer d'un second.

– Vous me faites un peu peur, dit Michael.

– J'espère seulement vous avertir du mieux que je puisse. Vous partez réellement pour une mission dangereuse. Nous savons que c'est là-bas qu'ils gardent de la matière fissile. Dieu sait ce qu'ils ont prévu pour éviter qu'on vienne la leur reprendre. Vous allez mettre votre petit doigt dans le trou-du-cul du diable ! Moi je sais tout cela. Alors je me prends à avoir de l'affection pour vous, et j'essaie de vous ouvrir les yeux, dans l'intérêt de tout le monde.

– Je vous remercie de me dire tout cela, dit Michael. Mais j'ai confiance. Les hommes d'Abdul ne sont pas des enfants de chœur ; et puis nous bénéficierons de votre expérience et de vos conseils.

– Nous attendons d'une minute à l'autre les gars du Mossad[1]. Ils doivent nous apporter l'ordre de mission signé du Ministre. Shlomo Lidor n'a pas quitté son téléphone depuis ce matin. En début d'après-midi, nous tiendrons notre dernier briefing où nous communiquerons à vous et vos chefs tous les éléments les plus chauds et les plus secrets de ce dossier.

– Eh bien, à tout à l'heure, Général.

Dans le ciel, on entend un bourdonnement ; tout de suite après un hélicoptère de l'armée fait son approche et se pose à l'intérieur du camp militaire.

*

*   *

---

1. Service de Renseignements israélien.

Le général Ayalon s'ennuyait un peu à commander une région militaire où rien ne se passait jamais depuis plusieurs années. Pour lui qui avait connu et vécu en héros les grands moments des guerres israélo-arabes, c'était un peu la voie de garage. Avec l'arrivée des Bédouins et la préparation de l'attaque du camp soudanais qui se faisait sous son patronage, il se sentait remis en selle et cela lui mettait un peu de baume au cœur.

Dans la salle des opérations militaires, les rideaux noirs ont été tirés et les ventilateurs plafonniers brassent l'air chaud de ce début d'après-midi. Pour cet ultime briefing avant la mission-commando, il ressent un petit frisson familier lui rappelant des situations analogues par le passé. En bon hôte, il a accueilli les trois hommes des Services Secrets Israéliens à leur descente d'hélicoptère. Parmi eux, le chef suprême du Mossad venu en personne superviser l'opération, ce qui prouve bien son importance. Les amis d'Abdul et Michael ont pris place d'un côté de la grande table rectangulaire, en habits d'hommes du désert. En face, se trouvent les gens du Mossad aux côtés de deux militaires U.S. et d'un agent de la CIA. Le général Ayalon préside, assis à un bout de la table, tandis que Shlomo Lidor, à l'autre extrémité, va démarrer son exposé. Il sort une carte d'état-major et la punaise au tableau tout en leur disant :

— Bienvenue à Eilat ; nous sommes honorés de votre présence parmi nous. La mission qui vous attend est particulièrement risquée et nous saluons votre courage.

Les Arabes apprécient le compliment et murmurent dans leur langue des incantations sacrées rappelant que leur sort est de toute façon entre les mains de Dieu.

— Voici la localisation exacte du camp des terroristes que vous allez attaquer.

En disant cela, Lidor fait une grosse croix rouge avec un feutre sur un point de la carte du Soudan, dans le plein ouest de sa capitale Khartoum.

— Au sud de la province du Dar Fur qui occupe la partie nord-ouest du pays, se trouve le massif montagneux de Djebel Marra ; c'est en y arrivant par le nord, après avoir quitté le désert de Libye, que se trouve une vallée fertile dans laquelle les terroristes sont basés. D'un bas de versant à l'autre, la vallée fait exactement 8 800 mètres et de son entrée nord par le désert à sa sortie sud par une passe, il y a environ 60 kilomètres. Aucun semblant de ville, bien sûr ; quelques villages de huttes à la mode du pays. La majeure partie des installations est souterraine. Ce qui n'est pas pour vous faciliter la tâche ! Il n'y a qu'une seule bâtisse en dur dans tout le coin ; elle date de l'époque de l'occupation anglo-égyptienne. Nous pensons qu'ils en ont fait leur poste de commandement. Mais nous n'en avons pas la preuve formelle.

Puis il fait passer une photographie aérienne prise de très haute altitude par un satellite américain d'observation :

— Comme vous pouvez le voir, ces villages et paysages paraissent tout ce qu'il y a de plus inoffensif !

— Effectivement ! confirme Michael. Et ce sont tous des...

— ... des nids de terroristes extrêmement dangereux. Tous, femmes et enfants compris, sont dévoués à leur cause. Malgré les protections dont ils disposent, ils se savent menacés et sont sur le qui-vive. Chaque semaine ils reçoivent, via Khartoum, leurs approvisionnements en provenance de Téhéran. Nous estimons à 250 hommes l'effectif des soldats iraniens qui y réside en permanence.

— Sur un effectif total de combien ? demande Michael.

— Environ 1 500 hommes.

— Comment s'entendent-ils avec les gens de Khartoum ? se renseigne Michael.

— Plutôt bien. En tout cas, le régime soudanais les protège et les assisterait en cas de danger. Khartoum a une politique étrangère assez simple : tout ce qui est antipathique, extrémiste, terroriste devient un allié potentiel. Avec la Libye, c'est le grand amour ; d'ailleurs ils ont un projet fumeux de fusion des deux pays, et la province du Dar Fur est une zone administrée conjointement. L'Iran des ayatollahs est le Grand Frère sur lequel on peut toujours compter. Et tout va pour le mieux avec l'Irak qu'ils continuaient à soutenir même aux heures les plus sombres de la guerre du Golfe et de l'invasion du Koweit. En permanence, les accès du camp sont gardés par des patrouilles armées. À l'intérieur ils ont des chars de fabrication chinoise redoutablement armés, ainsi que des batteries de lance-missiles dont les positions changent tout le temps. En attaque directe, vous n'avez aucune chance d'éviter le massacre.

— Pour nous tenir ce langage, vous devez certainement avoir un talon d'Achille à nous suggérer ? dit Michael.

— La seule faiblesse exploitable tient dans le fait que chaque jour, les terroristes à l'entraînement, c'est-à-dire 500 à 700 hommes selon les jours, quittent le camp dans des camions pour aller s'aguerrir dans les sables du désert et faire du maniement d'armes lourdes. C'est à ce moment, à notre avis, qu'il faut les choper. Les exterminer totalement. Pendant le transport, ils ne doivent pas être en contact radio, ce qui laisse une demi-heure pour investir le camp. Là, pour que toutes les chances soient de votre côté, il faudra faire la jonction avec les éléments que nous y avons infiltrés.

– Ah! Bien, dit Michael. Et combien y en a-t-il?

Devant l'innocence de cette question, tous dans la salle ont un petit sourire. Shlomo lui répond:

– Impossible de vous répondre, ni sur la quantité, ni sur la qualité! De notre côté, nous avons fait le nécessaire pour placer des agents sur cette piste. Mais nous savions bien qu'ils ne pourraient pas nous tenir au courant par cartes postales. Alors, ce qu'ils sont devenus? Vous aussi, vous avez des gens sur place?

– Même commentaire que vous à ce sujet, dit Abdul. S'ils ont été découverts, ils auront été éliminés sans pitié. Et puis ils ont pu être déplacés...

– Ce sera l'une des grandes inconnues de cette mission; nous sommes bien d'accord que la réussite totale implique la récupération de la matière fissile qui a été dérobée et qui constitue une menace d'attentat à l'arme atomique. Ceci n'est envisageable qu'avec l'apport d'une complicité venant de l'intérieur... et qu'elle soit de qualité. Pour cela, c'est comme au poker, il faudra payer pour voir!

Sur ces derniers mots du colonel Lidor, un grand silence se fait dans la salle. C'est Michael qui le rompt:

– Et pour arriver jusqu'au camp, c'est comment?

– En comparaison, bien sûr, ce sera plus facile; je veux dire long et pénible, mais pas dangereux... sauf aux environs immédiats de Djebel Marra. Auparavant, vous serez confondus avec les nomades qui sillonnent habituellement ces régions. Ils sont plus de trois millions au Soudan. Le plus dur sera de vous regrouper à la sortie du désert de Libye; tout devra se faire de nuit. Officiellement, vous serez des marchands en route pour le Tchad. Au pire, s'ils vous interceptent et ne suspectent pas vos intentions, ils vous refouleront de leur zone vers la frontière tchadienne. Si par contre ils devinent vos plans, ils vous feront pilonner par l'aviation soudanaise. Ce sont des Mig chinois de fabrication ancienne. Vous pouvez les tenir à distance avec les missiles sol-air que vous avez; mais il faudra vite vous évanouir dans la nature, car le combat est vraiment inégal pour vous, sans couverture aérienne.

– Bon, et le retour dans tout cela? s'inquiète Michael.

Shlomo Lidor n'est pas fâché, pour cette question délicate, de voir que le général Ayalon semble vouloir prendre la parole.

– Si vous réussissez à découvrir la matière fissile et à vous en emparer – et j'ai toute raison de vous en penser capables –, vous nous le ferez savoir par un message codé qui nous sera relayé par satellite. À ce moment nous mettons au courant les Égyptiens; et dès que les Mig chinois s'envoleront, l'aviation égyptienne ira faire une incursion en territoire soudanais et les interceptera. Puis on pourra envisager par leur intermédiaire un relevage héliporté de vos hommes; mais la plupart devront quand même se fondre dans le paysage comme ils l'auront fait à l'aller. La frontière tchadienne est facile à passer et là-bas ils seront faciles à récupérer, quand tout le tapage médiatique sera retombé sur cette affaire.

Michael ne pose même pas une question pour savoir ce qui est prévu en cas d'échec de leur part. Impossible d'envisager un incident de frontière aussi grave sans la maîtrise de la matière fissile. Les vrais Arabes pourront facilement passer pour des figures locales. Mais qu'en sera-t-il pour lui, le natif de Californie?

Pensons à autre chose, se dit-il. Juste à ce moment-là, Abdul lui pose de manière très rassurante une main sur l'épaule et lui dit:

— Cette fois, on est en plein dedans, Michael!

*

*   *

Dans la soirée, les Hommes du désert lèvent le camp. Au port d'Eilat, le matériel lourd et les animaux sont chargés sur un petit cargomixte, le *Umfrah*, qui battait pavillon yéménite et ne payait pas de mine avec sa coque toute piquée de rouille. Au point du jour, il appareille en direction de Qoseïr, un petit port sur la côte égyptienne de l'autre côté des eaux calmes et peu fréquentées de la mer Rouge, pour une navigation de dix heures environ.

Accoudé au bastingage, Michael se régale du spectacle de ces paysages splendides qui l'entourent et du calme olympien à peine troublé par le martellement asthmatique du vieux diesel et les vibrations, inquiétantes par moment, de l'arbre de transmission du navire. Dans la fraîcheur du petit matin, la visibilité est très dégagée. Les petites collines rocailleuses en bordure font comme une languette de terre gris rose qui tranche en douceur entre le bleu intense des eaux du golfe d'Aqaba et l'azur plus subtilement dégradé du ciel. À droite, dans le lointain, il distingue les contours du mont Sinaï où, paraît-il, Moïse reçut de Dieu les dix Commandements. «Tu ne tueras pas...»

En fin de matinée, le bateau double l'extrême sud de la péninsule Sinaïque; Michael, toujours sous le charme, demande à Abdul qui l'a rejoint sur le pont:

— Peux-tu me dire pourquoi, avec des eaux aussi bleues, on l'appelle la mer Rouge?

– Tu as raison, ici cela peut paraître étrange. Mais plus tard dans l'année, et surtout plus au sud, vers Aden, l'eau devient si chaude que la teneur en micro-organismes croît et en surface elle a des reflets rougeâtres... et en profondeur des tas de requins.

– Brrr... les sales bêtes. Le requin est l'animal-tueur. Plutôt rare d'ailleurs dans la nature.

– Il y a aussi l'Homme-Tueur, chez nous.

– Hé oui ! Malheureusement...

Le débarquement à Qoseïr se fait sans problème. Les caravanes définitives se constituent et se séparent. Abdul décide de s'avancer le plus possible dans le désert arabique avant d'établir le bivouac pour la nuit.

Le lendemain, ils pénètrent en Haute-Égypte après avoir franchi un dernier rempart de petites montagnes cachant, comme un écrin, les somptueux trésors architecturaux de la vallée du Nil. Michael est saisi par le panorama grandiose ; à sa vue, une inexplicable onde de vitalité le parcourt et l'étonne, lui qui avait l'esprit tout encombré des images funéraires qui lui revenaient de ce qu'il avait appris en classe où on ne lui avait parlé que de tombeaux et de momies. De cette terre, il sentait monter les effluves d'une félicité et d'une joie de vivre qui transpiraient encore 5 000 ans après.

Du plus proche qu'il peut se le permettre, il contemple les merveilleuses colonnes de Karnak, la fameuse nécropole de Thèbes avec ses cent portes, le temple de Louqsor et mille autres splendeurs qui font de cette Vallée des Rois l'une des merveilles du monde. Il admire le modernisme de toutes ces formes et la perfection des réalisations qui ont toutes deux su défier les millénaires. Il imagine ces hommes et ces femmes qui y ont vécu et les envie même un petit peu. Il sait que sur ces belles rives du Nil, en ces lieux propices à un tel épanouissement, ils ont atteint une maîtrise et un degré de raffinement qui n'ont sûrement plus dû être égalés ni même approchés par la suite.

Les civilisations passent et ne se ressemblent pas.

En quittant la Vallée, il se retourne une dernière fois et jette un regard sur toute cette féerie en rose. La lumière et la pierre font comme une symphonie de nuances sur cette tonalité. Les vents d'est charrient du désert d'innombrables poussières dorées qui se déposent partout en atténuant les formes, semblant les protéger et les rendant de loin comme irréelles. Dans sa dernière vision, le doux visage de Tanya s'inscrit en surimpression. Michael sait qu'un jour il reviendra. En touriste et... avec elle.

Pendant quelques jours encore, la traversée du désert de Libye, toujours en territoire égyptien, est une vraie promenade de santé. L'oasis de Kharga leur apparaît comme un délice béni des dieux, dans l'enfer des sables arides qu'ils ont connu. Abdul décide d'y rester pour se reposer 48 heures. Il se renseigne sur le passage d'autres caravanes. Tout va pour le mieux, les renseignements sont bons. À l'approche de la frontière avec le Soudan, la tension monte d'un cran. Plus droit à l'erreur! Après toutes ces épreuves physiques, voilà qu'apparaît une complication d'une autre nature. Michael en prend conscience. Le soir du dernier bivouac avant l'incursion irréversible, Michael et Abdul s'attardent un peu et discutent à côté de quelques braises achevant leur combustion. Abdul lui confie d'un air grave:

– Jusqu'à présent, Michael, on a mangé le mouton... maintenant il va falloir chier la laine!

Cette expression imagée déclenche le fou rire de Michael; il se reprend et dit:

– Tu me fais peur, Abdul.

– Eh bien, ce n'est pas le moment; allez, va dormir et ne t'en fais pas. Je suis sûr que tout va bien aller... Je le sens, je le veux. Et tu dois faire de même, de toutes tes forces.

– Qui vivra, verra! lui répond Michael.

Les deux hommes restent silencieux un instant et pensifs comme souvent on l'est lorsque l'on se fait prendre par la beauté et le mystère d'un beau feu de bois. Puis Michael repense à un petit détail qui le tracassait depuis quelques jours déjà. C'était le moment justement, dans le grand calme de la nuit, de s'en ouvrir à son ami qui aurait certainement la bonne réponse:

– Dis-moi, Abdul, des Arabes noirs, cela existe?

– Noirs?

– Nègres, si tu préfères... comme celui qui est assis là-bas, lui précise-t-il en lui montrant celui qu'il avait remarqué depuis qu'ils avaient débarqué et que son comportement intriguait.

Abdul semble un peu gêné par la question et feint de ne pas bien voir.

– Tu veux parler de Youssouf? Lui, c'est un Yéménite. Ce pays est très proche de l'Afrique noire, de l'Éthiopie, de Djibouti. C'est pour cela qu'il ressemble à un noir d'Afrique.

– Si tu trouves cela normal, alors tout est parfait! conclut Michael qui pense que c'est certainement la raison pour laquelle il ne l'a jamais vu parler avec les autres hommes. Mais quand même, cet Arabe à lunettes... c'est bizarre, pense Michael, car dans la journée, il avait remarqué qu'il protégeait ses yeux avec des lunettes de soleil. Enfin dans le désert libyen il se rassura en pensant qu'il valait mieux rencontrer un Arabe à lunettes qu'un serpent à sonnettes !

Puis il repense à la terrible dernière recommandation que lui a faite Abdul...

Après deux jours de progression difficile, cette portion soudanaise du désert de Libye leur apparaît comme encore plus redoutable qu'ils ne l'avaient pensé. En plus maintenant ils sont tenaillés par un sentiment d'insécurité constante. Quand des silhouettes se profilent dans le lointain, il faut faire comme si c'étaient celles d'ennemis !

Lors du troisième bivouac nocturne, Michael est soudain réveillé par Abdul qui, pour prévenir une exclamation de surprise de sa part, lui a couvert la bouche de sa main.

— Que se passe-t-il ?

— Je ne sais pas, mais je sens quelque chose d'anormal.

— Ce sont les sentinelles qui t'ont prévenu ?

— Non. Justement. C'est encore plus inquiétant. Ne bouge pas et tiens-toi prêt, pour le cas où !

Abdul se faufile hors de la tente. Il rampe dans le sable jusqu'à un point un peu plus haut d'où il pourra vérifier si son pressentiment de danger est bien exact. Michael passe la tête au dehors de la tente. Il tend l'oreille, attentif au moindre bruissement. Ce grand silence est en fait un véritable concert de petits bruits en tout genre... pour qui sait s'y attendre et les entendre. Les minutes passent et Abdul n'est toujours pas là. Et puis d'un seul coup, il peut percevoir quelques chuchotements, puis des froissements... Que faire ? Tout le reste du campement est endormi. Tout à coup, un craquement, là, très proche ; puis plus rien. Finalement ce n'est qu'une bûche du reliquat de feu de camp qu'ils avaient fait qui a bougé. Michael est de plus en plus inquiet, quand enfin il aperçoit Abdul qui se dirige vers sa tente dans un mouvement de reptation très rapide.

— Alors ? s'enquiert Michael.

— Je crois bien que l'on est en train de se faire attaquer. Les guetteurs avaient aussi remarqué qu'il se passait quelque chose.

— Tu crois qu'ils nous ont repérés ?

— Je ne le pense pas.

— Qui donc peut nous en vouloir ?

— Des pillards ! Il paraît qu'ils pullulent dans le coin.

— Ah bon, j'aime mieux cela. On va les faire déguerpir ! On a de quoi, non ?

– De quoi donner l'alerte, tu veux dire. Il faut les faire partir, mais il ne faut pas qu'ils se doutent de quoi que ce soit; sinon la nouvelle se répandra vite.

Au même moment un coup de feu claque dans la nuit. Puis quelques autres d'un son un peu différent; comme venant d'un peu plus loin.

– Que proposes-tu de faire? demande Michael voyant qu'Abdul ne bougeait pas.

– On va les laisser piquer deux ou trois chameaux, quelques marchandises et des fusils; tout en les repoussant sans trop d'excès.

– Tu veux dire qu'on va leur laisser prendre tout cela sans rien faire?

– Le coup était prévu. Et tous les soirs on laissait quelques bêtes (celles qui n'allaient pas trop bien) et des affaires sans importance, mais classiques dans l'attirail du caravanier, un peu à l'écart. À leur intention... pour le cas où ils se manifestent.

Quelques coups de feu claquent encore dans la nuit, et maintenant tous les hommes sont réveillés et prêts à agir. Abdul n'en donne cependant pas l'ordre.

– Mais ils vont revenir? clame Michael.

– Ce n'est pas sûr, car ils ont pu constater que nous leur avons riposté. Maintenant ils ne se risqueront plus.

– Tu es sûr?

– Je ne peux être sûr de rien. Je me mets à leur place. Et à leur place je filerais, pensant m'en tirer à bon compte. Si je me trompe, eh bien, on n'aura pas le choix et on fera parler la poudre. Mais il vaudrait mieux éviter cela à tout point de vue.

Après ce baptême du feu pour Michael, plus question d'aller dormir, malgré le conseil que lui en donne Abdul. Tous les hommes du camp se tiennent sur leurs gardes. Dix minutes après, l'un des hommes qui avaient repoussé les pillards est de retour et rend compte à Abdul.

– Ils sont loin et n'ont pas pris grand-chose. Nous leur avons repris un chameau. Ils étaient juste une demi-douzaine avec des vieux fusils à cartouche. On les a tous eus en ligne de mire à un moment, mais selon tes ordres...

– C'est très bien, les gars. Je suis content de vous. Faites-vous relever et aller vous reposer.

Les hommes se retirent, laissant Michael seul avec Abdul.

– Tu as vu la classe qu'ils ont! S'ils s'étaient laissés aller ou avaient agi sans réfléchir, on aurait gardé deux chameaux fatigués et trois fusils à moitié déglingués... et fabriqué six cadavres; et pas des cadavres comme les autres! Ceux-ci, en ne revenant pas de leur expédition, auraient raconté à tout le pays qu'il y avait une armée de fous furieux dans le Dar Fur. Et tout cela ne serait certainement pas tombé dans l'oreille de sourds.

– Chapeau, les gars! Je reconnais que c'est très bien vu de votre part. Pourquoi ne m'en avais-tu pas parlé?

– Parce que pour moi, c'était évident. C'est comme cela la vie dans le Désert!

– Si j'ai bien compris, ton désert: c'est la jungle!

– Va dormir, Tarzan!

Les hommes sont tous partis se recoucher, et une nouvelle garde est de faction. Michael tâche tant bien que mal de se remettre de ses émotions; allongé sur le dos, il contemple la voûte céleste et les myriades d'étoiles qui y scintillent. Il examine la situation à froid et se sent rassuré par la présence d'Abdul et par son savoir-faire. Il reconnaît humblement que livré à lui-même sur ce coup-là il aurait fait très fort! D'abord il aurait été jusqu'à se faire prendre son bracelet-montre sans s'apercevoir de quoi que ce soit, et pour arranger le tout il déclenchait une opération de représailles, de quoi ameuter tout le pays avec reportage assuré par CNN[1].

Puisse la leçon porter ses fruits!...

---

1. Cable News Network.

10

Dar Fur, Soudan

Après cinq jours de veille, aux aguets, à observer le camp des terroristes des hauteurs qui le surplombent, le désert est redevenu pour Michael ce lieu hostile et plein de dangers qu'il n'aurait jamais dû cesser d'être. La présence si proche de toute cette armada guerrière dont on ressent les pulsions vitales comme celles d'une bête fauve a complètement changé sa perception des choses. Les belles nuits du Rub'al-Khali où l'on veillait tard autour du feu à bavarder, et aussi souvent à ne rien dire, ne sont plus qu'un lointain mais bon souvenir. Michael a été très marqué par l'attaque des brigands à leur arrivée au Soudan. Maintenant d'affreux cauchemars peuplent et heurtent son sommeil.

«... Où sont mes amis? Il court, hagard et assoiffé dans le village soudanais. Il a soif et perd un peu de sang. Tout autour ce n'est que mort et désolation. Des cases brûlent. De la fumée âcre lui pique les yeux... des explosions, des coups de feu de toutes sortes: isolés, en rafale... Les ogives vont exploser. Tout a raté. Vais-je m'en sortir? C'est par là? Mais non! Je tourne en rond... J'ai mal. Un camion démarre... je cours, une main se tend... il va trop vite... trop tard... Aidez-moi... Abdul, Abdul...»

– Abdul, Abdul!

Ce cri fuse dans le silence de la nuit.

Abdul se réveille en sursaut et aperçoit son compagnon en transe à ses côtés. Il est en sueur et dit des mots incompréhensibles:

– Les bombes vont sauter...

– Je suis là, Michael. Calme-toi. C'est un mauvais rêve!

Abdul lui essuie le visage et le serre bien affectueusement dans ses bras. Michael revient à lui lentement. Alertés par le bruit, des Bédouins s'approchent pour vérifier ce qu'il en est.

– Ce n'est rien! Michael a eu un malaise. Redoublez votre garde, on ne sait jamais; les bruits portent loin dans le désert.

Abdul prépare un petit verre d'eau fraîche pour son ami.

– Bois, cela va te faire du bien.

– Excuse-moi, Abdul. Je ne sais pas ce qui m'a pris. C'était affreux. Tout avait foiré... je me suis coupé de vous et tout seul je n'y arrivais pas. Crois-tu qu'une telle chose puisse m'arriver? Tu sais, je n'ai pas votre instinct et encore moins votre expérience. Je crains que tout cela n'ait un caractère prémonitoire.

– Ne t'inquiète pas. De mon côté, j'ai aussi eu des visions révélatrices. Et tout se passe bien. Et comme toi et moi, c'est pareil...

– Alors, je souhaiterais en finir vite. Qu'attend-on ici? Cette inactivité m'est intolérable. Toujours sur le fil du rasoir! Ça me tue. Tu comprends? Abdul?

– Je te reçois 5/5; et pour tout te dire, nous avons tous ici envie de passer à l'action. Je ne pense pas que cela soit encore long. Les hommes que nous avons envoyés ne devraient plus tarder à se manifester.

– Quels hommes? Que racontes-tu?

– Il y a deux jours, une quinzaine de nos hommes sont partis en direction du camp. Soi-disant pour s'enrôler et retrouver leurs frères qui y sont déjà. En fait ils vont essayer de se faire repérer par tous ceux qui nous sont favorables dans le camp. Leur tâche est capitale, très difficile et dangereuse comme tu peux l'imaginer. Ils ont emmené de minuscules petits émetteurs indécelables.

En disant cela, Abdul sort de sa poche un petit jeton de céramique biconvexe de la taille d'un bouton de culotte, et le montre à Michael.

– Oui, je connais cela; mais...

– Pour le moment, il est encore trop risqué pour qu'ils commencent à s'en servir. Ils ne doivent le faire qu'à coup sûr; et à ce moment-là, ce sera notre feu vert pour l'attaque. Nous pouvons les localiser par radio ultrason. Ils sont tous bien répartis dans le camp, et aucun n'a émis de signal de détresse.

– Pourquoi ne m'as-tu rien dit? Tu avais peur que je ne comprenne pas le fonctionnement?

– Ce n'est pas ça, Michael. Mais imagine que par malheur tu sois tombé dans leurs mains. Ils te mettent deux claques et tu leur donnes jusqu'à ton numéro de Sécurité Sociale! Et tout le plan est par terre.

– Tu as raison. Moins j'en sais et mieux c'est! D'ailleurs, tu as bien vu, je pleure la nuit et j'appelle ma mère!

– Arrête de dire des conneries! Garde tes forces! Fais comme nous, nous en aurons tous besoin.

– J'espère seulement que quand vous aurez décidé de partir, tu m'avertiras. Ne me laissez pas tout seul ici. Là-bas, je ne sais pas comment ce sera; mais ici, c'est clair, net et précis, je déteste.

Un homme de faction se dirige en silence vers Michael et Abdul qui finissaient leur petite conversation à voix basse.

– Tout va bien, Abdul. Rien n'a bougé à quinze lieues à la ronde. Bonne nuit!

– Bonne nuit, Fayçal.

Sur le versant opposé, l'Émir et l'autre moitié de l'effectif ont pris position. Pour eux l'attente est longue. La nuit, des émissaires passent d'un versant à l'autre pour échanger les informations et coordonner l'action.

Au matin du sixième jour, Abdul va trouver Michael:

– C'est pour demain!

– Tu veux dire, c'est demain que...

– Je croyais que tu étais pressé d'en découdre?

– Mais je suis toujours pressé d'y aller. Tu peux me dire ce qui fait que... ou c'est un secret?

Abdul le prend par l'épaule et tout en marchant:

– Les gars de l'Émir ont reçu un message radio cette nuit. Les émetteurs sont très rudimentaires et leur portée assez capricieuse. Ce sont eux qui les ont captés. Tout va bien pour nos envoyés. Ils se sont intégrés...

– Pour des intégristes, c'est normal, non? plaisante Michael.

– Si on veut; mais mieux, ils ont fait la jonction avec nos hommes qui étaient dans la place. Il paraît même que les terroristes leur ont facilité le travail, puisqu'ils ont fait venir Hassim, le propre fils d'un de nos chefs de clan, qui est avec eux depuis presque deux ans déjà, pour les identifier. Ils ne pouvaient pas mieux faire! Nous sommes tous soulagés de savoir qu'Hassim est sain et sauf. C'est un garçon très futé, droit et fort. Il a certainement dû faire du bon travail. Michael, je ne te dis que cela, tout s'annonce pour le mieux. Bon, eh bien maintenant, il ne faut plus traîner. Cette nuit nous descendrons toutes les armes dans la vallée. Demain, Michael, tu seras un autre homme. Celui que tu voulais être!

– Ravi de l'apprendre!

De tous les coins de rochers, de chaque anfractuosité du paysage sortent hommes, animaux et pièces d'armement. Impossible de faire cette dernière phase dans la discrétion la plus totale, comme pendant ces cinq jours où tous sont restés tapis comme des bêtes traquées. L'heure était venue de prendre des risques; ils en avaient tous bien conscience. Dans l'esprit de Michael, tout était bien clair à présent. Il ne quittait pas Abdul d'une semelle; les hommes de la troupe lui semblaient maintenant plus familiers. Il comprenait le rôle de chacun et avait saisi les grandes lignes de l'attaque qu'ils allaient mener tous ensemble. D'un seul coup, il se rendit compte qu'il se trouvait exactement à la place qu'il souhaitait occuper, ce qui lui aurait paru complètement surréaliste encore le mois dernier; et avec cette sensation, venaient tout naturellement la confiance et aussi l'impatience.

«Demain tu seras un autre homme!» Cette petite phrase d'Abdul lui trottait dans la tête. En tout cas, aujourd'hui, il se sentait un homme heureux: face à son destin, mais l'ayant pleinement accepté.

*

*   *

Cinq heures du matin. Une nuit noire, presque sans lune, s'est faite jusqu'au bout la complice de l'ultime déplacement préliminaire à l'attaque. Comme une armée de fourmis, les hommes d'Abdul ont gagné la vallée au prix de mille efforts et autant de dangers. Dans l'obscurité et la pente escarpée, les bêtes lourdement chargées se tordaient les pattes dans la rocaille, laissant échapper des beuglements plaintifs. Les hommes les retenaient, les relevaient avec toujours la crainte de se faire repérer ou de subir un éboulement. Des éclaireurs en aval tentaient de déjouer l'éventualité de la présence d'une patrouille ennemie. Pendant ce temps, l'Émir et son groupe faisaient une progression plus facile au sud, vers l'aplomb du camp, en restant sur la hauteur.

Le jour se lève et un premier rayon de soleil franchit le crêt montagneux pour venir, sans grande intensité encore, flatter le haut du versant opposé. Dans l'ombre propice de la vallée, les hommes et les bêtes se sont camouflés. La route qui la traverse a été minée et deux batteries de missiles anti-char sont braquées en direction du camp. Tout est étrangement calme. Le paysage est lunaire. Les hommes sont immobiles et comme recueillis.

En face de lui, la vallée fait comme un renflement arrondi, il y a du sable par terre ; Michael pense à une arène de tauromachie...

Vers 5h30, un grondement sourd vient du lointain ; les phares des camions percent les derniers reliquats de ténèbres. Maintenant on distingue très nettement le convoi. Il y a une dizaine de camions et avec la jumelle infrarouge on peut distinguer des silhouettes dans les cabines. Des hommes ; et donc des frères, des fils, des pères ou des maris ; qui sait, des enfants ?

Dans sa poitrine, Michael sent son cœur battre à tout rompre. Abdul lui glisse à l'oreille :

– À partir de maintenant, une minute, c'est 60 secondes de danger. Fais gaffe à tout. Bonne chance, Michael !

À peine a-t-il fini ce bon conseil qu'une mine télécommandée explose sous un camion, le soulève presque à la verticale et le retourne sur le côté, en flammes.

Presque en même temps deux, puis trois, puis quatre mines font de même. Plusieurs missiles sol-sol sont tirés. La plus grande confusion règne car la fumée et l'obscurité entravent la visibilité. Les chameaux galopent vers les camions en flamme. Sur leurs dos, les Bédouins font preuve d'un remarquable équilibre et aussi d'une adresse et d'une audace hors pair. Les terroristes qui se trouvaient à l'arrière des camions, certainement encore mal réveillés, n'ont pas le temps de tenter une esquive et encore moins une riposte. La plupart ne se seront même pas rendu compte de ce qui arrivait, leur véhicule étant passé de la normale à l'état de boule de feu en une fraction de seconde. Beaucoup arrivent quand même à s'échapper et tentent de se mettre à couvert loin des camions, ayant compris qu'ils étaient la cible de machines infernales. Mais les premiers rochers sont loin de la route et les cavaliers leur font subir de lourdes pertes. Un nombre infime s'égaille dans la nature et tâche du mieux qu'il le peut de faire le mort... alors que tous les autres n'ont hélas plus ce mal à se donner. En cinq minutes très exactement, le ménage a été fait. Abdul et Michael sont maintenant près des épaves calcinées. Curieusement, l'un des camions a été entièrement épargné. Son moteur est même resté en marche. Fayçal, le bras droit d'Abdul, s'en approche doucement et découvre deux types terrorisés qui s'étaient cachés en dessous. Ils sont sous le choc de cette attaque-surprise et ne font aucune difficulté à répondre aux questions. Ils étaient dans la cabine.

– Très bien, dit Abdul. Qu'ils y remontent ! et nous avec, bien sûr. Ils vont nous ramener au camp. Et puis, il y a certainement des choses intéressantes à l'arrière du camion. Michael, vas-y avec dix hommes et inspecte tout cela. Direction le camp! Moi je fais un brin de causette avec le chauffeur; faites la même chose avec son collègue!

Les déflagrations proches ont mis tout de suite le camp en état d'alerte générale. L'Émir observe tout cela de la colline. Il remarque que quatre chars légers de fabrication brésilienne se sont mis en marche vers la sortie du camp et il ordonne aussitôt qu'on les intercepte. Des missiles portatifs TOW[1] sont tirés et les quatre blindés légers sont pulvérisés avant d'avoir pu prendre leur élan. Immédiatement, il déclenche l'assaut du camp. Avec ce timing, il était prévu qu'ils devraient faire, lui et Abdul, une entrée à peu près synchrone dans le camp.

Chez les terroristes, on a tout de suite compris qu'il s'agissait d'une attaque de grande importance. Une partie des hommes de l'Émir est restée sur la hauteur et effectue un pilonnage d'artillerie qui jette la panique dans tout le camp, où personne n'arrive bien à comprendre ce qui arrive. Plusieurs habitations ont déjà pris feu. Des femmes et des enfants courent un peu en tous sens. Les responsables du camp tentent de se réfugier dans leur Q.G., qui était effectivement, comme le laissait supposer l'information israélienne, situé dans la grande bâtisse en dur. Mais quand ils y arrivent, ils essuient le feu nourri d'Hassim et de ses compagnons qui avaient devancé les événements et s'étaient rendus maîtres des lieux pendant la nuit.

Cette attaque surprise déconcerte Homayoun. Il savait bien que les Occidentaux connaissaient la présence du camp et il pensait que la seule attaque possible ne pouvait être qu'aérienne; dans ce cas, à moins de venir du cosmos, les avions seraient repérés à l'entrée de l'espace aérien soudanais et le plan était de s'enfouir sous terre dans les abris qui avaient même été conçus pour résister à une offensive nucléaire. Et personne n'aurait jamais osé se risquer par voie terrestre. Il pense tout de suite aux Égyptiens, mais n'a pas trop de temps pour réfléchir sur l'identité des causes. Il est rongé par l'idée, qui ne peut se faire que de plus en plus précise, que c'est aussi de l'intérieur que le danger est venu. Lui qui a si bien su jouer de cet instrument est bien placé pour connaître aussi l'étendue de son registre meurtrier. Sa vengeance sera terrible; mais pour l'instant sa propre survie est en jeu. Dans un éclair de lucidité il ne cède pas au

---

1. Missile sol/sol/portée 3 km/guidage par fil jusqu'à la cible.

réflexe d'aller se terrer pour se soustraire à la pluie de fer et de feu qui s'abat sur le camp; et il a raison car, vu la nature de l'attaque, il serait fait comme un rat. Il décide tout de suite de se retrancher dans un petit hangar creusé dans le flanc de la montagne et qui contient une demi-douzaine de chars chinois T-72 avec des canons de 122 mm et un stock de munitions inépuisable.

Déjà, les premiers hommes d'Abdul et de l'Émir font irruption. Homayoun a sauté dans un Land-Cruiser Toyota en direction du hangar à blindés. Quand il aperçoit les chameaux dans un galop épars, ayant pris l'allure de boules de feu tant leurs cavaliers ne cessent de faire crépiter leurs armes sur tout ce qui bouge... ou va bouger, il n'en croit pas ses yeux. «Qu'est-ce que c'est que cette histoire? Des Bédouins? C'est de la folie!» pense Homayoun. Une rafale d'arme automatique atteint le petit véhicule qui s'élance à toute vitesse. Homayoun, se baisse sous le tableau de bord, le pied à fond sur l'accélérateur. Le pare-brise vole en éclats. À côté de lui, l'homme qui avait pris place ne se relève pas. Il saigne abondamment et Homayoun repousse son corps qui coinçait le levier de vitesse. Homayoun louvoie pour éviter les obus de mortier qui encadrent la course folle de la voiture vers le hangar. Un autre pick-up japonais dont la plage arrière est équipée d'une mitrailleuse lourde n'a pas cette chance. Un obus l'atteint de plein fouet et il explose en tuant tous ses occupants.

Arrivé sous le couvert d'une petite colline et hors de portée des Bédouins, Homayoun respire un peu. Plusieurs véhicules légers ont pu passer. Le hangar à blindés est maintenant tout proche. La contre-offensive va pouvoir commencer. Les hommes en poste dans le hangar sont un peu affolés. Ils ont compris que quelque chose de grave se passait, mais comme les amis d'Hassim avaient saboté le réseau de communications, ils n'en savaient pas plus. L'arrivée d'Homayoun et d'une cinquantaine d'hommes les rassure. Homayoun prend tout de suite le contrôle des opérations.

Un homme en treillis, à la peau blanche, va au devant de lui:
– Que se passe-t-il?
– Une attaque. Vite, Oleg, aux postes de combat! Démarre les chars et casse-moi toute cette vermine. Ce sont des méharistes. Peut-être des Tchadiens? Mais cela m'étonnerait. Par contre, ce qui est certain, c'est qu'il y a des gars de chez nous qui leur ont ouvert les portes. Les voilà! Vite, vite! Démarre!

Les tankistes se glissent prestement dans leurs monstres d'acier au blindage épais et peint aux couleurs de l'armée soudanaise.

Quand ils émergent du couvert de la colline, la petite esplanade sablonneuse est envahie d'une nuée de chameaux au grand galop. Les blindés les accueillent d'un tir nourri qui cause les premiers ravages chez les Bédouins. Abdul comprend tout de suite le danger et donne l'ordre de se replier. Les canons des tanks tonnent et sèment un peu la panique sur le troupeau de chameaux, tandis que des rafales de mitrailleuse en ont aussi couché de nombreux sur le sable. Dans ce grand désordre, Michael a perdu de vue Abdul. Mais il n'a presque même pas le temps de s'apesantir là-dessus. À ses oreilles, les balles sifflent et des obus creusent de petits cratères régulièrement autour d'eux. Il voit maintenant au loin le bâtiment qu'Hassim avait investi et qui est devenu le point de repli idéal face à cette attaque des blindés. Le galop des chameaux se fait de plus en plus court et le tir des chars de plus en plus précis, à mesure qu'ils se rapprochent des cavaliers. Plusieurs de ses compagnons autour de lui ont déjà mordu la poussière.

«Où donc peut bien être Abdul?»

Tout à coup, un sifflement lui parvient de derrière. Proche, de plus en plus proche. L'obus tombe à quelques mètres du chameau et son souffle couche la bête à terre, fauchée en plein galop. Michael part cul par-dessus tête, éjecté de sa monture à pleine vitesse. Il reste knock-out quelques secondes au sol. Heureusement le sable a amorti sa chute. Le chameau se relève et effrayé repart au galop sous des cieux qu'il espère plus cléments, un peu plus loin.

Michael est à terre et assiste à cela impuissant. Il regarde en arrière de lui, ce qu'il n'avait pas fait depuis longtemps. Il aperçoit quatre chars et constate qu'ils sont presque arrêtés, sûrement pour mieux assurer un tir de précision. La maison lui paraît inaccessible et l'idée de se relever sous toute cette mitraille lui semble complètement incongrue. Il repense au rêve qu'il a fait à son arrivée au Soudan. Et de l'autre côté... Vision horrible, un véhicule blindé léger se dirige droit vers lui!

Il reste figé au sol et voudrait ressembler à un grain de sable. Il ne peut s'empêcher de laisser échapper un juron.

«Mais que suis-je venu faire dans cette galère?» Il sent vraiment que sa dernière heure est arrivée. Des images défilent à toute vitesse, avec une ponctuation de coups de tonnerre et de gerbes de sable qui voltigent.

Il revoit le visage fin et doux de sa mère. «Michael, pourquoi restes-tu tout le temps enfermé. Va donc avec tes amis à la plage, t'allonger sur le sable chaud...»

Le sable chaud! cela fait une éternité qu'il s'y sent cloué, incapable de réagir. Dans sa semi-conscience, c'est maintenant le visage de Tanya qui apparaît. Fallait-il donc qu'il ait dû en arriver là pour comprendre qu'il l'aimait vraiment? Après toutes ces épreuves, le lui avouer en face ne poserait plus aucun problème... et le type de la montre ou du pull-over ne serait certainement pas de taille à le faire reculer. Il n'hésiterait pas à mettre le paquet. Ce ne serait pas une montre qu'il lui achèterait, mais la bijouterie entière! et après il la laisserait choisir. Pour lui qui était entré plusieurs fois dans le «Top Ten»[1] de *Forbes*, où était le problème? Mais pour l'instant, la suite du programme était bien compromise.

Il lève péniblement sa tête de quelques centimètres et constate que ce qui n'était qu'un point à l'horizon est une chenillette armée bigarrée, couleur sable. Plus de doute, elle se dirige bien vers lui. «Si je ne bouge pas, peut-être qu'ils me prendront pour un mort... mais à ce moment-là ce sont les autres qui... Vont-ils m'abattre, direct? Et s'ils s'aperçoivent que je ne suis pas comme les autres? Ils vont me garder. Est-ce vraiment mieux? Quelle merde! Sûr, ils vont me balancer une rafale au passage, histoire de voir! Je les entends maintenant. Mon Dieu! Ce sont des sauvages...»

– Mister McDougall! Bougez-vous le cul si vous voulez revoir Sunset Boulevard!

De la chenillette arrêtée, moteur en marche, juste à côté, cette annonce familière et inattendue en argot de son pays, criée pour couvrir les détonations, parvient à Michael qui sur le moment n'y croit pas, pensant plutôt qu'il avait sombré dans le délire. Une main immense comme celle d'un basketteur se tend à lui et l'empoigne pour le monter à bord. D'un basketteur noir justement...

– Qui êtes-vous? lui dit Michael en reconnaissant Youssouf.

– Sergent Howard Barns, *Desert Rat Special Unit, U.S. Army*. Appelez-moi Howie!

La chenillette bondit sur le sable sans s'attarder davantage, car elle a tout de suite été prise comme cible par les armes automatiques des terroristes. Bien à l'abri dans le petit véhicule blindé, Michael achève de recouvrer tous ses sens.

– Mais que faites-vous ici, dans cet enfer, Sergent Barns?

– À votre avis? Vous ne pensez tout de même pas que je sois là pour mon plaisir! Service commandé, monsieur McDougall.

– Commandé par qui et pour qui?

---

1. Les 10 plus grosses fortunes des États-Unis.

— Par qui, cela reste à voir! Par contre pour qui... eh bien, pour vous. J'ai reçu l'ordre de ne pas vous quitter d'une semelle pendant toute cette opération. Et je vous assure que dans tout ce merdier, cela n'a pas été facile. Dieu merci, je vous ai récupéré sain et sauf.

— Mais comment avez-vous fait pour me retrouver?

— Pour cela il faut remercier Omar. Il a tout de suite compris qu'il vous était arrivé quelque chose quand il a vu le chameau errer tout seul sans son cavalier. Alors on a tout passé au peigne fin, à la jumelle... et voilà comment je suis parvenu jusqu'à vous.

— Merci pour tout! À part cela, vous qui êtes du métier, comment les choses se présentent?

— Pas terrible! C'est du 50/50! En plus, eux, ils jouent à domicile!

Michael regarde avec un brin de reconnaissance son sauveteur, qui semble tout à fait à son aise aux commandes du blindé léger, dans le vacarme des détonations, au milieu des cratères de bombes. En arrivant aux abords de la grande maison qui leur servait de base avancée, le sergent Barns lui fait une ultime recommandation:

— Ne descendez que lorsque vous serez sûr d'être à couvert!

Dans la maison, Michael retrouve Abdul qui lui saute au cou, de joie.

— Tu m'as fait peur, mon salaud! Mais qu'est-ce que tu as? Tu es blessé?

— Juste un peu groggy!

— Occupez-vous de lui! dit Abdul aux hommes qui se trouvaient juste à côté.

— Et les autres, Abdul, il faut aller les chercher...

On conduit Michael dans une petite pièce sur l'autre côté de la maison. Déjà les bruits du combat lui paraissent plus éloignés. Au bout d'un moment, Abdul vient le rejoindre en compagnie d'Hassim. Il en profite pour faire les présentations.

— Abdul, dis-moi vite: où en est-on?

— Eh bien, grâce à notre ami Hassim, tout ne vas pas trop mal. Il avait eu l'idée géniale de dévisser les injecteurs des tanks chinois qui étaient remisés en face. Avec les vibrations, au bout d'un certain temps, ils sont donc tombés en panne en plein champ de bataille...

— Et vous les avez traités au missile TOW...

— Pas du tout! Car nous comptons bien nous en servir, pour la suite et peut-être même pour notre retour. Il n'y en a qu'un qu'on n'a pas pu avoir. C'est celui du chef des blindés, Oleg, un mercenaire russe. Un cas celui-là. Si on lui avait touché *son* char, il l'aurait remarqué car il passe son temps à le bichonner, et cela aurait dévoilé le sabotage. Homayoun, lui, s'est envolé. On va se le faire. Tant pis pour le char. Mais cela ne va pas être facile car Oleg est vraiment enragé. Homayoun parti, il n'y aura plus de résistance avec le reste des hommes. Les plus virulents, d'après Hassim, encadraient ceux qui sont partis en manœuvre ce matin dans le désert.

— Et qui y sont restés! dit Michael.

— Dieu t'entende!

— Et pour le combustible nucléaire, quel est le plan?

C'est Hassim qui prend le relais pour en parler avec Michael, Abdul ayant senti la nécessité de retourner sur le théâtre des opérations.

— Tout cela se passe dans un bunker souterrain. Nous savons comment y pénétrer. Mais le problème ce sont les deux physiciens qui supervisent tout ce qui concerne le nucléaire dans ce camp. Cela devrait bien aller avec le Russe, un dénommé Litvinoff. Lui, c'est surtout pour une question matérielle qu'il en est arrivé là. Dans son pays il avait pour salaire l'équivalent de ce qu'un Occidental de son niveau a pour ses cigarettes! Mais l'autre, un Pakistanais répondant au nom de Khosrokhavar — ici tout le monde l'appelait «Croco» — est un fanatique. Il fait cela pour le salut de son peuple. Il ira jusqu'au bout et est capable de tout faire sauter avec lui plutôt que de se rendre. Sans eux, rien n'est possible. Il y a des codes à tous les niveaux; et tout est réglé pour une autodestruction en cas de doute.

— Tu y as déjà été dans leur bunker?

— Moi, personnellement, jamais. J'ai essayé, mais c'était vraiment prendre le risque de me faire découvrir. Par contre, j'ai fait parler un homme qui y a travaillé.

— Et qu'as-tu appris? À quoi cela ressemble-t-il?

— Difficile de se faire une représentation. Le type qui m'en a parlé est un paysan du Nefoud, au nord de l'Arabie. Avant de venir ici, il n'avait jamais vu une ville digne de ce nom. Alors pour lui, c'était de la science-fiction.

— Mais qu'y a-t-il vu exactement?

— Il a parlé de grandes salles avec des murs carrelés, des portes métalliques que l'on ouvre avec des roues, des cuves pleines d'eau.

— De l'eau lourde, peut-être?

— Ça, je ne sais pas. L'eau lourde ou légère, je ne vois pas comment on peut savoir...

– Il n'y a pas un détail qui l'ait frappé et qu'il t'aurait rapporté, de ce qu'il avait vu ?

– Ah, si ! Il m'a dit qu'il y avait des tas et des tas de télévisions... et jamais d'images. Que des signes qu'il n'avait jamais vus nulle part.

– Des ordinateurs, évidemment ! Merci Hassim, on va se débrouiller avec tout cela. Si quelque chose d'autre te revient, n'hésite pas à me le dire... même si cela te paraît insignifiant.

– Oui, Michael.

Au même moment, Abdul fait irruption dans la pièce comme un diable qui sort de sa boîte. Il leur hurle :

– Vite ! Aux abris ! Des avions !

Depuis un bon bout de temps, les hommes d'Abdul savaient qu'une attaque aérienne de la part des Soudanais était à craindre, car Homayoun avait certainement dû envoyer un message de détresse au Quartier Général des forces armées de la capitale soudanaise afin qu'on leur vienne en aide. Il est probable qu'il pouvait les diriger du sol et leur indiquer de viser le bâtiment que les envahisseurs avaient pris. Sans un mot, certains hommes sortent et se dispersent au dehors avec les véhicules et les blindés légers qu'ils avaient capturés ; et tous les autres s'engouffrent à la cave qui communique avec le réseau souterrain, guidés par ceux qui connaissaient les lieux.

Malgré la profondeur de leur cachette, les effets du bombardement de surface leur parviennent sous forme de vibrations et de tremblements terribles. Là-haut, après deux passages des Mig soudanais, la maison qui avait autrefois abrité un fonctionnaire britannique n'est plus qu'un amas de pierres. Plusieurs véhicules sont endommagés par les tirs des chasseurs-bombardiers. Heureusement, ils sont vite à court de munitions et doivent rentrer à leur base, ce qui laisse au moins deux bonnes heures pour continuer la mission.

L'alimentation électrique du réseau souterrain a beaucoup souffert du bombardement et les hommes doivent se contenter des quelques ampoules maigrelettes du système de secours. Sur les murs en ciment brut de décoffrage, l'ombre des hommes donne des aspects lugubres. Le danger de se trouver face à une mauvaise rencontre est omniprésent. Michael pense au métro new-yorkais... en plus propre ; mais pour ces hommes des grands espaces, il pense que toute cette claustration doit leur être bien pénible. Aucun ne s'en plaint. Tous marchent en silence et vont leur chemin comme attirés par un puissant aimant. Arrivés à un carrefour, une échappatoire verticale se présente. Abdul dit à l'adresse de Michael :

– Cela donne sur un dépôt, qui en principe nous est acquis. Ils vont aller vérifier. Je vais avec eux.

– Je te suis, lui dit Michael, un peu terrifié à l'idée qu'il pourrait rester seul dans cette galerie sinistre aux allures de catacombes.

L'endroit où ils débouchent servait de remise pour tout un bric-à-brac d'équipement militaire ; quelques armes aussi. Les occupants n'en sont pas tous partis ; ceux qui restent se rallient sans difficulté, surtout quand ils voient qu'ils ont affaire à des gens de leur pays, des croyants comme eux.

Bien qu'ils soient sous abri, les yeux des hommes ont un peu de mal à se faire à la lumière si vive du soleil de midi. Dehors la canonnade est continue, mais assez lointaine tout de même. Sur cette planète où l'on recense plus de 150 langues officielles, et dix fois plus encore de dialectes, comment se fait-il que l'esperanto du langage des armes soit encore celui qui soit le plus utilisé quand les hommes ne se comprennent plus ? Allant de nouveaux maux en nouveaux mots, on s'ingénie à le décliner dans tous les sens et en tous lieux, sur fond de larmes et de cris. Jamais aucune épargne : dans les nuages du ciel, demain dans le cosmos ; sur les flots de l'océan, déjà dans ses profondeurs abyssales ; sur les glaces des pôles et en ce moment dans les sables du désert...

Abdul fait vite le point de la situation :

– Je crois que l'Émir et ses hommes sont en difficulté. Les terroristes ont dû se regrouper et les combattre sur le flanc ouest. Il faut absolument que nous y allions en renfort. Nous les prendrons à revers. Voyez ce que vous pouvez trouver comme armes et véhicules dans ce hangar. Ne faites pas trop confiance aux hommes que nous y avons trouvés. Michael, viens un peu ici ! Je compte sur toi pour t'occuper de la récupération du combustible nucléaire.

– Je veux bien, mais...

– Hassim t'accompagnera au bunker avec une escorte de dix hommes. Tu connais le langage des scientifiques. Il faut que tout soit bouclé avant la nuit ; car si nous ne quittons pas cet enfer maudit ce soir, je crains que notre retraite ne devienne une hécatombe.

Hassim se fait connaître, puis reconnaître par le garde qui se tenait à l'entrée souterraine du bunker atomique. En ces temps troublés, le garde est content de voir un visage ami et il les laisse pénétrer sans se méfier. Michael abaisse un peu plus sur son visage les plis de son *twab*. À mesure qu'il avance, il remarque que les lieux ont de plus en plus l'allure d'un laboratoire. Quel contraste avec les paillottes de la surface ! Enfin ils arrivent dans une grande salle dans laquelle les attendaient les deux spécialistes en arme nucléaire.

— Que se passe-t-il ? aboie Bupesh Khosrokhavar.

— J'apporte les ordres du Chef. Nous avons été attaqués. Il faut évacuer tout le combustible nucléaire.

— C'est impossible. Un tel ordre ne peut venir d'ici. Je dois avoir confirmation de l'extérieur et connaître les codes.

— Tu vois bien que cela va mal, lui dit Igor Litvinoff, qui comprend que la situation est grave et aimerait bien se trouver autre part. Fais ce qu'il te dit.

— Il n'en est pas question. Si nous n'avons pas la preuve que la situation est contrôlée en haut, nous ne pourrons recevoir le code qui nous permet de réactiver le système de sécurité... et tout sautera à 18h00.

Puis il remarque l'attitude suspecte de Michael, toujours plus masqué que couvert, qui regardait avec trop d'insistance tout le matériel qui équipait la pièce. Khosrokhavar sort un revolver, se précipite sur lui et lui arrache son turban. Au même moment, rapide comme l'éclair, un des hommes d'Hassim prend son couteau et le lance avec une violence inouïe sur Khosrokhavar. La lame lui transperce la gorge, lui sectionnant la carotide. Il tire une balle qui se perd dans le plafond et chute au sol en perdant beaucoup de sang.

— Vous êtes fous ! hurle Igor. S'il meurt, nous n'avons aucune chance de pouvoir neutraliser l'autodestruction !

La blessure qu'a reçue le Pakistanais est mortelle. Même en présence d'une unité de soins intensifs, le contrôle de l'hémorragie aurait été impossible. Le pauvre homme se tient la gorge, mais dès qu'il relâche, le sang gicle avec une pression incroyable.

— De toute façon, il n'y avait que cela à faire ! conclut Hassim, avalisant le geste réflexe qu'avait su avoir son compagnon.

Michael est surpris par cette action meurtrière qui s'est passée sous ses yeux, et qu'il n'a même pas eu le temps d'analyser. Igor se lamente... plus sur son sort que sur celui de son collègue qu'il n'avait pas l'air de bien apprécier. Michael se tourne vers lui :

— Vous n'avez pas le choix ; vous marchez avec nous... ou vous y restez ? avec nous... également !

— Je veux bien ! en fait je voudrais bien ! Mais tout seul, je ne peux m'en sortir avec le codage du système de sécurité. C'était justement calculé pour ne pouvoir fonctionner que l'un contrôlant l'autre. C'est classique comme système !

— Et où sont-ils, ces codes ? s'impatiente Michael.

214

– Là-dedans! lui répond Igor Litvinoff en lui montrant d'un geste large la forêt d'ordinateurs qui se trouvaient sur de grandes étagères en cornières métalliques, aussi nombreux que dans la vitrine d'un magasin spécialisé. Ils sont tous branchés en réseaux interactifs et leurs effets se potentialisent. La réponse à votre question est là-dedans, c'est sûr. Mais comme une épingle dans une meule de foin...

– Vous y avez déjà touché? lui demande Michael, abrupt.

– J'ai quelques notions; mais l'informatique, ce n'est pas mon truc. Et puis Bupesh s'arrangeait pour que j'en sache le moins possible. Non vraiment, je ne vois pas comment on peut faire. Il faudrait une équipe de spécialistes pointus sur la question... et surtout beaucoup de temps. Non, croyez-moi, il vaut mieux filer d'ici. En roulant vite, on a encore un peu de chance d'éviter le souffle et la retombée toxique.

– Désolé! Mais ça, vous l'oubliez pour le moment. Je vais les faire causer vos engins; mais j'ai besoin quand même de votre aide. Montrez-moi l'intercom primaire!

– Parce que vous vous y connaissez? interroge Igor.

– Je vous expliquerai plus tard; pour le moment nous n'avons que quelques minutes pour lui faire cracher le morceau.

Les deux hommes s'affairent devant la batterie d'ordinateurs. Michael va de l'un à l'autre, virevolte d'un clavier à un autre comme un organiste virtuose devant une belle page de César Franck. Il se trouve devant la plus fantastique énigme de logique mathématique qu'il ait jamais eu à traiter. Cela lui rappelle l'époque où il passait ses examens. En temps limité, sa vie future se jouait. En temps encore plus limité, c'est de son avenir instantané qu'il s'agissait.

Litvinoff comprend vite que cet homme a du génie et cela mobilise en lui des énergies un peu enfouies; avec son bagage de physicien nucléaire de l'Institut de Moscou, il a tôt fait de se familiariser avec le système informatique et tous deux avancent à grands pas dans leur recherche. À chaque instant, Michael note la subtilité du langage codé et en déjoue les pièges. «Où cela nous mènera-t-il?» pense-t-il.

– Celui qui a pondu tout cela en a sous le chapeau! commente-t-il à l'adresse d'Igor.

– Tout est *made in Pakistan*, lui répond Igor. Vous avez raison... et c'est pour cela que je me fais du mauvais sang. À mon avis, le système est bouclé. Il nous manquera toujours une clef pour déverrouiller.

– Exploitez tout ce que vous pouvez du tertiaire !

Les imprimantes laser crachent des informations. En un coup d'œil, Michael en fait la synthèse, puis jette le papier à terre et se plante à nouveau devant les petits pavés lumineux qui, à eux tous, forment un écran géant.

Les minutes passent. Igor transpire malgré la température ambiante parfaitement régulée et a plutôt tendance par moments à s'agiter en tous sens. Il va vers la console principale commandant les opérations nucléaires, pianote les claviers comme un musicien en mal d'inspiration, puis il revient vers les ordinateurs, renseignant d'un mot son co-cogiteur. Michael est apparemment plus calme, restant parfois de longues minutes à fixer un minuscule point d'un écran parmi tant d'autres.

Dehors, un peu plus loin, les hommes de l'Émir sont salement accrochés par ceux d'Homayoun qui ont réussi un spectaculaire regroupement. Acculés à un flanc de montagne, pour eux, c'est l'enfer. Leurs pertes sont lourdes. Une nouvelle vague de Mig-25 de la force aérienne soudanaise est revenue et leur a fait beaucoup de mal. Les terroristes les pilonnent systématiquement avec des mortiers de 120 mm tirant à la verticale. Pendant ce temps, Abdul et ses hommes ont pu récupérer les chars chinois. Les moteurs ont été arrangés, les pompes à fuel réamorcées et on a aussi fait le plein de munitions. Avec trois chars en état, ils vont aller prendre à revers Homayoun et les siens, avec une supériorité numérique de un contre trois chars en leur faveur. Mais Oleg est, paraît-il, un fin manœuvrier...

Quinze mètres sous terre, Michael et Igor sont toujours en train de se creuser les méninges. Michael maîtrise de mieux en mieux le système ; mais c'est le moment où un tout petit bout de chance ferait gagner beaucoup de temps. La petite goutte d'eau qui déclencherait la cascade syllogistique lui permettant de résoudre le problème. Et tout d'un coup, Michael entrevoit un nom qui s'inscrit virtuellement entre tous les symboles qui scintillent sur les écrans cathodiques : Supata... Supata Supatanasynkassem... diminutif, Pat. Mais oui, il le revoit maintenant : un étudiant Pakistanais justement. Plus que doué, brillant. Il l'avait eu comme élève à Stanford. Et tous les deux, ils s'étaient codé un logiciel pour préserver leurs recherches des autres utilisateurs de l'ordinateur. Et si c'était lui qui... alors il aurait peut-être pensé à cette formule qu'ils avaient mise au point juste pour s'amuser. Comment était-ce donc ? Michael n'écoute plus rien et ne connaît plus l'instant présent. Il voyage vingt ans auparavant dans ses pensées. Il va d'un clavier à l'autre et ne répond même plus à Igor. Et puis d'un coup il murmure :

– Je crois que...

Puis deux tons plus fort, il annonce :

– Ça y est. Je crois que c'est cela !

Igor est sidéré des informations qu'il voit passer à l'écran. Et maintenant il y croit lui aussi.

– Je crois que c'est bien cela. En tout cas, c'est sans danger d'essayer.

Il part et se livre à toute une manipulation sur la console de commande de l'arsenal nucléaire. Lui qui avait été si slavement réservé jusque-là se laisse gagner par une certaine euphorie. Comme lorsqu'une chose inespérée, mais vitale, est en train de se produire. Il indique aux hommes qu'ils peuvent manœuvrer les épaisses portes blindées des cellules où le matériau fissible a été stocké. Au bout d'un certain temps, Michael les voit ressortir des containers d'acier dans lesquels sont placées des sphères métalliques de la taille d'un ballon de football. Il pense alors : « Tout cela pour ça ! »

Igor le rejoint et lui confirme que toute la matière est bien là. Il le félicite pour ce qu'il a fait et le regarde avec une profonde admiration dans les yeux.

Hassim part de suite pour tenter d'avertir Abdul de la nouvelle. Avec un peu de chance, l'heure de la retraite a sonné !

Le regard fatigué de Michael se perd un peu sur les cloisons aux couleurs insipides de la salle souterraine, et s'arrête sur la pendule murale. Les deux aiguilles sont alignées, à la verticale. C'est précisément à 6.00 heures a.m. et p.m. que chaque jour un système d'autodestruction des installations peut s'armer, si l'information codée appropriée ne lui est pas fournie !

En surface, la situation est plus que jamais très chaude. La contre-attaque blindée que mène Abdul a de quoi surprendre. Malheureusement les équipages improvisés des chars d'Abdul manquent d'expérience ; et avec un vieux loup comme Oleg, cela ne pardonne pas. Dès l'engagement, deux d'entre eux sont touchés et doivent être évacués de justesse. Avant qu'il ne soit trop tard pour le dernier, Abdul imagine un stratagème pour l'attirer dans un traquenard. Il se poste en dehors du champ de bataille et indique au pilote du dernier char de feindre un retrait.

Oleg mord à l'hameçon. Il se lance à sa poursuite et bien vite se livre, sans le savoir, à portée du missile TOW qu'Abdul braque dans sa direction. Abdul ne tremble pas en faisant cette visée de la dernière chance sur le blindé ennemi. Quand il l'estime à moins de 3 000 mètres, et que toutes les indications du viseur électronique concordent, il actionne sa mise à feu sans hésiter.

Une seconde et demie plus tard, le char d'Oleg est une boule de feu, quelques centièmes de seconde avant qu'une déflagration encore plus forte que les autres se fasse entendre. À cet instant précis, l'avantage bascule de manière ostensible en faveur des troupes assaillantes. Pris entre deux feux, les terroristes ne sont plus en état matériel et moral de continuer le combat.

Abdul rassemble ses hommes, car déjà la pénombre du soir arrive et il craint un dernier raid nocturne de la part des Mig soudanais. Il a appris que Michael avait fait le nécessaire pour récupérer les ogives nucléaires; mais dès qu'il rejoint les hommes de l'Émir, il apprend la mauvaise nouvelle.

— Abdul, l'Émir est mort.

— Quel malheur! Comment cela est-il arrivé?

— C'est lors du deuxième passage des bombardiers. On ne pouvait rien faire, et nous avons perdu beaucoup d'hommes à ce moment-là.

— Ce sont tous des braves. Dieu les reconnaîtra. Nous ne pouvons hélas rien pour eux; par contre, la dépouille mortelle mais victorieuse sera ramenée au pays, même si pour cela je dois lui céder ma place dans un camion!

Tout ce qui peut rouler, transporter des hommes et aider à se défendre est rassemblé et préparé pour le départ. Beaucoup d'hommes n'auront pas de place dans ces véhicules et devront s'en retourner avec les bêtes restantes et se refondre parmi les nomades du désert. L'armée soudanaise a déjà dû opérer un mouvement sur le camp. Leur retour en lieu sûr tiendrait du miracle. La répartition entre les deux modes de transport pour le retour s'est faite sans un mot, comme cela s'était passé d'ailleurs pendant les combats. C'était comme si le sort de chacun était gravé quelque part dans l'infini du ciel et qu'il ne dépendait plus d'eux. Abdul leur prodigue souhaits et conseils pour le retour et leur donne à tous rendez-vous plus tard dans le Rub'al-Kahli.

Les formes et les silhouettes s'estompent un peu à mesure que le jour tombe sur la morne plaine. Tout le monde s'active pour quitter au plus vite le champ de bataille. C'est alors que deux guerriers, que Michael n'avait encore jamais vus, surgissent et interrompent, très excités, les explications d'Abdul. Michael comprend qu'un nouveau danger se prépare.

– Abdul! il y a un char en mouvement là-haut sur la ligne de crête, dit l'un des deux en montrant le sommet des collines. Il se dirige vers la sortie de la passe.

– Il faut l'intercepter et le neutraliser, sinon nous ne sortirons pas vivants de cet enfer. Venez avec moi. Hassim, toi aussi, viens! Et toi, Michael, je te passe le commandement. Dès que la sortie sera claire, vous pourrez commencer à évacuer.

Michael ne se sent pas de taille pour remplacer Abdul au pied levé, et sans réfléchir lui dit:

– Abdul, tu seras plus utile ici. Laisse-moi faire, j'y vais. Il reste un TOW?

– Tu rêves? Nous avons tiré le dernier sur le char d'Oleg. Et puis il vaudrait mieux capturer celui-là intact, il ne sera pas de trop pour couvrir notre retraite. À toi de jouer, Michael... et merci de ton offre.

Il fait maintenant nuit noire. Sans avoir allumé les phares, Hassim déjoue tous les pièges de la piste et fonce à tombeau ouvert au volant du *command-car* dans lequel ont pris place Michael et les deux guerriers, à l'arrière, qui tiennent sur leurs genoux la grosse mitrailleuse lourde pour éviter qu'elle ballotte. Très vite, il coupe la route du char, à quelques 300 mètres devant lui sans qu'il puisse le voir dans le petit pinceau lumineux qui éclaire sa route. Arrivés au bout du cul-de-sac, ils quittent le véhicule et s'éparpillent à couvert dans les rochers. Hassim positionne avec détermination la mitrailleuse de 7.62 et vérifie son armement.

Dès qu'il aperçoit le *command-car* abandonné en bout de piste, le chef de char ordonne au pilote de ralentir. Le blindé avance alors à la vitesse d'un homme au pas. Michael le voit passer à moins de 50 mètres de lui. Ses chenilles font un cliquetis métallique et il pense aux bruits de chaînes qui accompagnent, soi-disant, les déplacements des fantômes. Mais lui, le monstre d'acier, est bien réel. La tourelle fait de constants petits ajustements à droite et à gauche en bruissant comme le mécanisme d'un portail automatique. Puis il s'arrête finalement à 100 mètres du véhicule léger... exactement où Hassim et ses hommes l'avaient prévu.

Pour les occupants du char, cette apparition dans leur champ de vision est une grave déconvenue. Le chef de char est rongé d'inquiétude. Qui a bien pu laisser ce véhicule à cet endroit? Et surtout où sont ses derniers occupants? Sont-ils des amis ou...? Le char bouge de quelques mètres et s'immobilise à nouveau. Le doute a maintenant complètement envahi l'esprit du chef de char qui pressent un danger immédiat. Aveugle et prisonnier de sa carapace d'acier, il se décide à ouvrir le clapet du sommet de tourelle de quelques centimètres. Il scrute les ténèbres et tâche de rassembler tous ses sens, y compris le sixième! Profitant du bruit du diesel qui tourne au ralenti, les deux guerriers se coulent dans la nuit et escaladent le char d'assaut prestement, comme des chats, en utilisant les angles morts du secteur trois-quart arrière. Accrochés à quelques aspérités du blindage, ils se figent alors comme des statues de marbre.

– *Hchkoun huna*?[1] crie le chef de char par la petite ouverture, implorant tout bas le ciel qu'une voix amie lui réponde.

– Hassan! répond Hassim en s'arrangeant pour que sa réponse soit audible, mais incompréhensible.

Soulagé et délivré de sa hantise d'une présence non identifiée, le chef de tank ouvre alors complètement le clapet et s'apprête à en savoir plus. Comme un chien de chasse en arrêt sur sa proie, l'un des deux guerriers qui s'était encore plus avancé de l'orifice n'attendait que cela. Un sifflement dans l'air et la lame acérée de son cimeterre cueille la tête du malheureux au moment précis où elle finissait d'apparaître. La violence du choc est telle qu'elle se détache presque totalement du tronc qui est en même temps happé vers l'extérieur, puis saisi par le second guerrier qui le jette hors du char. La dépouille mutilée atterrit dans le sable et achève sa désarticulation. Le canonnier a un mouvement réflexe vers l'ouverture du char, pour voir... La lame encore rouge s'enfonce dans son cou au niveau du petit creux où se joignent les clavicules et, sous le poids du guerrier qui s'est jeté à pieds joints dans l'habitacle, lui fend le ventre de haut en bas. Ce geste n'est pas terminé que d'un revers arrière, de sa main gauche, il plante un coutelas dans le dos du pilote qu'il n'a pas vu mais dont il devine la présence au millimètre près en contrebas et qui n'a même pas eu le temps de réaliser. Des cris horribles fusent. Le bras du pilote se crispe sur la manette des gaz qui, comme sur les avions, est manuelle et généralement à main droite, et l'ouvre à fond. Le char bondit et tout de suite vire à 90° car le pied du pilote devait peser de tout son poids sur la pédale bloquant la chenille gauche. Le deuxième guerrier s'est engouffré dans l'habitacle, après s'être assuré que ce ne soit pas un ennemi qui sorte en premier et achève le corps à corps impitoyable. Dans

_____

1. Qui va là?

220

sa course folle, le monstre d'acier vient de passer sur le corps dis-loqué du chef de char dont la tête reposait comme une boule de *bowling green* et il l'enfonce dans le sable. Très vite, les deux guerriers maîtrisent le tank fou.

Michael a assisté à toute cette horreur et il reste prostré dans son coin de rocher. Hassim va à la rencontre du char; les deux guerriers sortent les dépouilles mutilées des tankistes et laissent échapper des cris de joie. Hassim tire plusieurs salves et ordonne de tirer un coup de canon, ce qui était le signal convenu de leur victoire.

– Viens, Michael! On les a eus!

Les deux guerriers sont maculés du sang de leurs victimes. Ils en ont partout jusque dans leurs turbans blancs. Sur leurs visages riants, ressort l'éclat de leurs dents blanches, comme celles de loups venant de dévorer leurs proies. En les voyant comme cela, Michael prend peur. Un frisson lui parcourt le bas du dos. Allaient-ils s'ar-rêter là? Et pourquoi pas lui? N'a-t-il pas tout vu de leur folie meurtrière? Puis il réfléchit et se dit que non. C'est la guerre. Tout cela est permis. Et il est leur ami.

Les deux corps mutilés gisent sur le sable à quelques mètres de Michael qui, en les voyant, a envie de vomir. Il regarde tout ce sang qui n'arrive même pas à faire tache sur le sable du désert qui a tout bu comme une éponge. Il saurait absorber le sang de toute l'Humanité!

Michael monte dans le *command-car* avec Hassim et retourne dans la vallée tandis que les deux guerriers s'occupent du char.

– Tout s'est bien passé, dit Hassim, Abdul sera content.

Michael reste silencieux. Que pouvait-il dire?

Plus tard en le voyant, Abdul comprendra le désarroi de son ami et tâchera de se le faire expliquer.

– Tu n'as pas l'air bien, Michael?

– Abdul, c'était horrible. Ces hommes sont des sauvages. Tu aurais dû voir comment ils les ont coupés en morceaux. Qu'avaient-ils donc fait pour mériter une mort si horrible et que leurs corps soient laissés aux bêtes du désert?

– Ils n'ont pas eu le choix. Tu avais mieux?

– Je ne sais pas moi... une grenade, un missile... c'est plus propre, non?... et puis excuse-moi, je ne sais plus ce que je dis.

Abdul le prend gentiment par l'épaule et lui dit:

– Michael, il nous fallait ce char pour repartir. Nous n'avons pas sous la main un poste de soudure et un magasin de pièces détachées pour le remettre en état. Le concessionnaire de la marque n'a pas de succursale ici...

Michael pense à Lynch Motors Corp, le garage où il se rend deux fois par an pour l'entretien de sa Corvette à Palo Alto. Il voit le luxueux hall d'exposition où un vendeur zélé astique une carosserie en attendant le client avec en fond le bruit des outils pneumatiques qui monte de l'atelier. Évidemment, il n'y a rien de tout cela ici...

Sur ces entrefaites, le char capturé fait son entrée triomphale parmi les hommes d'Abdul qui se regroupaient. Le premier guerrier émerge de la tourelle et salue tous ses camarades qui accourent pour inspecter la trouvaille. Le magasin de munitions est plein; mais sur la fréquence radio de bord, on a déjà reçu plusieurs messages émanant des forces armées soudanaises qui avaient tous le même sens : «Tenez bon, nous arrivons...»

Abdul décide alors qu'il faut partir sans tarder.

Le petit convoi automobile se forme. Les ogives nucléaires ont été placées dans un half-track qui sera bien encadré par deux pick-up armés. C'est en tout une quinzaine de véhicules hétéroclites qui se mettent en route en comptant bien sur les ténèbres de la nuit pour ressortir de ce qui aura été ces dernières heures un enfer terrestre.

Ils ont déjà roulé plusieurs heures dans la nuit, tous phares éteints pour ne pas se faire repérer, quand ils entendent un grondement dans le ciel. Tous obéissent aux consignes de dispersion. Ils ne peuvent voir aucun avion dans le ciel, mais Abdul et ses collègues militaires savent qu'avec une visée infra-rouge ils sont visibles comme en plein jour. Ils s'attendent tous à recevoir des bombes sur la tête d'un instant à l'autre. Après toutes ces épreuves cette dernière attente est crispante; puis les bruits s'estompent et ils peuvent repartir, toujours sous la menace d'un danger venant du ciel.

Le jour se lève sur un magnifique paysage désertique. Les véhicules qui ont marché au cap sont plutôt bien groupés. Tous sont quand même tendus, car la frontière est encore loin. Le sang d'Abdul se glace dans ses veines quand il aperçoit trois petits points noirs dans le ciel, à midi.

— Ce sont les Mig qui viennent nous achever!

Michael est blême. Si c'est cela, et pourquoi pas? alors il n'y a rien à faire. Ils sont nus et crus jetés dans le désert. Les hommes stoppent les véhicules et commencent à s'en écarter.

Abdul ne peut y croire... et d'ailleurs pourquoi y croire puisque :

— Ce sont des Tigershark F-20 de l'armée de l'air égyptienne. Revenez ! crie-t-il aux hommes. Ce ne sont pas des Mig.

Michael est au bord de l'évanouissement. Les trois chasseurs sont maintenant six. Ils passent et repassent au-dessus du convoi en battant des ailes.

— Nous avons nos anges gardiens, plus de problème, ils vont nous protéger, dit Abdul.

Ils roulent encore une petite heure, escortés de haut par les Égyptiens, quand tout à coup au loin ils aperçoivent plusieurs hélicoptères Shinouk à double rotor stationnés sur le côté de la piste.

Plus tard, dans le gros hélicoptère de transport, le commandant égyptien dira à Abdul et Michael :

— Nous avons fait une petite incursion cette nuit chez les Soudanais pour intercepter l'escadrille qui vous était destinée ; ce matin nous avons fait de même. Nous sommes en état de guerre larvée avec ce voisin bien peu fréquentable. Chaque fois que Khartoum fait voler des chasseurs en zone frontalière, nous faisons de même. C'est notre politique. Aujourd'hui, on en a fait un peu plus, voilà tout.

— Voilà tout, conclut Michael en soupirant.

11

Stony Brook, Long Island,
New York

Quelque part, dix kilomètres au-dessus des flots de l'Atlantique Nord, l'énorme Jumbo de la Swissair fait route vers New York. Le géant vogue en l'air avec la force tranquille du pachyderme dont il partage le surnom. Ses réacteurs labourent l'azur glacé des hautes altitudes, y traçant d'éphémères sillons de volutes floconneuses; chaque seconde ils expédient les 400 tonnes du mastodonte 300 mètres plus avant, sans que rien, à l'extérieur ou à l'intérieur de la spacieuse cabine n'apparaisse de cette débauche de puissance. La bosse frontale, qui caractérisait sa ligne inédite et avait rendu sa silhouette célèbre sur tous les aéroports du monde entier, semble avoir disparu dans sa dernière évolution. En fait, avec les années, d'extensions en allongements successifs, c'est elle qui maintenant a rejoint l'autre extrémité du fuselage, offrant aux compagnies qui l'exploitent une structure à deux ponts. Certaines en ont profité pour multiplier les rangées de sièges; à la Swissair on a préféré y faire des aménagements pour améliorer encore le confort et le bien-être des passagers des vols intercontinentaux. L'escalier hélicoïdal débouche toujours entre le poste de pilotage et le grand bar. Mais ensuite un couloir latéral conduit à un restaurant, une salle de cinéma digne de ce nom, une mini-salle de gym, un centre de télécommunications et, pour finir, une dizaine de cabines particulières.

Au Bar-en-plein-Ciel, Michael vient de passer quelques instants à siroter une coupe de champagne, pensant qu'elle saurait lui faire paraître le temps plus court. Sans entrain il regagne son siège au niveau inférieur et à l'avant de l'avion. Il ne se sentait d'humeur pour aucun des deux films qui étaient proposés. Son voisin le remarque à peine quand il passe devant lui. Depuis le départ il n'a pas cessé de tripoter un micro-ordinateur et plusieurs fois le personnel de cabine lui a remis et repris des télémessages. Une paire de lunettes sur le sommet du crâne, une autre en bandoulière sur la poitrine! «Je suis sûr qu'il doit porter ceinture *et* bretelles!» pense Michael à la vue de cet archétype du businessman international. Enfin il a ça pour lui de ne pas se montrer bavard. Michael aurait eu du mal à soutenir le genre de conversation aimable que l'on peut avoir entre «confrères» dans de telles occasions:

«– Vous êtes dans quelle branche?

– Attaque de terroristes! Récupération en tous genres de produits radioactifs; accessoirement nous faisons des offensives à dos de chameaux et des colonies spatiales!»

Rien de mieux qu'un tel discours pour se faire attendre à l'aéroport par de gentils messieurs en blouse blanche, bien musclés et qui vous emmènent faire un petit tour à la campagne.

Par moments, quand il revoit tout cela, Michael se demande si c'est bien à lui que toute cette aventure est arrivée.

Une fois sorti de l'enfer soudanais, et sachant le combustible nucléaire en sûreté, Michael a profité de l'invitation des autorités israéliennes pour rester quelques jours à se remettre en forme à l'hôtel King Salomon d'Eilat. C'est là qu'il a reçu le fax qui explique sa présence dans cet avion; il le ressort de son sac de voyage et le relit une fois encore:

Bon boulot Michael et félicitations. Les retombées médiatiques et politiques sont excellentes pour UTOPIA. Nous ne vous remercierons jamais assez pour ce que vous et vos amis ont fait. Reposez-vous bien... mais votre présence est impérativement souhaitée pour une réunion extraordinaire du Conseil d'administration mardi quatorze heures. Voici les consignes pour votre vol de retour. Nous vous attendons à l'aéroport à votre arrivée. À bientôt.

Signé: le «Gang» UTOPIA.

Cette signature pseudo-collective l'intrigue un petit peu. Que peut-elle bien signifier?

«C'est certainement Tanya qui a rédigé le message. Normal, c'est elle l'administratrice du groupe. Sympa d'avoir mis le «Gang»; petit indice que tout va bien et que tout le monde est bien solidaire et quelque peu complice. Mais si c'est pour faire une fête afin de célébrer le retour du héros, cela n'est pas du tout de mon goût,» pense Michael qui a un peu peur à l'idée d'affronter de telles civilités. «Ce qui serait bien, ce serait une réception en petit comité... le plus réduit possible... retiré dans un petit coin sympathique, à la campagne...»

«On verra bien... si seulement elle pouvait être là... il faudra que je lui parle... il faudra...»

À Eilat, plus tard à Genève, Michael avait passé le plus clair de son temps à se reposer et tenter d'évacuer de sa conscience toutes les images pénibles qu'il avait dû emmagasiner. Il ne pensait pas qu'il pourrait encore dormir pendant le vol, car en plus, l'heure ne s'y prêtait guère. Et pourtant, quand l'avion amorce sa descente, le steward doit le prévenir aimablement car il a tout l'air de quelqu'un qui somnole.

– Nous arrivons, Monsieur. Veuillez vous attacher et relever votre tablette...

– Oui... oui, bien sûr... merci.

À Kennedy Airport, en ce début d'après-midi printanier, il fait un temps superbe. En passant au-dessus de la côte, on peut déjà voir qu'il y a beaucoup de monde sur les plages. Dans le hall d'arrivée, en attendant ses bagages, Michael cherche du regard, parmi les gens qui sont de l'autre côté de la barrière, son contact pour le ramener en ville. Il y aura sûrement un chauffeur avec une pancarte. «Mr. McDougall. UTOPIA» ou quelque autre message du même tonneau, puis une luxueuse limousine... l'hôtel, sur Central Park bien sûr... encore un message... une réception...

Une petite tape se fait sentir par derrière sur son épaule et le ramène à la réalité.

– Tanya!... Comme je suis content de vous revoir! Je ne m'attendais pas à...

Elle se contente d'un sourire pour lui répondre et interrompre ses balbutiements. Avec sa tenue légère et décontractée, son bandeau dans les cheveux et un air plus juvénile que jamais, elle est vraiment radieuse. Elle esquive la main tendue de Michael et l'accueille d'un baiser sur la joue. Michael se rappelle alors que la dernière fois qu'ils s'étaient vus en dehors des affaires, à Londres, elle était fuyante... et aujourd'hui elle semblait fondante. L'émotion le gagne, il la prend par le bras et envisage la sortie.

– Mais... vous n'attendez pas vos bagages?

– Vous avez raison! Vous savez, avec tout ce qui m'est arrivé, j'ai la tête un peu comme une passoire.

– Ne vous inquiétez pas, je vais m'occuper de tout cela. Mais, justement, je ne sais rien de ce qui vous est arrivé. Je compte bien en entendre tous les détails!

Michael est encore tout chose de cette rencontre qu'il avait espérée sans arriver à y croire. Il marche dans l'aéroport comme sur un nuage. Tanya porte ses deux gros sacs de voyage et il ne s'en aperçoit même pas. Il parle de tout et de rien en marchant vers le parking où Tanya a laissé sa voiture.

– Elle est là! dit Tanya en montrant un magnifique Coupé Jaguar XJE bleu nuit métallisé avec un toit gainé de cuir beige clair. Michael la laisse disposer les sacs dans le minuscule compartiment arrière, comme s'il s'était agi d'un taxi tandis qu'il s'installe dans la voiture. Tanya déverrouille le toit amovible qui, sous l'action d'un petit moteur électrique, vient se loger dans son réceptacle.

– Vous ne craignez pas l'air, Michael?

– Pas du tout... et en ce moment bien au contraire, j'en ai besoin plus que jamais.

La voiture s'engage sur le VanVyck Express et à la jonction avec le Long Island Freeway prend la direction de l'ouest.

– Tanya, vous avez pris la mauvaise voie. Manhattan est de l'autre côté. Je ne sais pas comment y revenir...

– Mais que diable souhaitez-vous faire à Manhattan? On est samedi, il n'y a plus personne en ville! Je vous emmène faire un petit tour à la campagne...

– Mais la réunion...

– Oubliez tout cela pour quelques heures. Et puis cessez de discuter tout le temps. De toute façon vous n'avez pas le choix... c'est un détournement!

Tous d'eux partent d'un franc rire. Michael est heureux. Il regarde toutes les petites maisons de banlieue avec leurs petits jardins. Il pense que tout autour de lui, les gens aussi doivent être heureux de profiter de leurs maisons, du beau temps et du week-end où l'on n'a pas à se rendre au travail.

La voiture de Tanya est magnifique. Elle glisse sur l'asphalte sans bruit et aucun tourbillon d'air ne vient les déranger dans l'habitacle.

– Je ne savais pas que vous aviez une voiture, Tanya. En plus, compliments : vous avez bon goût. J'ai une faible moi aussi pour les belles anglaises. C'est quel modèle, celle-ci?

– Je ne sais pas, Michael. Vous savez, je l'ai empruntée pour le week-end.

– Ah bon! dit Michael qui s'est retenu à grand-peine d'ajouter : «et à qui?»

L'humeur de Michael retombe instantanément sur cette annonce anodine, et pendant quelques instants il ne trouve plus rien à dire.

« Si c'est chez le mec à la montre, au pull-over et à la belle voiture et qu'on y va pour admirer sa belle maison, pense Michael, alors ils peuvent sortir les lanières pour m'attacher ! Je ne vais pas les décevoir. Bonjour et Au revoir ! Ça va être du vite fait. Ils pourront parler d'avoir vu Michael-la-météorite ! Si c'est cela, j'appelle un taxi en direction Manhattan... et puis non, je n'ai rien à y foutre à Manhattan. J'irai à Palo Alto, chez moi en Californie. Et puisque c'est ça, la conférence, on la fera en vidéophone... »

Michael est en pleine crise de bougonnement, interne et silencieux, et ne s'aperçoit même pas que la Jaguar a maintenant quitté l'autoroute depuis un moment. À présent, ils viennent de passer le pittoresque village de Stony Brook qui ressemble tant à une petite bourgade du Sussex anglais ; Tanya s'engage à très faible allure dans un chemin bordé d'arbres qui se termine par un grand portail en maçonnerie encadrant une barrière en bois clair, ajourée. La jeune femme actionne la télécommande et la porte s'ouvre sur un chemin en gravier gris impeccablement entretenu, qui s'enroule vers la gauche jusqu'au perron d'une magnifique maison blanche de deux étages donnant sur la baie de Long Island. Tanya roule tout doucement sur les graviers qui crissent sous les pneus. Elle donne un petit coup de klaxon. Une silhouette masculine apparaît sur le perron et vient au-devant d'eux. Tanya marque un petit arrêt et, malicieuse, dit à Michael :

– C'est *l'homme-à-la-montre*...

« Un Vieux ! Manquait plus que cela ! » pense Michael, dépité.

– ... C'est aussi mon Père ! ajoute Tanya après une petite pause savamment dosée.

Un soleil plus chaud et plus étincelant que jamais se remet à briller dans la tête de Michael. Une grosse vague vient de balayer tous ces affreux doutes qui l'avaient soudainement assaillis. Dans sa poitrine, du côté gauche, il y a un gros tam-tam africain qui s'excite. Un peu comme un certain matin à l'approche des collines du Dar Fur ; mais pour le moment, elles sont loin ces sacrées collines... et tant mieux.

On sent bien que dans la maison, on bouillait d'impatience, car on n'a pas besoin de sonner la cloche pour que tout le monde rapplique. Le père de Tanya n'aurait pas hésité à se laisser damner plutôt que de ne pas être le premier à les accueillir. Il avance à grandes enjambées comme s'il craignait qu'on ne le coiffe au poteau.

— Tanya! C'est toi? Vous êtes déjà là! lui dit-il, les yeux rivés sur Michael qui descend du Coupé.

— Papa, je te présente Michael McDougall.

— Bienvenue, je suis très honoré de vous rencontrer...

— Moi de même, Mr. O'Reilly.

— Donnez-vous la peine d'entrer; et pour le cas où ma fille ne vous l'aurait pas dit, vous pouvez m'appeler James.

Madame O'Reilly en voudra certainement une bonne partie de l'après-midi à son mari de s'être arrangé pour recevoir les nouveaux arrivants en primeur. Elle arrive à son tour, manquant de dégringoler les marches du perron tant son envie est pressante d'être de la partie.

Les frères de Tanya et leurs épouses feignent un retrait poli, mais eux aussi sont impatients de découvrir Michael. James O'Reilly est comme un coq en pâte. Il fait les présentations des uns et des autres, donne un coup de griffe par ci, un autre par là, sert à boire, fait visiter la maison, commente les derniers événements politiques...

— Vous devez certainement avoir des choses passionnantes à nous raconter, Michael... vous permettez que je vous appelle Michael, monsieur McDougall?

— Mais bien sûr... cela me fait plaisir... Ils sont tous installés sur la terrasse et la Maman de Tanya amène un plateau de rafraîchissements.

— J'y pense, vous avez dû crever de soif dans ces maudits déserts, Michael?

— Effectivement, il fallait se rationner... mais ça va, on a tenu le coup. En urgence, on pouvait toujours boire du lait de chameau. C'est mieux que rien!

— Du lait de chameau? Ça a du lait ces bestioles? demande Mr. O'Reilly un peu surpris, mais surtout très horrifié à l'idée que l'on puisse s'abreuver de telle manière.

— Enfin, il devait s'agir d'une chamelle! rectifie Michael et sa réflexion fait rire tout le monde.

— Oubliez tout cet exotisme et prenez donc avec moi un bon gin-tonic. Vous aimez au moins?

— Oui, oui, c'est parfait. Merci.

Michael écoute poliment monsieur O'Reilly, qui lui semble tout de suite très sympathique; mais il n'a d'yeux, quand il le peut, que

230

pour Tanya. Elle assiste à tout cela assise en face de lui, un énigmatique sourire aux lèvres, plus resplendissante que jamais.

— Papa, tu auras tout le temps de discuter ce soir et demain avec Michael. Laisse-le un peu se reposer. Tiens, on va bouger un peu, je vais lui montrer sa chambre. Il pourra se changer et ce soir, à la fraîche, on ira tous se détendre au tennis.

— C'est cela. Suivez-moi, je vous montre le chemin, Mr. McDougall, s'empresse de dire madame O'Reilly, trouvant là une bonne occasion de prendre un peu la vedette vis-à-vis de son omniprésent mari.

Dans l'escalier qui mène au premier étage, madame O'Reilly marque un temps d'arrêt et dit à Michael :

— C'est une vraie maison de famille. C'est ici que nous avons vu grandir tous nos enfants. Vous occuperez la chambre qu'avait Bob, notre aîné. Maintenant, quand il vient, il a pris l'habitude d'aller sur l'arrière de la maison. Allez savoir pourquoi ? Reposez-vous, et ne vous sentez pas obligé pour le tennis. Nous dînerons sur la terrasse vers 8 heures. Cela vous semble correct ?

— Mais bien sûr, Madame.

Elle l'introduit dans la chambre. Tanya a suivi. Michael pose ses affaires et dit à Tanya :

— Je ne suis pas fatigué. J'ai dormi dans l'avion.

— Alors, puisque c'est ça, allons faire un tour. Venez, je vais vous faire visiter Stony Brook !

Dans le village où rien n'avait beaucoup changé, Tanya se rajeunit de plusieurs années. Elle retrouve sa petite école primaire, l'église où ils allaient tous les dimanches, l'épicerie où elle achetait en cachette avec ses frères des sucreries et des pacotilles. Des tas de souvenirs d'enfance lui reviennent ; elle les raconte à Michael tout en lui désignant les lieux.

— Voilà le chemin qu'on devait prendre pour rentrer à la maison... et puis là celui qu'on prenait parfois, quand on n'avait pas tout de suite envie de se mettre aux devoirs. Mais je dois vous assommer avec toutes mes histoires ?

— Pas du tout, Tanya. Comment pourrais-je ne pas apprécier ces lieux où vous semblez avoir été une bien heureuse petite fille. Et quand donc avez-vous quitté Stony Brook ?

— Eh bien, quand j'ai eu seize ans ; je suis partie pensionnaire au Queen's College. Là, je ne revenais plus que le week-end. Tenez, par là, c'est un raccourci pour aller vers la plage...

— ... et vous baigner dans une eau à 16°! Chez nous en Californie, on va à la plage même à cette période de l'année!

Chacun y va de sa petite histoire. Et moi ceci et toi cela... Quand ils arrivent à la voiture, il fait déjà sombre, mais sans s'en rendre compte, Michael tient Tanya par l'épaule, et tout naturellement son bras à elle lui ceint la taille.

— Et alors, on vous a attendus au tennis! dit en riant Tim, le frère cadet de Tanya.

— Sauf que ce n'est plus le temps d'y aller! Le dîner est prêt, dit madame O'Reilly.

Pour la circonstance, la maîtresse de maison a mis les petits plats dans les grands et elle a préparé une belle pièce de saumon frais de l'Atlantique servi avec une jardinière de légumes frais. Son mari avait prévu de l'accompagner par un Pouilly Fuissé fumé, d'excellent millésime.

— Vous aimez le poisson, Michael? Quand Tanya est là il faut toujours que j'y pense, puisqu'il n'a jamais été possible de lui faire manger un gramme de viande.

— J'avais déjà remarqué cela. En ce qui me concerne, rassurez-vous, je mange de tout... quand c'est bien fait!

— À la bonne heure! Voilà bien un homme de bon sens. Allez, tout le monde trinque! À la bonne vôtre! dit James.

Après une journée au grand air, tout le monde avait bien faim et personne ne se gêne pour faire honneur au saumon. C'est alors que monsieur O'Reilly lance la conversation:

— Vous avez dû connaître des moments effroyables, Michael!

Ce dernier ne tenait pas particulièrement à s'étendre sur ses exploits guerriers; pour lui qui a toujours été un non-violent convaincu, ces d'exploits n'avaient justement pas à être exploités. Ils étaient... sans plus. Et c'est ainsi qu'il les leur narra. Madame O'Reilly n'avait pas son pareil pour se les imaginer avec de grands sursauts d'effroi.

— Mais enfin, Maman, puisqu'il est là, c'est que tout s'est bien passé!

— Oui mais quand même. Ce sont des trucs que l'on voit à la télé! Mon pauvre Michael, vous avez dû en voir!

Michael leur relate avec beaucoup d'humilité l'épisode où il avait dû forcer le code informatique permettant de désamorcer les ogives nucléaires.

– Mais c'est donc pour cela que votre Abdul tenait tant à ce que vous soyez avec lui! s'exclame James s'imaginant sur le coup être le génie qui a résolu l'énigme de la quadrature du cercle.

– Abdul ne pouvait rien en savoir. Mais il savait que je devais être avec lui... et je n'arrive pas à me persuader qu'il ait pu avoir tort.

– Bon, pour cette fois, ça passe; mais ne vous amusez plus jamais à de tels jeux! profère monsieur O'Reilly d'un ton très paternel.

– Il ne saurait en être question, renchérit Tanya tout en prenant discrètement la main de Michael, la serrant très fort et assez longtemps.

Tout le monde comprenait que Michael ne souhaitait plus s'éterniser sur le sujet. Toute la sympathique tablée se souhaite une bonne nuit et chacun va de son côté.

À peine la tête posée sur l'oreiller, Michael s'endort sur plein de belles pensées. La dernière, plus précise, d'un long baiser échangé avec Tanya sur le pas de la porte.

Plus tard dans la nuit, à demi-endormi, il tend son bras et sa main touche les hanches et la poitrine de Tanya. Il s'approche d'elle. Sa chaleur et son parfum l'envahissent. Il revoit son doux visage et ses yeux cristallins. Il murmure:

– Tu m'as manqué... je t'attendais.

Finalement ils la font cette partie de tennis. Juste après un copieux petit déjeuner sur la terrasse et un petit tour de la propriété que se faisait toujours un plaisir de proposer James O'Reilly.

De tous ici présents, s'il y en avait un auquel il n'était pas besoin de faire un dessin, c'était bien lui. Rompu à son métier d'avocat, il connaissait mieux que personne, et en virtuose, tous les méandres des comportements humains; en tant que père de son unique fille, il avait bien compris que quelque chose venait de se passer; sa fille semblait heureuse... et même mieux, elle devait l'être. Le ciel aurait pu être noir et déverser des cordes, rien n'y aurait pu faire et pour lui, ce dimanche était un des plus beaux jours de sa vie.

Il tenta de faire parler Michael sur UTOPIA et ses projets de vie future, histoire de sonder le terrain. Mais Tanya vint à son secours :

– Laisse-le avec cela, tu vois bien qu'il a besoin d'un peu de temps pour se recaler là-dessus.

Au repas du midi, le champagne coula à flots. Les sentiments de Michael et Tanya l'un envers l'autre ne faisaient plus aucun doute.

Tanya avait prévu de quitter Stony Brook en début d'après-midi pour éviter les encombrements de retour de week-end aux entrées de New York et elle avait encore beaucoup à faire pour préparer la réunion du surlendemain. James les raccompagne jusqu'à la voiture. Michael s'est assis au volant et juste avant qu'il ne démarre, James O'Reilly se plante devant eux et prend un air sérieux pour lui dire :

— Voyez-vous, Michael, ce qui me gêne avec vous, c'est que je me demande si un McDougall et un O'Reilly ensemble, cela peut donner quelque chose de bon...

— Papa ! dit Tanya. Comment peux-tu encore parler de choses qui se sont passées il y a quinze siècles ![1] Et puis Michael n'a rien à faire avec *un* O'Reilly ; à la rigueur avec *une* O'Reilly. Nuance !

— Allez, bonne fin de journée... les enfants !

— À bientôt, monsieur O'Reilly.

Conseil de sécurité, Washington, D.C.

Quinze jours après l'issue heureuse de l'opération Dar Fur le Président a décidé une réunion exceptionnelle du Conseil de sécurité afin de faire le point sur la situation et d'envisager tous les aspects de cette nouvelle donnée. Il est très rare que le Président se rende au Pentagone, mais vu le caractère extrêmement confidentiel, c'est encore dans ce bâtiment – connu pour être le plus grand du monde – que l'on peut décider au dernier moment d'une salle pour accueillir quelques instants les chefs d'État-major des armées et leur Commandant suprême, deux des plus importants dirigeants de la CIA, le secrétaire d'État à la Défense et celui aux Affaires étrangères, le Vice-Président et le Président accompagné de son conseiller personnel. Le Président est un peu en retrait, et après les politesses d'usage, c'est son conseiller et également porte-parole de la Maison-Blanche qui entame la discussion :

— Par-delà tout ce que l'on peut entendre et lire dans les journaux, l'opération Dar Fur a été un parfait succès ; dont le mérite

---

1. Allusion aux rivalités historiques entre Irlandais et Écossais.

234

revient en partie à monsieur le Président qui a su avoir la longue et bonne vue en la soutenant dès le départ...

– Je vous remercie, Albert! Mais il est inutile de s'étendre là-dessus. J'ai eu beaucoup de chance dans cette décision. Il m'aurait été impossible d'en prévoir d'ailleurs toutes les implications positives. Donc?

– Eh bien, nous savons que depuis deux semaines nous avons bien en sécurité, dans les soutes du navire-amiral de la 7e Flotte en Méditerranée, 415 kilos de plutonium.

– N'avait-on pas dit qu'il était question de 430 kilos, compte tenu des vingt kilos de la bombe du Sahara? demande avec vivacité le chef d'État-major de l'armée de terre.

– C'est précisément pour résoudre ce petit problème d'arithmétique que nous sommes tous ici, dit le Président.

Dans la petite salle entièrement murée, un silence pesant s'installe. Tout ne semble donc pas aussi rose qu'il y paraissait à première vue.

– Il manque donc bien une quinzaine de kilos de plutonium, et le pire est qu'il se pourrait bien qu'ils ne soient pas si loin d'ici. Parlez-nous un peu de l'analyse du matériel informatique que monsieur McDougall a eu le génie de leur subtiliser, continue le Président en s'adressant au directeur de la CIA.

– Effectivement, Michael McDougall a eu l'excellente idée de nous ramener des condensés de listings que nous avons réussis à décrypter et à recomposer. Une vraie caverne d'Ali Baba et des 40 bombeurs. Je vous passe les détails, je veux dire tout ce qui a trait au terrorisme international conventionnel. Nous avons déjà fait des saisies importantes dans ce domaine et on s'attend encore à des tas de retombées. Mais le gros morceau, tenez-vous bien Messieurs, c'est que *tout était préparé pour un acte de terrorisme à l'arme atomique... sur Washington D.C.*, capitale des États-Unis d'Amérique. Nous avons tous les éléments ici, date et lieu, dit-il en leur montrant un petit dossier contenant plusieurs documents dactylographiés et des photographies.

Stupeur générale dans l'assistance. Chacun dévisage l'autre avec une bonne dose d'incrédulité dans le regard.

– Pour le *Labour Day*[1] qui est comme chacun sait le premier lundi de septembre, nos chers «amis» avaient prévu de nous rendre les kilos de plutonium qu'ils avaient *empruntés* de manière très

---

1. Fête du Travail.

originale. Jugez plutôt : ils avaient affrété un dirigeable publicitaire – tenez voici les autorisations de survol et la facture de la société de service – et, au-dessus de Memorial Park, quand tout le monde est réuni pour célébrer : Baoum ! Hiroshima bis... Les experts questionnés pensent que l'on aurait eu un cratère de 200 mètres de circonférence creusé sur plus de dix mètres. Au bas mot 200 000 morts sur le coup... et un danger réel de pollution atomique qui aurait entraîné l'évacuation de toute la population de la ville. On revient de vraiment très loin, Messieurs ! L'opinion publique et les medias sont à l'écart de tout cela et le secret sera bien gardé pour éviter tout mouvement de panique, bien justifié d'ailleurs. Voilà ce que l'on doit, entre autres, à la petite promenade de santé que notre compatriote a cru bon de faire le mois dernier... avec votre approbation, monsieur le Président.

– Mais qui nous dit que toute cette horreur est bien neutralisée ? s'inquiète un des participants.

– Le FBI et nous-mêmes n'avons pas chômé. Dès que les informations ont pu être montées de manière exploitable, on leur a refait une nuit de la Saint-Barthélémy. Beaucoup n'avaient pas fait le rapprochement entre l'opération Dar Fur et leur éventuelle identification. L'effet de surprise a joué à plein. Le système était bien cloisonné, et la plupart ignoraient la nature réelle de leur intervention, mais on en a au moins trouvé deux qui savaient... et c'est bien assez pour confirmer nos hypothèses. Ce qui est sûr, c'est qu'ils n'avaient pas encore reçu la matière fissible. Elle devait arriver plus tard, avec des techniciens pour la mettre en œuvre. On a pu retrouver les traces de son acheminement futur. Évidemment, maintenant, cela ne se fera plus... de cette façon.

– Parce que le risque existe encore ?

– Tant que nous n'aurons pas les quinze kilos, on ne pourra pas être tranquilles.

– Et d'après les terroristes que vous avez interrogés, on peut avancer quelque chose ?

– D'après eux, il faudrait regarder vers Tripoli. Nous ne tenons bien sûr pas cela pour une révélation bien importante.

Le Président se tourne vers les deux ministres de son Gouvernement et dit :

– Je crois, Messieurs, que le temps est venu de nous venger de l'attaque du *Washington*. Je propose un raid aérien de grande envergure en représailles sur Tripoli. La ville doit être rasée et son image éradiquée des cartes géographiques. Juste après on enverra un faire-part aux Iraniens pour leur indiquer que leur nom suit sur la liste.

Le Président lève la séance. Il regagne la Maison-Blanche toute proche par hélicoptère, le protocole lui interdisant pour raisons de sécurité de s'exposer inutilement, comme il est impossible de faire autrement lors d'un parcours automobile. Son conseiller a pris place à ses côtés. Tous les deux ne peuvent s'empêcher d'aller chercher du regard les frondaisons de Memorial Park et d'avoir un frisson à l'idée du macabre dessein auquel il a échappé.

Rub'al-Khali, Arabie

La tribu d'Abdul avait fait un retour glorieux dans ses sables du Rub'al-Khali. La mémoire de ceux qui n'avaient pu rentrer occupait encore une grande partie du souvenir collectif et ombrageait toujours un peu l'esprit de fête qui avait succédé à ces moments d'intenses dangers. Petit à petit la sérénité revenait, les prières aidaient à panser les plaies.

Nabil Mostacci s'était fait annoncer et quand son hélicoptère vient troubler la quiétude du village, ce n'est pas vraiment une surprise pour Abdul. Par contre, Nabil est accompagné par une jeune femme très brune, vêtue à l'européenne et cette visite-là est de nature à l'étonner. Il attend que le nuage de poussière soit un peu retombé et à ce moment il va à leur rencontre. La turbine de l'appareil n'est pas encore silencieuse, aussi leur propose-t-il d'entrer dans la grande tente :

— Nous serons plus à notre aise, dit-il en leur montrant le chemin.

— Abdul, je te présente une amie : Nabila Zitka.

Abdul la salue à l'orientale, sans la toucher, juste par une inclination du buste. Puis il embrasse beaucoup plus chaleureusement son ami Mostacci. Ils s'asseyent tous les trois sur les coussins alors que des serviteurs apportent des boissons et des gâteaux. Avec sa jupe étroite. Nabila a un peu de mal à s'acquitter de la position tout en restant convenable. Abdul le remarque et lui dit :

— Je peux vous faire donner une chaise... et une table. Vous me voyez désolé...

Nabila s'amuse un peu de la situation. Abdul profite de sa bonne humeur pour faire plus ample connaissance.

— Connaissez-vous un dénommé Shahnowaz Zitka avec lequel j'étais en affaires à Genève?

— C'était mon frère.

— C'était?...

— Mon frère a été assassiné il y a quinze jours, à Genève justement.

— Je suis vraiment confus d'avoir posé cette question.

— Vous n'avez pas à l'être. Vous ne pouviez pas deviner. Et puis comme la raison de ma visite est liée à sa disparition, nous aurions dû en parler de toute manière.

— Je suppose qu'il ne s'agit pas d'une banale affaire crapuleuse? s'enquiert Abdul.

— Le meurtrier n'a pas été identifié, répond Nabil. La police a toute raison de penser qu'il s'agit d'un meurtre sur commande, exécuté par un ou des professionnels. Le mobile est politique sans aucun doute.

— Se savait-il menacé? demande Abdul.

— Shahnowaz n'avait pas d'ennemis personnels, mais la cause qu'il défendait n'en manque pas, répond Nabila qui enchaîne: nous avons voulu qu'il soit enterré aux côtés de notre père au Pakistan, moyennant quoi, nous n'avons pu assister à ses obsèques, car les autorités de ce pays ne nous y acceptent qu'avec cette étiquette: «personne décédée».

— Avez-vous gardé des contacts puissants avec des gens dans ce pays? demande Abdul.

— Oui, et c'est bien là la raison pour laquelle ils ne nous acceptent plus. La mémoire de notre famille est légendaire au Pakistan; nous sommes issus d'une lignée de commandeurs spirituels depuis des siècles; trop nombreux sont ceux qui s'en souviennent... et savent aussi que la junte au pouvoir ne fait que descendre de l'arbre!

— Vous êtes au courant de ce projet de fusion entre l'Iran et le Pakistan, renchérit Abdul.

— C'est encore une de leurs grandes inventions! Complètement surréaliste! Tous les Pakistanais modérés y sont opposés, mais on sait les faire taire... Par la terreur.

Nabila reste silencieuse un instant. Son regard se fige et elle a bien du mal à empêcher une larme de perler à sa paupière inférieure. Elle se donne une contenance en buvant un peu de thé. Son geste pour saisir la tasse est très élégant. Abdul admire cette si belle expression tout en se demandant ce qu'une telle beauté peut bien venir chercher dans le désert à ses côtés. Il ne résiste pas à l'envie de le lui demander directement.

– Et y aurait-il quelque chose que je puisse pour vous, ma chère Nabila?

– Nabil Mostacci m'a dit que vous pourriez m'aider.

– Vous aider? Bien volontiers, si je le peux! Qu'attendez-vous de moi?

– Je souhaiterais que vous m'aidiez à récupérer mes droits et ceux de mon peuple!

– Vous voulez dire: reconquérir le Pakistan?

– Cela peut effectivement aller jusque-là, lui annonce-t-elle en le regardant droit dans les yeux.

– Mais savez-vous bien qui je suis pour me demander une pareille chose? Je suis un homme du désert, pas un fou de guerre.

– Vous êtes aussi un homme juste, un croyant sincère et c'est pour cette raison que je viens vous voir.

Nabil croit bon d'intervenir:

– De toute manière, il faut qu'on la protège maintenant. Sa vie est en danger. Après Shahnowaz, c'est elle qu'ils voudront avoir... et ils l'auront!

Il est maintenant impossible à Nabila de cacher ses larmes.

– Ne croyez pas que c'est la peur qui me fait réagir ainsi. Je ne crains pas la mort. J'ai peur de ne pas être à la hauteur. Des millions de femmes et d'hommes portent en moi tous leurs espoirs.

Abdul comprend la situation et la rage le prend qu'une telle créature, si noble, si belle, une élue des dieux, puisse mourir sous les balles de tueurs lâches et minables.

– Où habitez-vous? lui demande-t-il.

– Nous avons un appartement à Londres où je demeure avec ma mère. Nous y rencontrons beaucoup d'exilés Pakistanais; nous aurions besoin de votre aide pour avoir enfin des moyens à la hauteur de nos ambitions.

– Une chose est certaine: vous ne devez sous aucun prétexte y remettre les pieds; et je conseille que votre mère également s'éloigne de ce lieu, le temps d'organiser de façon convenable votre sécurité.

– Ma sécurité, c'est une chose. La promesse que j'ai faite à mon père en est une autre. Il savait que je me battrais comme lui pour que le Pakistan devienne un pays moderne ne retombant pas dans l'obscurantisme religieux, un État où les droits de la femme sont respectés et où les croyances religieuses ne sont pas un frein à son évolution. Je sais que vous pensez comme moi. C'est pour cela que je suis là.

En réponse, Abdul lui expose toutes sortes de théories politico-religieuses auxquelles il avait longuement réfléchi en réponse aux lacunes des systèmes actuels. Nabila acquiesçait en souriant et se demandait bien ce que pouvait faire dans le désert un type pareil. Nabil devant repartir, Abdul prend l'initiative suivante:

— Compte tenu des dangers qui vous menacent, je vous fais prisonnière dans ce village. Vous aurez votre tente. Les femmes du village vont vous apporter des effets personnels. Vous verrez, cela ne sera pas aussi pénible que cela peut en avoir l'air. Je vous laisserai vous acclimater et puis nous envisagerons l'avenir.

— Dans ces conditions, j'accepte, dit-elle en regardant les deux hommes.

Et c'est ainsi que la belle Nabila, une diplômée d'Oxford et d'Harvard se décida à quitter le monde bien confortable des civilisations matérielles pour celui bien moins sûr des valeurs de son sang.

Seul dans sa tente, couché sur un tapis persan, Abdul admirait une fois de plus par le volet de sa tente l'ombre des dunes découper le firmament étoilé. D'habitude cette image lui suffisait pour lui apporter une onde propice à son sommeil. Ce soir les yeux d'une femme s'y ajoutaient.

12

Deauville, France

En France, il est d'usage de donner un surnom imagé à chaque petit (ou grand) bout de ses 5 000 kilomètres de bordure littorale. Tout le monde connaît la Côte d'Azur, ainsi baptisée au début du siècle par des touristes britanniques; peu de gens sauraient par contre localiser exactement la Côte d'Albâtre ou celle d'Émeraude et on ne sait pas d'ailleurs d'où viennent ces noms. En baie de Seine, entre la plage d'Houlgate et le ravissant petit port d'Honfleur, on dit que les grèves sablonneuses qui se succèdent et les bocages de l'arrière-pays constituent la Côte Fleurie; car c'est comme si toutes les bourrasques pluvieuses de l'hiver resurgissaient à la belle saison en autant de clochettes délicates, de pétales colorés et de pédoncules verdoyants. Aux faîtages des chaumières, des bulbes d'iris fleurissent et rappellent les offrandes que faisaient les Anciens aux dieux du ciel pour amadouer leurs colères climatiques.

À l'embouchure de la Touques, une petite rivière qui draine les eaux de l'arrière-pays vers la Manche, à égale distance des deux bouts, Deauville, la capitale touristique de cette Normandie balnéaire, en est le fleuron. Plusieurs kilomètres de sable fin constamment battus par les marées, un parcours de golf réputé et un casino de haute tenue en sont les attraits touristiques majeurs. Avec en prime les fameuses planches, un corridor parqueté entre la plage et une enfilade de cabines maçonnées et recouvertes de mosaïques, où il est de bon ton de déambuler et de se faire voir. Les mauvaises langues diront: entre deux averses, ironisant sur la pluviométrie locale, capable en ces lieux et temps, d'exploits dont on saurait se passer. C'est bien connu, à Deauville: «ça va se lever» dit-on juste avant de confirmer «ça se lève»; et quand c'est le cas, le spectacle est merveilleux, les impressions grandioses.

La mer semble vivre. Elle est odorante, détonnante, pétillante, vivifiante. Si, comme les savants le disent, l'Homme en est sorti, alors cela doit sûrement être de celle-ci et non d'un de ces grands lacs que sont certaines mers fermées. Au loin sur l'horizon, on peut voir les grandes barres noires que forment les pétroliers géants se dirigeant vers Le Havre, la grande cité portuaire dont on aperçoit les contours avec, en avant et en hauteur, le cap de la Hève. Sur le sable, la marée a jeté des milliers de coquillages qui font la joie des enfants qui les ramassent dans de petits seaux après les avoir dénichés avec leurs épuisettes.

En juillet, c'est la pleine saison. Deauville pourrait s'appeler Paris-Plage. Mais l'expression a déjà été prise par Le Touquet, sa rivale bien plus au nord. Schéma classique : Madame et les enfants ont pris leurs quartiers d'été dans la belle maison normande à colombage et toiture ouvragés, généralement propriété de famille qu'on se repasse de génération en génération. Le matin les enfants vont au club et se gorgent de vitalité à la respiration des embruns iodés, laissant un peu de répit à leur mère qui aura su choisir entre la thalassothérapie, le golf ou le tennis. Le week-end, des fois même tôt l'après-midi du vendredi et tard le lundi matin – pour éviter les embouteillages – on verra arriver Monsieur, avec quelques dossiers, histoire de se donner bonne conscience, par l'autoroute de Normandie ou par le train-rapide.

L'apogée de cette saison touristique se tiendra le dernier dimanche de juillet lors de la traditionnelle réunion hippique au champ de course de Deauville : l'hippodrome des Fleurs... le bien-nommé. Il jouxte celui de Clairfontaine sur lequel sont surtout disputées des épreuves d'obstacles et qui est de réputation plus locale. Cette abondance d'événements hippiques est due au fait que les magnifiques herbages de la Normandie ne servent pas qu'à nourrir des vaches et donner laitages et fromages de renom : Camembert, Livarot, Pont-L'Évêque ; les chevaux de course trouvent dans le Calvados, et plus encore dans les pâturages de l'Orne la meilleure matière qui soit pour devenir les futurs cracks de la race équine.

En août, la baudruche se dégonfle un peu, quand beaucoup préfèrent à la qualité inégalée de l'atmosphère, le «soleil à coup sûr» que l'on trouve sur le pourtour de la Méditerranée. Mais à la fin du mois, un événement hippique majeur se tient encore à Deauville et c'est le célèbre cérémonial de la grande vente de yearlings, des chevaux d'un an, qui n'ont jamais encore couru et que l'on achète en extrapolant sur leurs propriétés génétiques. Les enchères sont parfois de redoutables bras de fer entre les émissaires de la Japan Racing Association, les représentants de cheiks arabes et les grands courtiers internationaux tâchant de coiffer les autres au poteau pour le compte de clients britanniques, allemands ou italiens ne souhaitant pas rester en dehors du coup. Dans cette ambiance parfois échevelée, on peut voir tout ce petit monde, calculette à la main et valeur de conversion du yen en tête, disputer à la hausse jusqu'à 3 millions de francs pour l'achat d'un pur-sang qui tourne devant eux, mené à la longe par son lad, et qui, loin de son bocage natal, aura peut-être du mal à se faire aux champs de course de l'archipel nippon!

L'idée en revenait à Tom que de vouloir «se faire une petite sortie de classe». Lors de leur dernière réunion, à la Banque, le courant passait de mieux en mieux entre tous les six. Le «Gang», comme aimait à le dire Tom. Même Kiyomi qui digérait peu à peu son manque d'hégémonie commençait à coller au groupe. On sentait qu'ils auraient aimé, après toutes ces réunions intenses, se retrouver ensemble ailleurs pour se détendre et se connaître dans des conditions plus conviviales. Tanya avait proposé un week-end à Stony Brook; mais au dernier moment chacun était attendu quelque part ou avait prévu une activité. Alors Tom avait su être un peu plus directif:
— Pourquoi ne ferait-on pas la prochaine réunion, le mois prochain, autre part?...
Il feuillette un petit calepin et continue:
— ... Voilà, le dernier dimanche de juillet. Je fais le Grand Prix de Deauville, en France. Ce serait sympa, non?
Tous les six s'entre-dévisagent et Gerry propose:
— Eh bien, rendez-vous quatre jours avant à La Guardia, je vous prends avec le Learjet. Il sera ravi de revoir l'Europe. Aucun mot d'excuse ne sera toléré, conclut-il sur un ton se voulant autoritaire.
Et Tanya de poursuivre:
— J'entérine la décision. Je me charge des réservations et de l'intendance... comme d'habitude. C'est une très bonne idée.
Se tournant vers Tom:
— Depuis le temps que vous me rebattez les oreilles avec vos dadas, je serai ravie de les voir à l'œuvre. J'espère que je ne vous porterai pas la poisse!
— Vous ne serez pas déçus! La poisse, ça n'existe pas! Il suffit d'être le meilleur et la poisse... on s'en passe. J'ai une équipe super!

On va leur montrer aux Européens ce que l'on sait faire! et pas qu'à eux d'ailleurs!

John se permet de modérer son ardeur verbale:

– Il me semble que vous allez un peu vite. Ne vendez pas la peau de l'ours avant de l'avoir tué!

– On verra bien! mais après, pas de blague, vous restez un peu. Je serais ravi de vous inviter chez moi quelques jours à Chantilly. Et puis on se fera une petite soirée parisienne... avec un dîner au restaurant de la Tour Eiffel. Et Gerry l'a bien dit! Personne ne peut se défiler. Présence obligatoire!

– On connaît de bien pires corvées! a pour parole Tanya, en mot de la fin. Même Kiyomi, d'habitude si réservé, semblait un peu excité à l'idée de cette escapade à la française sur fond de bleu-blanc-rouge.

November one-eight-three-seven-o-seven. We've got you in sight. You're clear to land. Wind is 280 at 10 knots. Over.

Cette information de la tour de contrôle parvient très clairement aux oreilles de Niels qui est aux commandes du gros biréacteur d'affaires en approche finale sur l'aéroport de Deauville-Saint-Gatien.

– Bon sang! je ne vois rien qui ressemble à un aéroport, dit-il à l'intention de son copilote. Il saisit le microphone de bord et demande à la tour une confirmation de position.

– Vous êtes parfaitement alignés sur la piste en service. Continuez votre manœuvre. Tout est O.K.

Évidemment le doute est compréhensible quand on est habitué au gigantisme des aéroports américains, il faut le voir pour le croire que ces installations microscopiques dignes du royaume de Lilliput soient bien celles d'un aéroport international. En voyant ce tout petit terrain d'aviation, Niels repense au petit terrain avec la piste en herbe où il avait appris à faire du planeur quand il était encore adolescent en Allemagne.

Et, par ce beau jeudi de juillet, en début d'après-midi, le Learjet se pose sur la piste 24. Il s'arrête avant la croisée des pistes, roule vers les installations et se gare au pied de la tour de contrôle. Plusieurs monomoteurs de tourisme sont en mouvement sur l'aéroport; un gros biturbopropulseur immatriculé en Angleterre a démarré et roule vers la piste d'envol.

Après sept heures de confinement dans la cabine, tous les passagers sont heureux de pouvoir descendre et se défouler à faire quelques pas. John et Julia, les enfants de John, ne se font pas prier pour griller tout le monde et être les premiers sortis. Puis le groupe se rassemble dans le hall de l'aéroport pour les formalités douanières et les procédures d'immigration, activités qui sont maintenues 24 heures sur 24 tout comme le service de piste. Sur le minuscule panneau d'affichage, l'unique vol régulier à venir, pour Londres-Gatwick, est annoncé. Niels a peine à y croire.

– C'est tout pour aujourd'hui ? demande-t-il au préposé.

– Nous attendons un Beechraft de Jersey pour 17h00.

– *Big deal* ! marmonne Niels à mi-voix.

Le minibus de l'hôtel Normandy les attend comme convenu ; mais il lui faudra faire une deuxième rotation car il n'a pas la capacité de prendre tous les occupants du Learjet d'un coup ; John est venu avec ses deux enfants ; Gerry avec Barbara ; Max est accompagné de son épouse Jacqueline et de sa fille Joan qui a treize ans. Tous ceux-là partent d'abord ; Kiyomi, Michael, Tanya, Tom et les deux pilotes vont se détendre au bar du restaurant en attendant le retour du minibus.

Pour leur première soirée en France, Barbara souhaitait qu'ils puissent aller dîner dans un restaurant traditionnel du pays. À la réception on leur indique une auberge près de Pont-Audemer, réputée pour ses fruits de mer et ses produits de terroir. Comme il fait un peu frais le soir dans cette grande chaumière authentique du XIIe siècle, les hôtes ont fait une belle flambée avec de grosses bûches en bois de pommier – le bois des rois. Le service est parfait et pour ces habitués des grands restaurants et des hôtels de luxe, la découverte de cette cuisine simple, indémodable et sans autre prétention que de nourrir agréablement, est une expérience dont ils se souviendront longtemps. Après le repas, le patron qui est aussi le chef de cuisine tient à faire connaissance avec cette tablée si particulière. C'est que dame ! les touristes américains ne sont pas d'habitude si nombreux dans son établissement. Il leur offre en digestif un petit verre de calva, l'alcool local, qu'il distille lui-même à partir des pommes de son verger. Ils ont tous bien du mal à s'extraire, à part les enfants qui ont un peu sommeil, tant l'atmosphère est chaleureuse ; mais leurs chauffeurs sont déjà arrivés depuis un moment.

Dans le minibus, Gerry commente l'addition et pense que l'aubergiste a dû faire une erreur d'un zéro ; mais le chauffeur le rassure en lui disant que c'est bien ça. « Eh bien, tant mieux », pense-t-il, puis il parle de ses intentions pour le lendemain.

Pour lui, c'est du tout vu: demain, direction le golf. Max et Kiyomi sont également candidats. Tom ira de son côté visiter un élevage de pur-sang dans l'Orne et John l'accompagnera. Michael et Tanya restent vagues sur leurs intentions... et pour cause! Leur idylle n'est pas encore affaire publique, même pour leurs proches relations d'UTOPIA. Enfin, tous doivent se retrouver le dimanche matin; car avec Tom ils auront accès aux coulisses du monde magique et mystérieux des courses de chevaux.

*

*　　　*

— Dieu que les Européens savent bien vivre! s'exclame Michael dès que la femme de chambre vient de se retirer après leur avoir porté sur un plateau d'argent deux petits déjeuners complets qu'ils pourront prendre au lit.

— Que veux-tu Michael, lui répond Tanya, ce sont leurs influences latines qui leur permettent cela. Chez nous, Anglo-saxons, on ne saurait admettre qu'un étranger pénètre dans votre chambre à coucher et vous surprenne au lit.

— Quel mal y a-t-il à cela?

— Michael, je n'approuve pas... j'explique.

— J'adore quand tu m'expliques des choses. Excuse-moi un instant, il faut que j'appelle un ami à Paris. Je fais vite car j'ai peur de le manquer.

— C'est quel genre ton ami? Ce n'est pas des fois une grande blonde avec des nattes?

— Mais non! Tu dérailles? C'est Jonsac, un Français qui est de ma promo à Caltec[1]. S'il apprenait un jour que je suis venu en France sans lui rendre visite, il en ferait une maladie.

Tout en expliquant cela, Michael a composé un numéro à Paris.

— C'est toi, mon vieux Jipi? Ici, c'est Michael!

— ...

— Je suis à Deauville.

— ...

— Oui, ce sera mieux comme cela. Tu nous attends à la gare au train de midi. Je suis sûr que tu ne me reconnaîtras pas car j'ai vieilli et enlaidi, bien sûr, depuis tout ce temps. Mais si tu vois un gars au bras d'une super-fille, eh bien, imagine que ce sera moi!

— ...

----

1. California Institute of Technology.

– D'accord, c'est cela. À tout à l'heure.

Michael repose le combiné, se verse une tasse de café noir et savoure un croissant au beurre de Normandie.

– J'espère que ça te plaira mon idée d'une virée parisienne. Tu vas voir, c'est une ville super et Jean-Pierre Jonsac va nous organiser tout cela de main de maître.

– Tu crois que les autres vont remarquer quelque chose ?

– Quand tu es amoureuse, tu es encore plus belle. Voilà ce qui pourrait bien faire dévoiler le pot-aux-roses !

– À quelle heure ce train ?

Sur le quai de la gare Saint-Lazare, Jean-Pierre Jonsac n'aura aucun mal à reconnaître son copain qu'il n'avait pas vu depuis au moins dix ans.

– Comment veux-tu qu'on puisse oublier ta vieille face de rat. Il n'y a pas de mois que ta trombine ne soit imprimée dans les journaux et les magazines. Des fois même en couverture !

– Et toi ? tu y es peut-être aussi dans les journaux... Si on cherche bien, on doit t'y trouver dans les faits divers ? Je te présente Tanya O'Reilly... une... enfin, disons un peu plus qu'une amie.

Dans le Paris un peu désertique de ce dernier week-end de juillet, la Citroën Pallas de Jean-Pierre Jonsac remonte les grands boulevards, passe la place de l'Étoile, tourne à l'avenue de la Grande-Armée, traverse la Porte Maillot, entre dans Neuilly vers le Bois de Boulogne où Jean-Pierre Jonsac a son hôtel particulier.

– Nous partons demain pour les vacances... mais vous pouvez rester à la maison... cela me ferait plaisir.

– On verra tout cela, Jipi. Ne t'inquiète pas.

Madame Jonsac accueille les invités et Michael prend son ami à part.

– Jipi, ne me pose pas de question et rends-moi le service de ne pas discuter ce que je vais te demander ; voilà : je voudrais dormir ce soir au Ritz...

– Mais alors, vous ne restez pas ce soir !

– Je t'ai donc dit le Ritz et puis...

Le reste de la conversation se fait à voix chuchotée. Avant de répondre, Jean-Pierre part d'un éclat de rire, puis il ajoute :

– Je vois ! Le grand truc ! Carrément ! Mais bien sûr que je suis d'accord, je vais t'arranger cela cet après-midi même. Je vois ce qu'il te faut. Surtout, fais bien exactement ce que je te dirai de faire ; c'est comme cela que ça se passe ici.

Sur ce, la maîtresse de maison indique aux invités que le déjeuner est servi sur la terrasse.

Après le repas, Jean-Pierre Jonsac les conduit à l'hôtel Ritz qui fait l'angle entre la rue de la Paix et la place Vendôme. Michael et Tanya prennent possession de leur suite, puis partent faire un petit tour en amoureux dans Paris. Ils prennent à pied la rue de l'Opéra, jusqu'aux guichets du Louvre, passent devant la pyramide :

— J'ai prévu de visiter le musée du Louvre demain. Il paraît qu'on y voit des trésors artistiques inestimables.

Puis ils entrent dans le jardin des Tuileries. D'un coup à l'approche de 5 heures, Michael se sent des velléités pour retourner à l'hôtel. Tanya s'attarderait bien à la terrasse d'un café. Mais Michael se montre intransigeant. Maladroitement il prétexte un appel téléphonique important.

Rentrée dans la chambre, Tanya un peu fatiguée se déchausse et s'apprête à visiter la salle de bains pour y prendre une douche. Michael semble un peu nerveux.

— Pas tout de suite Tanya... on va ressortir...

On frappe à la porte.

— Tu attendais quelqu'un ? je croyais que c'était un coup de fil ! dit Tanya

— Euh... je ne sais pas... habille-toi... je vais voir.

Dans l'encadrement de la porte, un homme très distingué s'annonce. C'est bien lui que Michael attendait. Il a une mallette noire reliée à sa ceinture par une fine chaînette dorée.

— Vous êtes à l'heure pile, remarque Michael.

— Monsieur, ce serait dommage... je n'ai eu que la place à traverser. Ma Maison est juste en face... On m'a dit que vous souhaitiez voir pour un bracelet ?

— Enfin... c'est Madame.. qui...

— Mais ! je n'ai rien demandé ! dit Tanya interloquée.

Les modèles, plus beaux les uns que les autres, défilent au poignet de Tanya, qui est comme dans un rêve. Le joaillier indique que bien sûr un choix encore plus important les attend... il n'y a qu'un pas à faire...

Le soir, Jean-Pierre avait réussi l'exploit de pouvoir obtenir une table chez Joël Rebuchon. Il sait préparer ses invités pour le festival culinaire qui les attend.

— La France est le pays de la bonne cuisine...

— C'est bien connu !

— Paris est la capitale de la France...

– Où veux-tu en venir?

– Et Rebuchon... là où je vous amène... eh bien, c'est le champion incontesté, le Médaillé-d'Or de la gastronomie française. Voilà où on va! Et vous savez on a de la chance, car d'habitude il faut réserver six mois en avance!

– Rien que cela! Arrête, j'ai les glandes salivaires en chaleur!

Le dîner est vraiment exceptionnel dans sa conception et sa réalisation. Michael prend le temps d'exposer son projet de colonie spatiale et reconnaît que la cuisine de Rebuchon l'avait déjà expédié sur une autre planète. Jonsac faisait remarquer avec insistance que toutes ces subtilités gastronomiques n'étaient possibles que sur cette bonne vieille terre. Juste avant le dessert, le monsieur qui les avait visités dans l'après-midi se faisait annoncer à la réception du restaurant. Michael se lève de table et va le retrouver.

– Nous avons fait de notre mieux pour en ajuster la taille et le parfaire aux goûts – fort bien assurés d'ailleurs – de Madame.

– C'est parfait; je vous remercie; nous n'avons pas encore pris le dessert... dit-il en lui remettant discrètement une enveloppe.

– Entre la poire et le fromage, dit-on chez nous. C'est le meilleur moment, un repas, pour ce genre de choses. Passez une bonne soirée. Au revoir.

Michael regagne sa place à table et dès que Tanya tourne la tête, il en profite pour glisser devant elle le petit écrin marron foncé.

– Michael, c'est une folie!

– Appelle cela comme tu veux! Pour moi il s'agirait plutôt d'un geste expiatoire. Une histoire entre moi et moi... N'essayez pas de comprendre!

Un instant Michael revoit les conditions horribles dans lesquelles il avait eu la vision de cette soirée paradisiaque. Mais dans ce temple du raffinement, de tels mauvais souvenirs n'ont pas leur place et sont bien vite évacués.

*

*   *

Pour ce dimanche matin, jour du Grand Prix de Paris, Deauville a revêtu son habit de fête. Le temps est de la partie: les vents d'ouest ont balayé le ciel qui est clair et dégagé... et saura le rester, aux dires des prévisionnistes de la météo locale.

Très tôt, ce matin, Tom est monté avec son entraîneur Bill Cunnington à l'aérodrome pour aller chercher le jockey qu'ils ont engagé pour la saison. À ce sujet, Tom avait connu une grave déconvenue. Il avait pensé que, carnet de chèques à la main, à sa bonne habitude, il pourrait s'assurer les services d'une «cravache d'or[1]» de ces dernières années.

Il ignorait qu'en Europe le milieu des courses est différent de ce qu'il est en Amérique; ici, les grands jockeys montent tous aux couleurs d'écuries prestigieuses, qui rarement les laissent en disposition de leurs contrats... et certainement pas pour leur permettre de défendre celles d'un concurrent menaçant. Pas question de transgresser ces règles. Plus que nulle part ailleurs, l'Homme de cheval est un Homme d'honneur. Il aime les situations claires. De plus la Société d'Encouragement, respectueuse institution centenaire, veille au grain!

Tom s'en est donc remis, en dernier ressort, au talent de Bill pour qu'il déniche l'oiseau rare. Son frère qui officie au Royaume-Uni l'a mis sur la piste d'un jeune jockey irlandais de 19 ans qui semblait en avoir sous la cravache. Et c'est lui qu'ils allaient chercher, à la descente de l'avion-taxi le ramenant d'Angleterre où il avait dû honorer plusieurs courses prévues depuis longtemps au Grand Meeting de Liverpool.

Tom avait une sainte horreur de ce genre de situation improvisée. Mais ne répétait-il pas ce mot de Winston Churchill: «Il faut savoir saisir dans chaque calamité l'opportunité qui s'y cache!»? Voilà que se présentait une bonne occasion de mettre le précepte en pratique. La présence de ce jeune non-confirmé endormirait sûrement l'adversaire, plutôt que de sonner l'alarme.

L'aire de stationnement de l'aérodrome est aujourd'hui bien plus remplie, avec tant d'arrivées pour ce week-end hippique. Le Learjet de Gerry a été garé sur le tarmac, devant un hangar, là où s'arrêtent d'habitude les vols commerciaux. À ses côtés un petit avion cargo achève la livraison d'une demi-dizaine de chevaux anglais. Plus loin sur un carré en herbe, une quarantaine d'avions de tourisme sont alignés bien sagement sur quatre à cinq rangs. La rosée du matin les a recouverts et les fait briller aux rayons du soleil levant.

Le Piper-Aztec en provenance d'Angleterre touche la piste un peu après sept heures du matin. Tom a hâte de rencontrer sa jeune recrue. Ils sont quatre à s'extirper du petit bimoteur; tous doivent courir l'après-midi à Deauville.

---

1. Jockey ayant remporté le plus de courses en une saison.

– C'est lequel, le nôtre? demande Tom, impatient.

– ... justement, je ne le vois pas, dit Bill inquiet.

Puis un cinquième jeune homme descend et Bill dit:

– Le voilà! C'est lui!... il m'a flanqué les boules, l'animal! J'ai horreur des rendez-vous manqués!

– Et moi donc! On aurait eu l'air fin!

– Pat! Nous sommes là! dit assez fort Bill à l'adresse du groupe qui s'avance vers l'aérogare.

Le jeune homme lui répond d'un signe de tête.

Peu après Bill lui présente son futur patron; comme pour tenter de rattraper le temps perdu, Tom ne lui laisse pas un instant de récupération et, à peine en voiture, commence à lui débiter toute une série de consignes, de principes et de choses qu'il lui paraît indispensable de connaître.

– Faites-moi le plaisir d'oublier tout ce que vous avez appris jusqu'à présent... ailleurs. Ici, c'est moi qui commande... et aussi Bill! dit-il en désignant Cunnington qui avait pris place au volant du Range-Rover.

En passant sur la place d'un petit village, Tom dit:

– Avez-vous pris un petit déjeuner?

– C'est que... cela n'est pas dans mes habitudes!

– C'est vrai! J'oubliais! Eh bien tant mieux, c'est toujours du temps de gagné! Nous allons immédiatement au haras d'un ami à 50 km d'ici. En ce moment ils sont en train de sortir Flashfoot et de le seller. Tu vas voir une vraie petite bombe... mais il faut le tenir jusqu'au dernier moment.

Tom se lance dans des explications interminables et le jockey ne sait plus où donner de l'oreille. Il est délivré de cette avalanche verbale quand ils arrivent au haras de Beaumesnil qui a été mis à leur disposition par un entraîneur-éleveur ami de Bill.

Tom et Bill observent avec intérêt cette première confrontation entre le crack et leur «poulain». Tom apprécie la prudence du jeune homme, qui ne cherche pas du tout à tirer sur sa monture.

– Qu'en pensez-vous? hasarde Bill.

– C'est pas mal!... pas mal du tout! Il a des qualités ce petit! Enfin il faut surtout voir comment il va se comporter en course. Cet après-midi, c'est important, mais sans plus; il faut surtout que ça démarre bien pour la suite... Bon, il faut que je parte, j'ai des invités qui m'attendent. Bill, je vous laisse. Il faut que vous le voyiez avec le jockey de notre autre cheval dans cette course. Car il est important qu'ils s'entendent!

Tom s'éclipse. Il demande qu'on le conduise au restaurant où il avait convié ses amis d'UTOPIA pour le déjeuner juste avant d'aller à l'hippodrome.

À table, c'est à peine s'il a le temps de toucher à ce qui se trouve dans son assiette. Ses verres par contre se vident un peu vite. Il est intarissable. Comme en plus ses auditeurs sont incultes en la matière, il trouve un auditoire idéal. Tout y passe : l'historique des courses de chevaux ; les explications sur le fameux « stud-book », où l'on enregistre depuis 1791 toute la généalogie des pur-sang qui furent issus d'un tout petit groupe de juments anglaises et d'étalons importés à cette époque d'Afrique du Nord et du Moyen-Orient ; de nos jours son homologue informatisé répertorie les naissances à raison, certaines années, de plus de 150 000 ! Il explique selon quelle alchimie on effectue les croisements.

— À ce sujet, mes amis, je tenais à vous associer par la pensée pour que vous soyez tous les parrains... et marraine, ma chère Tanya, de la prochaine naissance que nous aurons dans notre élevage. Et le nom de ce cheval sera... UTOPIA !

Tout le monde pense que c'est une excellente idée et chacun lève son verre.

— J'ai vérifié, le patronyme est libre dans la nomenclature, et cela fait déjà plusieurs mois que j'ai fait une demande pour le retenir.

Puis, il se lance dans l'explication des couleurs des casaques et toques des jockeys.

— Les nôtres sont bleu clair avec une croix de Saint-André grise. Bleu-clair/gris-clair... comme les Cow-Boys de Dallas.

Après il entame un petit exposé sur le monde un peu parallèle des courses ; les combines, les petites (ou grosses) triches qui arrivent ou sont arrivées. Mais d'un seul coup, il s'aperçoit qu'il est tard et tous se ruent vers l'hippodrome, vers lequel une bonne affluence commence à converger.

À Deauville, même le jour du Grand Prix, la foule qui s'y presse est très hétéroclite. Les vacanciers des plages normandes profitent de l'événement pour y passer une après-midi et s'offrir un grand frisson au prix d'un petit billet que l'on tente après avoir passé trois heures à l'étude passionnée d'un journal de turf. Ils y côtoient des élégantes en capeline et des agriculteurs venus en voisins, la « gâpette » vissée sur la tête et qui ont sorti, pour l'occasion, le costume du dimanche. Deauville sait encore avoir le charme des petits hippodromes de province où l'on peut, sans précipitation entre deux courses, faire un tour au rond de présentation, se rendre au guichet du Pari mutuel et retourner dans la tribune pour assister au spectacle.

Pour la présentation des participants du Grand Prix, on approche à grand mal du rond où l'on fait tourner les chevaux avant que leurs jockeys les rejoignent. Pat Killian s'y dirige encadré de Tom et Bill qui le couvent comme des mères-poules. C'est Tom lui-même qui lui tient la botte pour le mettre en selle. Tanya et Michael ne perdent pas une miette de tout ce cérémonial. Pour Tanya, la mise en selle du petit homme d'un mètre cinquante-deux sur une telle monture ressemble à une véritable entreprise d'ascension. Les chevaux quittent le rond et s'acheminent vers l'entrée de piste entre deux haies de spectateurs. Tom rejoint ses amis et leur emboîte le pas vers la grande Tribune fleurie.

— Il a l'air bien ce petit, leur dit Tom.

— Pas très expansif! fait remarquer Tanya; on dirait même qu'il avait l'air triste.

— Il devait essayer de se concentrer, avance Michael.

— Vous savez ce que m'a dit un jour mon ami Lester Pigott[1] à ce sujet, dit Tom?

— Non, dites-nous donc.

— Il disait: Comment voulez-vous qu'on ait l'air joyeux quand on sait qu'on est sur la brèche depuis cinq heures du matin... avec juste un thé non sucré dans l'estomac!

Les chevaux sont sous les ordres...

Cette annonce nasillarde par le haut-parleur provoque une montée soudaine du brouhaha dans l'assistance de l'hippodrome. Les parieurs jettent un dernier coup d'œil sur le tableau des cotes, rangent soigneusement leurs billets de PMU, et vérifient la mise au point des jumelles. Chacun y va de son commentaire avec ses voisins, comme s'ils se connaissaient depuis toujours, alors que la plupart du temps, une fois la course courue, ils ne seront plus que des inconnus. C'est comme cela aux courses!

Les chevaux sont maintenant dans les stalles de départ; dans quelques instants le starter les libérera. Le tirage au sort ne s'est pas montré trop malveillant pour Flashfoot qui est numéro 8 à la corde sur un peloton de seize.

---

1. Célèbre jockey anglais entre 1970 et 1990.

... Ils sont partis!!!

Le speaker officiel de la course égrène d'une voix rapide et monotone la composition du peloton de tête. Très rapidement c'est Mill Cottage, le deuxième cheval aux couleurs de Tom engagé dans la course, qui en prend le commandement et lui imprime un train très rapide dans le but de tirer le peloton et favoriser Flashfoot qui, pour le moment, se noie dans son ventre mou. À l'approche du dernier virage à 800 mètres de l'arrivée, il s'est déjà bien avancé et son nom vient d'être prononcé. Il est maintenant dans le sillage de Mill Cottage, qui va s'effacer devant lui pour lui laisser du champ et lui permettre de jouer une place à l'arrivée. À 400 mètres du poteau il est troisième, à deux longueurs. Le cheval est encore peu sollicité et gagne du terrain à chaque galop.

— Il faut encore que Pat le retienne! crie Tom à l'adresse de Bill Cunnington, les yeux rivés à leurs jumelles.

— Il est bien, lui répond Bill.

À 100 mètres du poteau, les nerfs de bien des turfistes sont à rude épreuve. Leurs vociférations sont maintenant au maximum. Tanya sent son cœur battre dans sa poitrine; elle n'a pas l'habitude et n'arrive pas à localiser leur protégé. Elle observe constamment Tom et Bill pour se faire une idée de ce qui se passe.

— Ça y est! il y va...

Sur la piste, à 50 mètres de l'arrivée, le jeune jockey laisse sa monture exploser. Il a su se ménager un couloir bien propre devant lui. Il se contente de rééquilibrer son partenaire d'un petit coup de cravache tous les deux galops et l'assiste pour le crescendo final. Flashfoot coiffe la pouliche-vedette de l'écurie du Cheik Al-Maktoum d'une encolure sur le poteau.

Tom et Bill ont dégusté cette fin de course en fins gourmets. La prestation de Pat Killian est à la hauteur des espérances qu'ils avaient mises en lui.

Mill Cottage, dont le jockey est complètement relevé, franchit en attardé la ligne d'arrivée.

— Mais alors, on a perdu, dit tristement Tanya qui avait perdu de vue Flashfoot dans la confusion du finish et qui reconnaissait les couleurs de Tom en fin de peloton.

— Pas du tout, Tanya. On a gagné! Et comment! J'espère que vous avez misé comme je vous l'ai dit! On va prendre un bon paquet, on était à 10 contre un!

— Mais celui-là... il est dernier!

– Celui-là ? Oui ! Mais on s'en balance ! C'est le cheval qui fait écurie avec nous. Un compère. Il a faussé le train au début, puis a fait le trou pour Flashfoot. Non Tanya, croyez-moi, c'est une très belle victoire ! Allons les voir au Rond. Ce Pat, c'est un tout bon ! N'est-ce pas Bill ? Je l'ai tout de suite repéré. J'ai du nez pour ce genre de chose.

– Bien sûr, dit Bill sachant qu'il ne servirait à rien d'essayer de le contrarier en ce moment.

– Et puis vous savez, Bill, je crois qu'il ne faut pas sous-estimer Mill Cottage. Il a un excellent potentiel lui aussi.

Tom nageait dans l'euphorie et se voyait déjà faire écurie gagnante avec ses deux chevaux dans un autre Grand Prix un peu plus tard.

Dans sa tête se dessinait un monument très parisien en forme d'Arc de Triomphe. Une grande course à cet emblème a lieu tous les automnes et elle symbolise pour le sport hippique le sommet de perfection auquel il n'est pas un entraîneur dans le monde qui n'ait jamais rêvé.

Pour le moment, Tom et ses invités se rendent près du rond de présentation où une petite cérémonie de remise des prix doit se tenir. Il a l'occasion de féliciter chaleureusement son jockey, puis il reçoit des mains du président de la Société d'Encouragement un trophée, qui est un magnifique cristal Lalique.

Chantilly, France

Il est bien rare de trouver en Île-de-France, la campagne autour de Paris, une maison avec un toit de chaume. Mais pour l'imposante demeure qu'occupe Tom, dans le forêt du Lys, tout près de Chantilly, cette couverture végétale avait été la meilleure solution pour qu'elle s'intègre bien dans l'environnement forestier peu construit. Ses pentes aux contours arrondis s'ouvrent de fenêtres fleuries en demi-lune et se confondent avec les branchages des grands arbres qui bordent la clairière.

Après une petite fiesta bien justifiée pour célébrer la victoire de Flashfoot à Deauville, Tom et ses invités se sont installés pour quelques jours dans la grande maison de Lamorlaye où il était convenu que se tienne une réunion de la plus grande importance. Arrivés la veille, ils apprécient tous la quiétude ombragée du grand parc de la propriété. Ils ont déjeuné tous ensemble, au bord de la piscine sous une tente-parasol et c'est sans grand enthousiasme qu'à la demande de Tanya, ils s'apprêtent à rentrer dans la grande salle à manger rustique où, sur la table de ferme, on a disposé pour chacun d'eux des documents identiques, de quoi écrire et se rafraîchir.

Quand tous sont rentrés et se sont changés, Tom les accueille, présente sa secrétaire qui consignera par écrit leur discussion et passe la parole à Gerry.

— Depuis janvier, comme vous le savez, bien des choses se sont passées pour UTOPIA. Nous avons tous eu de grandes frayeurs à un moment ou à un autre. Mais cela est du passé. Je crois pouvoir dire maintenant que le projet est sur ses rails. Je donne la parole à Max qui va nous parler du programme de fabrication. Où en êtes-vous exactement à Houston?

— Eh bien, mes chers amis, j'ai le plaisir de vous annoncer que tout va pour le mieux. Pas de retard majeur pour le moment. La phase IV, c'est-à-dire la construction du satellite géant, peut commencer; et le lancement en orbite géostationnaire suivra 12 mois plus tard.

— Vous êtes sûr qu'il n'y a pas un peu de précipitation dans tout cela? demande John.

— Pas vraiment... bien entendu, nous supposons que certains problèmes actuels puissent être solutionnés.

— Et qui sont?

— Principalement celui des super-navettes. Je vous rappelle qu'à ce niveau, nous sous-traitons à 100%. Pour la cellule, tout va pour le mieux. Le Gouvernement a fait en sorte que les trois principaux constructeurs, Boeing, McDonnell-Douglas et Lockheed ont dû marcher ensemble, un peu comme l'a fait le Consortium européen avec Airbus Industrie. Chacun fabrique un bout et l'assemblage final se fait à Houston. Nous pourrons faire des essais de roulage dans les semaines à venir. Mais pour la motorisation définitive, il semblerait qu'il y ait un vrai problème. La poussée en bout de réacteur doit être de dix fois supérieure à celle que nous connaissons en vol à réaction traditionnel. Pour arriver à ce résultat, on injecte dans les chambres de combustion de l'air comprimé. La technologie n'est pas simple et les trois motoristes qui y travaillent, Pratt et Whitney, General Electric et Rolls-Royce ont une fâcheuse tendance à tirer la couverture à eux...

— Dans quel intérêt? demande Tom.

– Dans le leur, tout simplement! Le développement de ces *scram-jets* représente pour chacun d'eux un énorme marché potentiel pour les années à venir: celui des grands vols inter-continentaux. Ainsi, on peut envisager de relier Londres à Tokyo en deux heures avec une sortie et une entrée dans l'atmosphère terrestre. Alors ils ne sont pas près de dévoiler leur avance au concurrent. Chacun y va de sa petite cachotterie et attend que l'autre fasse un pas...

– Et cela peut durer! dit Gerry. Quelle solution alternative avez-vous, si cette motorisation tarde?

– Eh bien dans ce cas, on peut toujours avoir recours aux navettes spatiales conventionnelles à départ vertical. L'inconvénient, c'est qu'au lieu de 300 tonnes de charge utile pour la supernavette, celles-ci n'en prennent que 4 ou 5! Ce qui fait un gros déficit et donc un gros retard.

– Souhaitons donc qu'ils se mettent d'accord tous ces fabricants d'aspirateurs! dit Gerry. Et en ce qui concerne la construction de la station orbitale?

– De ce côté, tout est O.K., nous avons réalisé notre module de base. Tout le reste n'est plus que transport et assemblage. UTOPIA est en fait un gigantesque Meccano! Nous avons installé l'usine qui produira les éléments et entraîné le personnel au maniement de ces alliages très spéciaux. Sur le site d'Houston, nous avons plus de dix mille techniciens prêts à démarrer cette production.

– Et pour financer tout cela, le budget annuel est de 90 milliards de dollars, annonce John. Il faut maintenant en parler.

– C'est une somme énorme, dit Tom. C'est une trésorerie mensuelle de 7 milliards de dollars!

– Et il n'est pas question que la pompe à fric fasse défaut l'ombre d'une seconde, ajoute John.

– Que suggères-tu, John? demande Gerry.

– Oh! rien de bien compliqué. Il faut faire les comptes et s'y tenir.

– Comment cela se présente-t-il du côté des futurs résidants, ma chère Tanya? demande Gerry.

– Il n'y a pas à se plaindre. Nous avons beaucoup de demandes et des fonds importants nous sont déjà parvenus. Mais cela n'a rien à voir avec les chiffres dont vous parlez. Et puis il y aura des candidatures qu'il faudra débouter...

– Et du côté des concessions?

Gerry fait un tour de table du regard; quand il arrive sur Michael, celui-ci dit:

— Je suis prêt à donner une garantie pour le secteur de la recherche et du développement de microprocesseurs.

— Cette proposition n'est plus d'actualité, intervient Kiyomi en détachant bien toutes les syllabes. Ce secteur nous est revenu dans son ensemble. Oubliez-vous que Ogura Securities et ses associés ont fait un transfert de 3 milliards de dollars en mars dernier et qu'elle a avalisé le programme pour 7 milliards additionnels? et qu'à ce moment-là, le transfert sauvait le programme?

— Y a-t-il eu un vote pour entériner cette décision? s'enquiert Michael, d'un ton un peu énervé.

— J'ai une lettre, monsieur McDougall.

De son porte-documents, il extrait une photocopie qu'il montre alentour avant de la tendre à Michael.

— Lisez donc vous-même. C'est signé de John et de Gerry.

Michael parcourt le document, puis en lit un passage à haute voix:

— *Nous apprécierions, dans l'état actuel du financement, que vous puissiez nous créditer de... et en échange, nous ferons tout ce qui est en notre pouvoir pour favoriser de la part du Conseil d'administration d'UTOPIA et du Gouvernement U.S. le fait que vous puissiez exploiter en exclusivité le secteur manufacturier des microprocesseurs...* Je respecte tout à fait l'opinion que John et Gerry ont pu émettre. C'est leur droit le plus absolu. Mais pour que cela puisse être validé, il faut que ce soit ratifié par une résolution majoritaire du Conseil d'administration. C'est très simple, procédons au vote. Je vote contre cette proposition.

L'instant est grave! Michael invite son voisin à se prononcer.

— Je m'abstiens, dit Tom.

— Et moi de même, dit Max.

À nouveau un grand silence s'établit dans la pièce.

— Rien n'empêche John et Gerry de rester fidèles à leur promesse de vous soutenir, comme ils l'ont proposé. Nous sommes à égalité de voix.

John et Gerry sont dans une situation assez inconfortable, car quand ils avaient dit cela à Kiyomi, ils avaient vraiment grand besoin de lui; mais par ailleurs, la manœuvre était des plus régulières et ils n'avaient pas à se sentir parjures. Tanya sent qu'il est grand temps d'intervenir avec diplomatie dans le débat.

– Bon. Parlons de la répartition de ce secteur qui me semble tant convoité. Il n'est pas question de minimiser les effets de l'engagement financier précoce qu'ont eu Kiyomi et ses associés. Nous estimons que ce secteur doit nous rapporter 30 milliards de dollars. Kiyomi et ses associés en ont acquis le tiers. Il ne vous reste plus, Michael, pour en contrôler les deux tiers restants, que de vous porter garant pour un versement de 20 milliards de dollars. Pensez-vous en être capable?

– Je ne peux m'engager pour le moment sur mes fonds propres que pour l'achat d'un autre tiers.

– Dans ce cas le troisième tiers sera à la disposition de celui qui s'engage le plus rapidement. Je crois que ce marché est équitable.

Évidemment tout le monde est d'accord, sauf Kiyomi qui pensait vraiment qu'il pourrait ramener l'exclusivité comme un trophée vainqueur à ses associés, même si au fond de lui il sentait bien que sa requête était exagérée. Enfin... il lui reste encore un bout de combat à mener pour tenter de récupérer partie ou totalité du dernier tiers. Gerry et John lui accorderont certainement 10 à 15% supplémentaires, ce qui n'a d'ailleurs pas trop d'importance, les résultats d'une recherche n'étant pas toujours proportionnels aux moyens mis en œuvre. Il fallait aussi contenter des demandes émanant d'un groupe canadien et d'un autre, européen celui-là.

Le président d'Ogura Securities représentait dans cette tractation bien plus que lui-même et les intérêts de son groupe, puisqu'il avait en plus sur les épaules le poids des espoirs politiques que son pays, ex-Empire du Soleil Levant, avait placé en lui pour régler les comptes d'un passé maudit. Pétrifié face à une telle adversité, comprenant qu'il ne ramènerait pas avec lui la victoire tant attendue, Kiyomi sent bouillir en lui l'esprit du samouraï. Mais, impuissant, il se rend compte qu'il était encore trop tôt pour que la main passe. Les Américains ont évité de tomber dans le piège et, pire, ont encore pu faire la preuve qu'ils en avaient les moyens. Le nain politique qu'ils voulaient tant que le Japon soit et demeure n'était pas encore près d'aller jouer dans la cour des grands!

Une fois l'épineux problème traité, tout le monde souffle et Tanya laisse à Gerry le mot de la fin:

– La Maison-Blanche vient de nous faire savoir qu'elle ne voit plus aucun obstacle à ce qu'UTOPIA devienne le 51e État de l'Union!

L'annonce de cette reconnaissance lève toute tension. Tous laissent voir leur joie et leur satisfaction : cris enthousiastes, embrassades, applaudissements... Moins enclin à toutes ces effusions, Kiyomi, un peu gêné, frappe tout de même trois fois dans ses mains, l'esprit ailleurs.

Tom, qui comme à l'habitude se montrait peu expansif lors des réunions, profite de la bonne humeur quasi générale pour rappeler :

– J'espère que personne n'a oublié que vous êtes mes invités pour le dîner de ce soir. J'ai réservé au Jules Verne, le restaurant panoramique de la Tour Eiffel !

– Jules Verne... Jules Verne..., mumure Michel, encore un type qui rêvait d'aller dans la lune !

La soirée s'achève au Moulin Rouge, à Montmartre, au célèbre cabaret où planent encore les fantômes de La Goulue, de Lautrec, du Désossé et de Boris Vian, pour la fameuse revue soi-disant typiquement parisienne qu'aucun touriste ne voudrait manquer pour un empire. Avec les dessous affriolants des girls du french cancan, même si à côté les séances érotiques pullulent ; et bien sûr la musique de Jacques Offenbach, même si la bande magnétique a supplanté les violons. Voilà encore un des mystères de Paris et de ses p'tites femmes !

Après le spectacle, la douceur de la nuit les invite à aller musarder un peu dans les petites rues de la Butte où, malgré l'heure tardive, presque tous les commerces sont encore ouverts. Tout en haut, sur la place du Tertre, les peintres et les caricaturistes sont encore au travail à la lumière de petites torches qui sont branchées sur des batteries d'automobile. Avec son cigare et son chapeau, Tom ne tarde pas à se faire épingler par un jeune Asiatique qui n'a pas son pareil, en deux coups de crayon, pour vous croquer un portrait plein d'humour et de dérision en grossissant volontairement chaque imperfection ou trait particulier. Le résultat est saisissant et le jeune artiste entreprend tout de suite de ne laisser partir personne sans son petit souvenir de la Butte Montmartre. Le long d'un caniveau, un couple en habits d'autrefois pousse la chansonnette en s'accompagnant à l'orgue de Barbarie et débite avec gouaille les airs de Bruant en prenant bien soin de rouler les R, comme on le faisait jadis.

Le lendemain, dans la froideur impersonnelle des aéroports, tous ces bons moments ne sont plus que des souvenirs. Kiyomi et son épouse attendent dans Roissy leur vol avec JAL pour Tokyo. Max et sa famille ont acheté des billets pour l'Espagne ; Michael et

260

Tanya ont prévu une escapade amoureuse en Italie. Le Learjet décolle du Bourget, fait un saut de puce pour Londres afin d'y laisser John et ses enfants, puis entame une traversée directe vers les États-Unis ramenant Gerry et Barbara Limata vers leurs foyers.

Quant à Tom, il bénit le ciel d'avoir si peu à faire pour aller retrouver à Chantilly ceux que l'on considère comme la plus grande conquête de l'Homme, ses meilleurs amis, qui déjà aux premières lueurs du jour avaient commencé leurs galops au grand ovale.

13

Camp David, Virginie

Aucune référence n'est jamais faite sur les cartes routières de Virginie sur l'emplacement exact de Camp David, la résidence secondaire officielle des locataires en titre de la Maison-Blanche. Ce grand domaine enclos, surveillé en permanence par des militaires, est à environ cent kilomètres à vol d'oiseau de la Capitale, sur les rivages découpés de la Chesapeake Bay. Le Président vient souvent s'y détendre le week-end, et peut parfois y accueillir des invités étrangers de marque. C'est là que se fit la poignée de main historique entre Sadate et Begin, suite aux fameux accords de paix israélo-égyptiens dits de Camp David.

Au début d'août, le Président est parti se ressourcer au bon air de son pays natal, dans son État du Middlewest; comme il le fait chaque année il passe la dernière semaine de ses vacances d'été à Camp David pour peaufiner sa rentrée politique juste après *Labour Day*.

Dans ce contexte particulier il a convoqué, en plus de ses conseillers habituels, les deux secrétaires d'État aux Armées et aux Affaires étrangères ainsi que les trois plus hautes autorités militaires du pays, pour une réunion de la plus haute importance.

Assez tôt le matin, le Président a fait une partie de double au tennis, puis une promenade avec ses chiens dans le grand parc; c'est en tenue décontractée, en bras de chemise, qu'il démarre la réunion sur la grande terrasse abritée du soleil par un store qui a été tiré.

– Il est grand temps, Messieurs, que nous en arrivions à rendre la monnaie de leur pièce aux terroristes islamistes. Justement, en ce lundi de *Labour Day*, je vous laisse imaginer un instant ce qu'aurait pu être notre journée, si nous n'avions eu vent de ce qui se tramait au-dessus de nos têtes grâce à la providentielle expédition au Dar Fur. C'est le premier point, et non le moindre, mais qui ne devrait pas nous faire oublier que nous avons un compte ouvert avec ces gens qui ont soutenu l'attaque du *Washington*. Il faut leur faire passer à jamais le goût de vouloir recommencer de tels jeux, ne serait-ce même qu'en pensée! Pour cela je propose la manière forte. Nous n'avons pas de gants à prendre, et nous sommes là pour décider ensemble des représailles qu'ils méritent. L'attaque du *Washington* est partie de Libye, et Dar Fur est une filiale de Téhéran. Je souhaiterais donc une attaque visant ces deux endroits.

Du regard, le Président fait un tour de table. Le chef suprême des forces armées, conscient de la gravité de la situation, demande prudemment :

— Vous envisagez une attaque... conventionnelle?

— Oui, c'est évident, mais je voudrais que le résultat soit le même que s'il s'était agi d'une bombe atomique. Le monde entier doit voir ce dont nous sommes capables, forts en plus de notre bon droit.

Le secrétaire d'État aux Affaires étrangères sent le moment venu de faire connaître la position qu'il souhaite défendre :

— Je suis tout à fait d'accord avec vous sur l'aspect exemplaire et démonstratif que nous devons manifester, mais je crois que... d'un point de vue humanitaire, il me semble que nous devrions limiter ces représailles à des objectifs militaires. L'opinion publique et les instances internationales verraient d'un sale œil que l'on fasse payer à des civils innocents les exactions commises ou prévues par leurs dirigeants... qui seront peut-être eux-mêmes épargnés.

Albert Campden, le conseiller privé du Président, renchérit :

— Je pense également qu'il vaut mieux en rester à un «œil pour œil» plutôt qu'à un «pour une dent toute la mâchoire.» Rappelez-vous les commentaires que nous a valus, pendant la guerre du Golfe, le fait que malgré la précision chirurgicale de certaines opérations aériennes, des pertes civiles aient pu être déplorées.

Un des militaires reprend :

— Nous avons plusieurs sites militaires stratégiques et nucléaires que nous pouvons détruire sans trop de difficulté, tant en Libye, qu'en Iran; et puis bien sûr enfoncer le clou en détruisant ce qui reste de Dar Fur. Je crois que tout cela, le même jour, cela va marquer, non?

– Évidemment, fait le Président songeur.

Tout le monde semble un peu soulagé par cette suggestion plutôt sage. L'un des participants remarque à l'adresse du Président :

– Parce que la dernière fois, vous parliez de capitales rasées... C'était un peu disproportionné... à moins bien sûr qu'il ne nous soit arrivé la même chose !

– Les mots ont un peu dépassé ma pensée, confirme le Président. Parlez-moi de ces sites...

C'est tout d'abord l'amiral en chef de la Navy qui prend la parole.

– Nous avons pu reconstituer l'itinéraire des avions qui ont coulé le *Washington*. Ils ont pu décoller de deux bases de la Tripolitaine. Dans le doute on peut détruire les deux. Ce qui fait en tout une cinquantaine d'avions. Peut-être le tiers de ce que ce pays peut aligner.

Le chef suprême des Armées enchaîne :

– Nous avons pu localiser en Iran un site sur lequel notre surveillance par satellite laisserait à penser que l'on puisse s'y livrer à des opérations nucléaires.

– Et de deux, dit le Président en faisant une note sur un dossier. Puis il ajoute : « Et bien entendu, Dar Fur ! » En disant cela, il entoure quelque chose sur son papier et maniant son crayon comme un fléchette, fait mine de le bombarder :

– Par la même occasion, je suggère que l'on traite à l'insecticide un site militaire soudanais, ou mieux un autre camp d'entraînement de terroristes ; juste histoire de leur montrer que l'hospitalité c'est très bien... à condition de bien choisir ses hôtes.

– On devrait pouvoir trouver cela, dit un militaire.

– Eh bien, Messieurs, nous venons de franchir le Rubicon, dit le Président. Je vais vous signer les ordres de mission. Je compte sur vous pour mener cela de main de maître. Quand tout sera fini... et bien fini, je ferai une annonce télévisée au pays. Le Grand Jeu ! Je mettrai le pays et le reste du monde au courant de la menace à laquelle nous avons échappé et j'en profiterai pour confirmer de façon officielle le soutien du Gouvernement pour le projet UTOPIA. Nous leur devons bien cela !

– Un bienfait n'est jamais perdu ! conclut l'un des secrétaires d'État.

Quand on est l'ami personnel de Yasushi Nakasone, président de JAL, l'usage veut qu'à bord des long-courriers de sa compagnie vous soyez l'invité de la suite volante qu'il a fait aménager à l'*upper-deck* des 747. Identifié comme tel, Kiyomi s'y fait diriger dès son arrivée dans le salon d'honneur des lignes japonaises au départ de Roissy. Il reconnaît dans la salle d'embarquement son ami Shuzaku Nakajima, l'héritier des aciéries du même nom, et s'arrange pour que ce dernier l'y accompagne.

À côté de l'escalier en colimaçon qui mène au poste de pilotage, un minuscule ascenseur introduit les passagers directement dans la suite. Une hôtesse en habit traditionnel les attend avec des serviettes chaudes et parfumées pour leur souhaiter la bienvenue. Les hublots ont été masqués dans ce salon décoré avec un luxe inouï et qui fait penser à une pièce bien douillette d'une maison d'un quartier résidentiel de Tokyo. Tout a été conçu pour faire oublier l'inconvénient d'un long transport aérien. L'avion géant a trouvé le moyen de disparaître, comme happé par le talent d'un illusionniste.

Kiyomi branche en conversation son épouse avec son ami, et tout de suite s'approche de la console de télécommunication. Il a d'abord un très long entretien de près de 20 minutes avec ses bureaux du Japon. Plusieurs fois, le télécopieur délivre des messages qu'il lit de loin sans même les détacher du distributeur. Puis il appelle un autre numéro pour une communication extrêmement courte. Le commandant de bord vient le saluer; on vient s'enquérir de ses désirs pour le repas à venir. Kiyomi semble ailleurs. Les nuages ne sont pas loin... juste à quelques centimètres si on sait les imaginer par-delà l'épaisseur de la coque pressurisée du puissant quadriréacteur. Shuzaku ne peut pas ne rien remarquer.

— Tu sembles soucieux, Kiyomi. Pourtant tu viens de prendre du bon temps en France?

— J'ai peut-être de bonnes raisons de l'être...

— Ton affaire avec les Américains? souffle Shuzaku.

— Pas seulement avec eux... Je m'occupe de mes ennemis, préservez-moi seulement de mes amis. Tu connais le proverbe? J'ai l'impression que...

Le vol est interminable. Le personnel de bord redouble d'attentions pour les trois invités de marque de la cabine. Mais cela n'arrivera pas à détendre Kiyomi qui a bien du mal à cacher son trouble. Il trouve finalement le sommeil pour quelques heures, assis bien droit dans son fauteuil-pullman. Son visage semble froid et impénétrable, comme s'il n'était que le masque d'apparat d'un samouraï. Réfugié dans le sommeil, il repose comme une statue qui penserait intensément... les yeux fermés.

Le Boeing se pose à Narita à 13h35 locales. Une Lexus attend à la sortie et conduit directement Kiyomi au siège social d'Ogura Securities, dans Chiyoda alors que sa femme est conduite à leur résidence en banlieue de Tokyo. On venait de l'avertir qu'on l'y attendait pour un Conseil extraordinaire, à 16 heures.

À 16h03, Kiyomi pénètre dans la salle de réunion. Autour de la grande table ovale, huit personnes ont pris place. Un détail, son fauteuil de président, légèrement plus grand que les autres sièges de la pièce, n'a pas été tiré de quelques centimètres et un peu en biais afin de lui permettre un accès plus facile. L'ambiance est celle d'une chambre froide, d'une morgue. Les regards d'habitude familiers se détournent. Un parfum de «nuit des longs couteaux» flotte dans l'air. Kiyomi l'a bien senti. Il a compris que dans cette arène bleu nuit, il fait l'entrée du taureau. Il cherche qui serait Brutus, qui pouvait être Judas.

Les directeurs d'Ogura Securities n'osent le croiser du regard, comme avec la pudeur ou la peur qui force à regarder ailleurs quand la Mort interpelle.

Imperturbable face à cette tempête figée et muette, Kiyomi fait part du résultat de sa tractation avec ses partenaires d'UTOPIA. Sa voix est neutre, sans intonation; on sent que tout désir de convaincre en est absent. Résolu, il attend l'estocade, avec juste un fond de curiosité pour apprendre l'identité du portefaix.

À l'instant même où son discours allait tourner à la redite de certains éléments, Shoza Matsui lui coupe la parole au milieu d'une phrase... Les *tu quoque mi fili*[1] se suivent et ne se ressemblent pas!

– Kiyomi Ogura!...

Un petit silence. La tension est extrême. La plupart des gens présents n'auraient pu imaginer un jour de leur vie assister à une telle scène révolutionnaire.

– ... Le Conseil d'administration d'Ogura Securities a pris la décision à la majorité absolue de te démettre de tes fonctions. Tu as échoué dans ta négociation avec les Américains pour obtenir en

---

1. «*Toi aussi mon fils*» parole de César à Brutus, son protégé, qui fait partie de ses assassins.

échange du financement consenti l'exclusivité sur le secteur manufacturier que nos associés exigeaient. Ta méthode est... la mauvaise pour traiter avec *ces gens*!

En un éclair et sur ce dernier mot traitant l'adversaire avec dédain, Kiyomi reçoit la confirmation implicite qu'il n'a pas fait que perdre la partie. Il entrevoit que bien plus, et bien pire, est à craindre.

– Et votre méthode, ce sera...

Shoza se rassied. Il acquiesce silencieusement en hochant la tête, sans oser affronter le regard de Kiyomi.

– ... Vous allez jouer avec le cancer, s'essaie à dire Kiyomi.

Sa voix ne porte déjà plus. Il a compris qu'à cet instant précis il avait tout perdu. Il se retire sans même un regard de courtoisie pour ses ex-partenaires. Dans le couloir, le chef de la sécurité du bâtiment l'attendait. Kiyomi connaissait le cérémonial. Il passe à son bureau et prend les cadres de ses photos personnelles sur sa table de travail. Il remarque que l'écran de l'éditrice n'est plus alimenté. Dans la rue, le chauffeur de la Lexus lui ouvre la porte. Il le remercie, marche un peu, puis hèle un taxi.

Houston, Texas

Entre Max et Tanya, les tâches étaient bien clairement réparties. Lui, au milieu de ses ingénieurs et techniciens à UTOPIA BASE CENTER, sur les terrains qu'avait concédés Tom. Elle, dans son bureau de l'Oiler and Trust Corp, en plein centre d'Houston, surtout plus proche du partenaire qu'il était indispensable de savoir conquérir à l'abord de la dernière ligne droite: la Presse. Car si cette dernière ne fait pas directement les sondages, c'est quand même elle qui les communique, les analyse et les commente.

Pour le moment, ils leur étaient extrêmement favorables, avec une majorité confortable d'opinions positives, très peu d'opposés, mais encore de nombreux indécis; et c'est bien pour cette dernière fraction que Tanya était décidée à faire usage du grand jeu médiatique.

Tout le pays attendait la grande première que serait justement le premier reportage télévisé à l'intérieur du nouveau centre spatial d'UTOPIA. Toutes les chaînes avaient bataillé ferme pour obtenir l'exclusivité et c'est finalement Sue Chang, la présentatrice vedette du 20h de la CNN, que Tanya avait choisie pour dévoiler en sa compagnie tous les mystères et les secrets puissamment gardés à l'abri des regards indiscrets, sous les grandes coupoles argentées qui étaient sorties de terre comme des bulles de savon et comme autant de points d'interrogation. Elle comptait bien sur cette présentation habilement conduite pour rallier les indécis. Le taux d'enthousiastes pouvait encore monter. L'enjeu était de taille, car les gens du Congrès, eux non plus, n'étaient pas insensibles aux résultats des sondages d'opinion publique !

Cette mise en route politico-médiatique ne prenait pas plus de place qu'elle n'en méritait dans la vie de Tanya, sûre d'elle-même et confiante dans son produit. Elle avait su y voir plus de routine que d'appel au défi.

Par contre, l'éloignement des siens lui pesait. Michael était étonnamment absent; mais la montre qu'il lui avait offerte à Genève ne quittait plus son poignet. Elle fixait son bracelet en tournant la main, tout en se disant que c'était le moment idéal pour joindre son père avant qu'il ne quitte son bureau, comme elle le faisait pratiquement tous les jours. La journée allait se terminer, elle n'avait aucun projet pour la soirée.

Seule Ann Liu se permettait d'entrer dans son bureau sans se faire annoncer; et quand elle ne frappait pas, c'est en plus que cela devait être urgent:

– Je viens de recevoir un fax de Tokyo! lui dit-elle en lui tendant un petit rectangle de papier.

– Et qui annonce quelle bonne nouvelle?

– Voyez vous-même!

Le message est bref et pour le moins inattendu:

Tokyo, le 6 août 1999

via fax
to : Tanya O'Reilly
Direction programme UTOPIA

Madame,
Veuillez prendre acte par la présente que suite à la décision du dernier Conseil d'administration de l'OGURA SECURITIES, monsieur Kiyomi Ogura a été mis en minorité et qu'en conséquence il a été démis de toutes ses fonctions et déchu de toutes ses prérogatives.
Nous vous informons également que votre nouvel interlocuteur avec la Société qu'il représentait est monsieur Shoza Matsui, président

du Conseil de régence d'OGURA SECURITIES, dorénavant seul habilité pour la rediscussion des termes du contrat liant nos intérêts en une date à déterminer le plus rapidement possible.

Au regret pour le désagrément que peut occasionner ce petit changement au sein de notre groupe, nous restons vos obligés et vous prions de recevoir nos biens sincères salutations.

> *Signé Shoza Matsui*
> *Pour le Conseil de régence d'OGURA SECURITIES*

La dépêche est affûtée comme un scalpel et tombe comme un couperet. Tanya s'empresse de la faire suivre, séance tenante et telle qu'elle lui est parvenue, vers John et chez Gerry.

Téhéran, Iran

La capitale de l'Iran semble croupir sous une charge de plomb. Les monts de l'Elbourz, la chaîne montagneuse qui retient au nord la mer Caspienne, ne se distinguent même plus dans le halo fumeux et poussiéreux qui monte de la mégapole surchauffée.

Depuis la Grande Révolution islamique, des millions de gens des campagnes s'y sont précipités, chassés par la misère endémique qui régnait chez eux, rejoints par autant de réfugiés, laissés-pour-compte des situations multiconflictuelles qui en avaient résulté. Aucun recensement précis n'était possible, mais c'est environ maintenant une vingtaine de millions de personnes qui se sont entassées dans des conditions d'habitat et de voirie plus sauvages que sommaires, dans un dédale de rues et de ruelles, plus improvisées qu'organisées, et dont l'allure générale tient plus d'un bidonville que d'une fastueuse capitale moderne se voulant l'égale d'une Rome, d'un Londres ou d'un Paris, digne de la cinquième grande puissance qu'avait prévu de faire de l'Iran Mohammad Reza Pahlavi, dans les années '60-70.

Dans les quartiers populaires, d'innombrables embouteillages enchevêtrent en une cohue indescriptible toute une multitude de moyens de transport hétéroclites: vieilles Peugeot d'âge canonique, taxis époumonnés et bondés, bus toussant et fumant comme des locomotives, sans oublier les carrioles animalo-tractées qui doivent se frayer un chemin au milieu d'une foule qui grouille et semble fuir. Il y a ceux qui courent en ayant l'air d'aller nulle part, et ceux qui y vivent : petits métiers, marchands ambulants et mendiants.

Un marchand de sel entaille l'oblongue pyramide grisâtre et gluante qui lui sert de fonds de commerce, en échange de quelques épluchures. L'affilage d'une antique paire de ciseaux bloquée par la rouille s'échange contre quelques détritus triés par un des nombreux éboueurs occasionnels qui ratissent les trottoirs. Des enfants en haillons et des chiens abandonnés complètent cette vision d'apocalypse, cet Enfer de Dante, ce monumental capharnaüm où chaque figurant involontaire ressemble à un damné qui court toujours plus loin, fuyant mille maux d'un châtiment terrible pour lequel il ignore même qu'il existe le sens d'une raison.

Les femmes vont entre elles, jamais seules, en petits groupes de deux, trois ou quatre. Leurs abbahs, sorte de tchador du pauvre, les drapent de la tête aux pieds, sans exposer le moindre millimètre de peau en dehors de la meurtrière horizontale qui leur permet de voir, ce qui a au moins pour avantage de dissimuler leurs traits marqués par les soucis, les inquiétudes et les larmes qui n'ont jamais su en épargner une seule.

Pour les hommes, les règles vestimentaires sont plus souples et pourtant ils se ressemblent tous, dans cette foule atone, anonyme et comme amputée de tout individualisme. La poussière s'accroche à leurs joues mal rasées. La Pasdar, police politique, est omniprésente et la rue grouillante est son lit de fange. Ses membres, reconnaissables dans leurs uniformes bleus, sèment la terreur. Plus de trois hommes rassemblés et qui se parlent sont l'objet d'une remontrance cinglante, voire d'une suspicion d'esprit contre-révolutionnaire. Les soldats de la Révolution en tenue de camouflage, pistolet-mitrailleur à la hanche, attendent on ne sait quoi, l'air triste et renfrogné, grillant cigarette sur cigarette, patrouillant sans conviction cet empire des désolations qu'est devenue la rue téhéranienne.

Seule petite fantaisie dans toute cette grisaille vestimentaire humaine, le turban clair que les mollahs portent sur leurs têtes avec une certaine fierté. Aucun empressement dans leur pas. Ils sont apparemment les seuls à se mouvoir dans cet univers hostile, sans avoir à craindre de quiconque ; et tout le monde s'écarte sur leur passage, comme si le privilège d'être un élu de Dieu pouvait aussi prévaloir ici-bas.

La grande tour Shayad, monumental joyau de l'architecture persane érigé du temps du shah, semble bien au-dessus de la mêlée et brille de mille feux quand le soleil frappe les mosaïques colorées qui la constellent. Il existe bien d'autres réalisations architecturales faites ou restaurées avec faste du temps des Pahlavi. La tour Shayad est assurément la plus voyante. De l'autre côté de la ville, dans l'ex-quartier des ambassades, le thermomètre indique bien 45°C à l'ombre, mais justement comme il y en a de l'ombre, de la verdure et des espaces aérés, il n'y fait pas tout à fait aussi chaud que dans les faubourgs surpeuplés.

Le shah et l'impératrice Farah Diba connaissaient bien Paris et surtout Versailles juste à côté; et dans cet esprit ils avaient commandité des perspectives d'avenues grandiosement proportionnées ouvrant sur le palais et sur des bâtiments gouvernementaux. Tous ces chefs-d'œuvre ont heureusement été conservés, mais leur accès est réglementé pour que les grosses limousines allemandes climatisées qu'on y voit ne soient pas prises pour des soucoupes volantes par les gens du peuple.

La mosquée du quartier est à la hauteur du reste. Plusieurs minarets, une multitude de dômes, des jardins avec fontaines et bassins tout autour, toutes ces splendeurs sont justifiées par le fait que ce lieu est maintenant la domiciliation des plus hautes autorités religieuses du pays, et donc plus hautes autorités tout court. Dans la même enceinte se trouve le Tribunal islamique, qui fait aussi office de ministère de la Justice. C'est là que les dignitaires du régime ont l'honneur de se faire voir quand, pour une raison quelconque, ils ont contrevenu à l'opinion souveraine de leurs chefs; et plus simplement parfois, c'est aussi là qu'on les convoque quand ils ont cessé de plaire.

Pour organiser un Tribunal islamique, et qu'un jugement soit prononcé, c'est fort simple. Il faut un accusé. Seule nuance à ce point, et c'est souvent pratiqué ici, on en prend plusieurs en même temps et on fait un procès collectif. Mais pour ce jour, l'accusé sera seul face à ses juges. Ou plus exactement son juge, l'ayatollah Mojallali. Ce vieillard se prétendant centenaire n'a jamais compté le nombre de sentences capitales qu'il a prononcées dans sa «carrière» depuis les premiers jours de la Révolution islamique, mais quand on dit qu'il y en a plusieurs dizaines de milliers, il ne dément pas la rumeur. Il est convaincu d'être infaillible dans son jugement, puisqu'en fait par sa fonction d'imam c'est Dieu qui s'exprime par sa voix. Et que faire pendre par dizaines des opposants, mais encore des homoseuxels, des prostitués, des trafiquants et même de simples usagers de drogues est un acte de clémence et de bienveillance: en plus de débarrasser la société d'éléments pernicieux, il permet à ces derniers d'obtenir le Pardon de Dieu dans les plus brefs délais. Qu'a-t-il besoin dans de telles circonstances de s'encombrer d'impedimenta tels que le droit de défense, l'assession de juges, la presse, les procédures d'appel, les recours en grâce, la jurisprudence, les codes pénaux, le droit international, etc.? Avec cette méthode, pas de truquage, pas de juges corrompus. Un seul jugement, une seule justice: celle de Dieu, qui sait toujours reconnaître les siens.

Depuis le début de l'après-midi, dans la grande salle du Tribunal, un homme au crâne rasé, enchaîné et vêtu sommairement d'une chasuble noire attend qu'on le juge. Il doit s'agir d'un homme important du régime, parce qu'il semblerait pouvoir bénéficier d'un procès individuel. Les gardes du Tribunal l'ont mené sans ménagement jusqu'à cette position centrale de la salle en face d'une immense estrade qui pour le moment est déserte. On l'a d'abord fait s'agenouiller et puis, quand après plusieurs heures ses forces l'ont lâché, il s'est effondré et il gît maintenant dans cette position, les mains et les pieds liés par des chaînes.

Ce n'est que vers 5 heures de l'après-midi que l'on annonce l'arrivée de l'ayatollah Mojallali. Ce dernier est accompagné de deux disciples plus jeunes, qui ne prendront pas part aux débats, mais qui sont là pour cautionner ce simulacre de procès dont les conséquences sont si graves. Avant d'entrer, ils se sont rafraîchis à l'eau claire de l'immense bassin auquel les officiants s'arrêtent pour se purifier.

Les gardes font lever l'accusé avec force et brutalité. La lumière forte qui passe par un ajour dans le plafond l'aveugle et il ne peut voir tout de suite l'homme qui est en face et qui lui dit:

— Dis-nous qui tu es!

— Mon nom est Azhar... Homayoun Azhar.

— Tu sais pourquoi tu es là. Tu as trahi l'Islam. Tu es maudit. Tu es un fils de Satan. La Mort n'est pas une punition suffisante pour la faute grave que tu as commise. Nous voulons que tu en prennes toute la mesure. Et c'est pour cela que nous acceptons de te juger aujourd'hui.

Disant cela, l'ayatollah feint de solliciter l'approbation des deux imams qui l'accompagnent.

— Nous tenons compte de tes états de service antérieurs, qui sont élogieux... c'est vrai; mais rien ne pourra jamais excuser l'échec de ta mission et ses sinistres conséquences.

Qui donc aurait pu reconnaître Homayoun, le fringant chef militaire à la tête d'une armée de terroristes du camp du Dar Fur, dans l'homme humilié et défait qui comparaissait devant son Juge?

Quand il était apparu clairement à Homayoun que l'attaque du camp était plus qu'une petite révolte de quelques excités un peu inconscients et mal préparés, la logique eût voulu qu'il tâchât de se mettre à l'abri dans le tank d'Oleg et que de là il se lançât dans la contre-offensive; mais cette grosse boîte en acier blindé ne l'avait jamais bien inspiré. Il s'y serait senti comme enseveli. Et lui, dans son for intérieur, n'avait qu'une seule envie, bien plus forte encore que de survivre, c'était celle de comprendre, de voir et d'identifier les traîtres qui avaient permis une telle attaque surprise, pour ensuite pouvoir les punir comme ils le méritaient.

Ayant vite compris que la bataille était perdue, il avait gagné une position élevée en retrait du camp, déjà repérée par lui auparavant et, muni d'une binoculaire de forte puissance, il avait assisté à tout ce qui se passait sur le champ de bataille. Rien ne lui avait échappé: la riposte héroïque de ses hommes, au début, puis leur débandade; le char d'Oleg qui explose comme une coquille dans un casse-noisettes; mais cela ne fut qu'un détail. Après tout, il ne se sentait rien de commun avec ce mercenaire sans foi ni loi qui ne parlait jamais de Dieu. Par contre, il avait photographié mentalement le visage des hommes qui l'avaient si proprement trahi: Hassim, Khaled, Ibn... presque tous ceux du Rub'al-Khali... Puis, il avait consacré tous ses efforts sur le chef de cette expédition audacieuse qui avait osé le braver, lui, Homayoun Azhar! Il était resté longtemps rivé sur sa lunette à scruter et dévisager Abdul qui était alors au plus fort de son commandement. Il n'avait pu même s'empêcher d'éprouver, une fraction de seconde, un peu d'estime pour lui. De son poste d'observation, il avait suivi avec étonnement l'audacieux manège du blindé léger pour récupérer Michael, isolé en plein champ de tir. «Un Blanc! s'était-il écrié. Que signifie cette mascarade? Un jour, je le saurai! Je me vengerai!»

Implorant le ciel, il n'avait pu empêcher quelques larmes de rage de couler sur ses joues. L'attaque aérienne soudanaise avait été son dernier espoir de voir se rétablir la situation. Mais les Mig, bien trop maladroits, n'avaient même pas inquiété les hommes d'Abdul. Homayoun avait observé sans rien pouvoir faire la retraite des assaillants, pensant un moment que le bunker atomique sauterait, réglant tous les problèmes y compris le sien. L'heure fatidique n'avait rien changé, et il avait dû se résoudre à la défaite. Sa vie avait basculé à ce moment précis. Il n'avait plus eu qu'une idée: se venger. Voilà pourquoi il ne chercherait pas à s'évanouir dans la nature et qu'il reviendrait en Iran pour rendre compte et qu'on lui procure les moyens d'armer sa vengeance. Mais pour cela il lui faudrait passer le barrage impitoyable de l'ayatollah Mojallali et de son Tribunal islamique.

Il en était maintenant là.

— Je ne demande ni le pardon, ni la clémence. Je n'ai qu'un désir avant que justice me soit faite, c'est de réparer ma faute et mourir en martyr pour l'Islam.

— Comment peux-tu parler ainsi? Ta faute est irréparable! À cause de toi nous avons perdu tout le combustible nécessaire qu'on nous avait confié pour combattre le Fornicateur Yankee, et nos frères sont tombés sous leurs bombes. Prétends-tu pouvoir les faire renaître?

— Hélas! non.

— Saurais-tu récupérer le combustible?

— Je pense être capable, moi et moi seul, d'identifier les traîtres qui ont aidé ceux qui nous ont attaqués... et de là, remonter au combustible.

— Tu divagues. La peur de mourir te fait dire n'importe quoi. Pourrais-tu donner une preuve de ce que tu avances?

— D'abord, remarque, mon Maître, que je suis ici face à toi, que je n'ai pas cherché à me dérober. Je suis revenu en Iran de mon plein gré, sachant que tu m'attendais. Ai-je l'air de quelqu'un qui a peur de la Mort? Je n'ai rien mangé et presque rien bu depuis dix jours. La nuit le sommeil ne venait jamais, car je n'en voulais pas. Seule pouvait m'apaiser cette possibilité que j'ai aujourd'hui de te parler. Et quand je le fais, ma voix tremble-t-elle? La seule peur qui m'étreint, c'est celle de ne pouvoir aller au bout de ma mission.

— Ta Foi et ton courage ne nous suffisent pas. La plupart des gens que nous avons jugés étaient aussi comme toi de fidèles croyants et de bonne descendance. Nous voulons du concret. Des faits nous prouvant que tu peux ce que tu veux, et que cela profitera à ton peuple.

— Les services de renseignement savent que les Américains n'ont pas reçu *tout* le combustible nucléaire. Ils font dans leurs pantalons et sont dans tous leurs états pour récupérer ce qui manque.

– Ce que tu avances est aisément vérifiable. Et à part cela, comment comptes-tu t'y prendre pour retrouver ces chacals ?

– En allant où se trouvent les chacals d'habitude : c'est-à-dire dans le désert. Et plus précisément celui de Rub'al-Khali.

– Pourquoi celui-là ?

– Parce que je suis sûr que c'est de là que sont venus les traîtres qui nous ont attaqués. Je me suis toujours un peu méfié d'eux. Dans leurs regards brillait une certaine lueur... à eux aussi. Ils me plaisaient. Combattants exemplaires, ne connaissant ni la peur ni le doute. Un cran au-dessus de tous les autres...

Ses yeux s'inondent de larmes.

– ... J'aurais tant aimé ne pas avoir eu à me reprendre à leur sujet ! Je peux t'assurer, mon Maître, que ma vengeance sera à la hauteur de ma déception. Je saurai les débusquer, les reconnaître et les châtier. Surtout leur chef. Saurait-il se changer en femme, ce qu'il est vraiment au fond de lui pour nous avoir attaqués de cette façon, et vivre au Pôle Nord, je suis sûr qu'il ne m'échappera pas. C'est un homme dangereux pour notre cause. Je t'amènerai son cadavre et quand tu le donneras aux chiens, tu sauras que tu as sauvé des milliers de nos frères.

L'ayatollah ne s'attendait pas à de telles révélations. D'habitude, c'est beaucoup plus simple et à cette heure, tout le dossier est bouclé. Il discute un peu à voix basse avec les deux imams, ce qui n'était pas usuel pour lui. Le vieillard fixe longuement Homayoun droit dans les yeux et son silence vaut déjà une bonne partie de son consentement.

– Je t'accorde une chance.

– Tu n'auras pas à le regretter. Je vengerai cet affront et mourrai en martyr.

Golfe Persique,
détroit d'Ormuz

Avant qu'on ait eu l'idée saugrenue de remplacer les bougies par des lampes à huile et que Beau de Rochas n'imagine le cycle à 4 temps, cette presque mer de l'embouchure du Tigre à l'océan Indien devait ressembler à un petit paradis ; avec d'un côté les sables dorés du désert arabique s'y interrompant en autant de plages interminables et tranquilles, et de l'autre le paysage escarpé de la Perse en arrière-plan. Sur ses eaux bleues ou rouges, des petits boutres à voiles allaient de port en port chargés de cargaisons hétéroclites ou des produits de leur pêche.

De nos jours ce n'est plus qu'un vaste champ maritime de pétrole, encombré de plates-formes de forage dont les eaux sont labourées nuit et jour par les tankers du monde entier qui viennent y *enventrer* par millions de tonnes l'or noir du golfe arabo-persique indispensable à tout pays pour apaiser sa voracité énergétique.

À une centaine de kilomètres du débouché sur l'océan, ils sont plus d'une vingtaine de toutes tailles à former une file impressionnante sous les ordres de pilotes expérimentés qui les quitteront par la voie des airs, une fois le détroit franchi. Parmi eux, battant pavillon japonais, ce qui est plutôt rare au milieu des habituels pavillons de complaisance, le *Tokyo Seaspeed*, un monstre venant d'avoir gorgé ses cuves de 450 000 tonnes de brut au terminal pétrolier de Dhahran. Sorti des plus grandes cales sèches du monde au chantier naval de Gaoxiong à Taiwan, il fait la fierté de ses armateurs, la compagnie Marubeni qui contrôle une grande partie des importations de matières premières de l'ogre nippon. Il est si bas sur l'eau qu'on dirait un sous-marin obèse qui repousse les flots sans pouvoir les fendre de sa proue bulbeuse. Le château arrière paraît tout petit alors que de sa base au niveau du pont, à son sommet où veille une batterie de radars, il y a bien la hauteur d'un immeuble de 6 étages. Tout à bord est prévu pour que l'équipage soit confortablement installé pour le mois, parfois un peu plus, qu'il va passer en mer de retour vers l'archipel nippon. À tout seigneur tout honneur, le bâtiment considéré comme vaisseau amiral de la flotte Marubeni est doté d'une salle de conférence, d'un salon de réception et de plusieurs cabines de grand luxe destinées à y recevoir des hôtes de marque. Un maître d'hôtel ganté de blanc met la dernière touche à la préparation du salon. Tout doit être impeccable, ce n'est pas tous les jours que le président de la Marubeni, Saito Koichi, est à bord avec un invité, que personne ne connaissait.

Au même moment un hélicoptère de l'armée iranienne émerge de la brume et perce en direction de la plate-forme d'appontage en s'aidant de son radar de bord. En vol stationnaire, bien centré sur l'énorme H, sa porte s'ouvre et trois hommes enturbannés descendent en se courbant pour minimiser l'effet de souffle de la grande pale. Le commandant en second vient au-devant d'eux et tandis que l'hélicoptère s'élève et se perd dans la brume les quatre hommes pénètrent dans l'habitacle climatisé et luxueusement aménagé du pétrolier, faisant douter un instant qu'on puisse se trouver dans ce qui n'est jamais qu'une énorme citerne à mazout flottante.

— Bienvenue à bord du *Tokyo Seaspeed*, leur dit Saito Koichi. Je vous présente mon ami Shoza Matsui. Vous savez déjà les raisons pour lesquelles il souhaite vous rencontrer.

L'homme auquel il venait de s'adresser tenait le poste équivalant à celui de ministre de l'Énergie et du Commerce extérieur dans le gouvernement actuel de la République Révolutionnaire Islamique d'Iran. À cet égard, il connaissait bien le président de la Marubeni. À son tour il présente son accompagnateur :

— Voici l'imam Khalkhalli, le chef des services secrets.

Les quatre personnages s'asseyent, tandis qu'Homayoun reste debout derrière ses patrons comme s'il s'agissait de les protéger. Les deux hommes d'affaires japonais, selon une bonne technique qui leur est chère, se murent dans un mutisme et une immobilité totale, laissant à leurs interlocuteurs l'initiative de lancer le sujet. Les deux émissaires iraniens n'ont que faire de telles subtilités d'approche. Le ministre des Affaires pétrolières déclare sans ambages :

— Messieurs, je crois que nous sommes faits pour nous entendre ! Le Japon est un pays frère de notre grande République et cela depuis des siècles. Nous vous vendons le pétrole, vous nous envoyez des produits manufacturés... et puis n'oublions pas le principal : nous avons un ennemi commun ! Nous devons tout faire pour l'empêcher d'étendre son hégémonie. Je crois savoir que vous détenez des informations laissant supposer que...

— C'est exact, lui répond sèchement Shoza Matsui. Nous devons tout faire pour éviter qu'un projet gigantesque, dont nous serions les grands exclus, ne voie le jour. Les Américains sont très forts pour inventer des armes infernales dans le but de nous dominer. Sans notre clairvoyance, nous nous apprêtions en toute bonne foi à les y aider avec notre fric.

— De quoi s'agit-il donc ? questionne interloqué le chef des services secrets iraniens.

— Bien, voilà... commence Shoza Matsui.

278

14

Depuis le départ de ses amis, Tom n'avait pas bougé de Chantilly. Il allait tous les jours au centre d'entraînement hippique et passait tout son temps en bordure de piste pour mieux observer les évolutions de ses pur-sang. Dans les écuries et les vestiaires, tout l'intéressait. Le moindre ragot lui était profitable pour le but qu'il poursuivait depuis des mois et qu'à lui seul il osait révéler: gagner la plus fabuleuse course du monde, en octobre à Paris, le Prix de l'Arc-de-Triomphe. Et pour cela, comme un artisan d'une autre époque il sculptait et polissait avec passion et patience ce bel objet qu'était pour lui la préparation de cette fin de saison hippique.

Pour quelques jours seulement, il s'en était éloigné, pour assister en compagnie de son entraîneur au critérium d'Ascot en Angleterre.

– Venez donc encourager Pat Killian. Je sais que votre présence lui ferait le plus grand bien.

– Vous avez raison !... il est vraiment bien ce petit !

Bill avait su trouver l'argument pour le décider à faire cette escapade. Il fut plus difficile de le convaincre de rester un jour de plus, pour assister en sa compagnie à un *test-match* de cricket au Lord's de St-John's Wood dans la banlieue ouest du vieux Londres. La gestuelle alambiquée des joueurs tout de blanc vêtus ne transporte pas Tom de passion. Parfois, quand une batte frappe la boule de cuir, on entend quelques murmures plus soutenus monter de cette assistance si pittoresquement *british*. Bill essaie tant bien que mal de l'intéresser à la partie:

– C'est un peu comme au base-ball...

– Ça, du base-ball? ça y ressemble autant qu'une tasse de thé peut se confondre avec un whisky bien tassé !

Il faut bien reconnaître qu'entre cette esplanade gazonnée et une enceinte de base-ball avec ses gradins jonchés de boîtes de bière et une pelouse râpée où l'échauffourée générale joueurs-coachs-arbitres est souvent de mise, on aurait bien du mal à relier, comme c'est la réalité par ailleurs, ces deux sports qui ont pourtant la commune mesure de s'identifier, de manière quasi univoque, l'un à l'Angleterre et l'autre à l'Amérique.

En septembre, Tom se fit amener plusieurs fois à l'Hôpital Américain de Neuilly pour y passer un bilan de santé complet; l'idée lui en revenait. Depuis quelque temps, il ne se sentait pas très bien. L'image que lui rendait son miroir le matin quand il se rasait ne lui plaisait plus. Et cela valait en soi tous les diagnostics des meilleurs médecins. Pour le moment, l'ambiance des chevaux de course suffisait pour laver tous ces petits bobos à grande eau. Mais comme le dit le dicton, «mieux vaut prévenir que guérir».

Une semaine avant l'heure de vérité que serait le Grand Prix, Tom est de plus en plus serein. Il se sent prêt. Tous les éléments du puzzle s'imbriquent à merveille. Mill Parade (frère de Mill Cottage et descendant du légendaire Mill Reef, vainqueur de l'épreuve en 1971) est en pleine forme et c'est lui que Pat Killian devrait emmener à la victoire pour l'Arc-de-Triomphe. Mill Parade est le vainqueur coup sur coup des derbies du Kentucky et de Belmont à New York, les deux titres les plus importants pour un pur-sang aux États-Unis. Et grâce à sa victoire récente à Deauville, Flashfoot a pu être inscrit parmi les vingt-cinq engagés, pour le moment, du Grand Prix. Rares sont les écuries qui peuvent se permettre un tel luxe. Pour le conduire, Tom a pu s'offrir les services d'un crack-jockey français qui pouvait tenter l'aventure. Dans la liste des engagés, rien que du beau monde, pour disputer sur 2 400 mètres le titre virtuel de champion des champions car c'est à cette époque de l'année que les spécialistes s'accordent pour dire que la vérité de l'automne est la vérité des vérités, tenant compte des efforts qu'ont dû faire tous ces magnifiques athlètes sur les pistes du monde entier, et qui finissent bien par se faire payer en fin de saison.

C'est pour cette raison que les 2 400 mètres du Derby d'Epsom seront toujours d'un cran inférieur à ceux de Longchamp... quelques semaines plus tard.

Tous les grands hippodromes ont leur charme. «Longchamp, en plus, a de la magie», aimait dire le grand chroniqueur hippique Léon Zitrone. En ce premier dimanche d'octobre, la coutume voudra en plus que Longchamp ait du faste et du panache quand doit se courir ce que tous les turfistes appellent «l'Arc». Le président de la République française honore toujours cette manifestation de sa présence, et c'est même presque la seule fois que la loge présidentielle est garnie. Cette année, ce seront les 130 musiciens de l'orchestre militaire de Sa Majesté la reine d'Angleterre, elle-même grande amateur du monde des courses, qui assureront une illustration sonore et solennelle de tous les grands moments de la journée : pendant les défilés de présentation et surtout pour exécuter l'hymne national du pays d'entraînement du cheval qui remportera l'épreuve.

On reconnaîtra les propriétaires qui n'hésitent pas, pour cette unique occasion de l'année, à revêtir un frac anachronique et à porter le traditionnel haut-de-forme en feutrine grise avec un ruban noir, ou parfois un chapeau melon. Les Parisiennes vont rivaliser d'élégance, et on attendra la dernière excentricité d'un couturier ou d'un modiste qu'osera porter la baronne de Rothschild. Mais toute cette débauche de luxe et de haute-couture n'empêche pas une foule d'expression plus populaire de se presser dans les tribunes et au pesage. C'est la fête, et tout le monde a le droit à son petit coin de paradis.

Chacun a choisi sa parure. Tom est égal à lui-même et n'a rien fait de particulier pour singer ses collègues. Il signe son identité texane avec son lacet-cravate ; par contre, son gros cigare n'a plus rien ici d'extraordinaire. À dix heures, il faisait une dernière inspection au haras et il a rejoint Longchamp derrière le fourgon des chevaux. Bill Cunnington le suit comme son ombre ; vers midi, ils prennent un lunch puis assistent aux premières courses de l'après-midi sans grand enthousiasme. Un peu avant 16 heures, les musiciens de l'orchestre royal, en tenue d'apparat, défilent sur la piste face aux tribunes. Les Scots Guards sont bien sûr en kilt et font sonner des cornemuses ; les Lanciers de la Garde Royale ont des plumes vertes sur leurs coiffures, et les Welsh Guards sont en tenue écarlate.

Pendant ce divertissement, les concurrents du Prix de l'Arc-de-Triomphe déambulent devant le public dans le rond de présentation qui, pour cette occasion, est très encombré. Avant de se hisser sur leurs montures, les jockeys prennent des directives de dernière minute de la part de leurs entraîneurs ou des propriétaires. C'est souvent à ce moment qu'un turfiste invétéré se permet de les interpeller parfois par leur surnom : «T'endors pas, Gégé !» ou encore, «Pense à nous», faisant allusion aux mises qu'ils ont faites sur le numéro.

Toujours menés par leurs lads, les pur-sang se rendent en piste pour le défilé solennel. Les couleurs de Tom sont en deuxième position pour Flashfoot et au numéro douze pour Mill Parade, ce qui correspond à un tirage au sort plutôt favorable à son écurie. Puis les lads enlèvent les couvertures et les chevaux s'élancent vers les stalles de départ.

Tom et Bill rejoignent les quelques invités privilégiés de la Société d'Encouragement qui pourront suivre la course de la tribune présidentielle. Ils sont accueillis avec chaleur, sincérité et simplicité par l'hôte du lieu, qui souhaite très sportivement bonne chance à Tom et à deux autres propriétaires étrangers, alors que bien sûr les couleurs françaises sont aussi sur le tapis et qu'une victoire de l'élevage français a une importance économique et politique très importante pour cette activité qui représente 200 000 personnes dans l'Hexagone. Mais il n'y a pas trop d'illusion à se faire, car la participation française cette année n'a pratiquement aucune chance de figurer honorablement. Mill Parade est favori à 7 contre 1 dans l'épreuve, suivi de peu par la jument du cheik Al Maktoum à 9 contre 1. Puis figure en bonne place le pensionnaire de Zenya Yoshida, plusieurs fois vainqueur de l'épreuve, et qui présente la dernière merveille de son haras de Shadai Farm au Japon. L'écurie Wildenstein vient encore plus loin, devançant Flashfoot.

Il est 16h30. La course est partie. Tom qui attendait cet instant depuis des mois semble très lointain. Il est plutôt enfoncé sur son siège, sans chercher à se déhancher pour mieux voir. De toute façon, au début les positions ne sont pas si importantes. Bill le rassure, car effectivement leurs deux pur-sang sont bien partis. Flashfoot est dans le groupe de tête, Mill Parade en embuscade. À l'entrée de la ligne droite, Mill Parade est en tête et semble survoler le turf. Pat Killian ne se retourne même plus, car il sent que personne ne pourra le rejoindre, tant le galop de son partenaire est puissant. Et c'est avec une longueur d'avance qu'il franchit le poteau, devant le cheval du cheik, un outsider irlandais... et Flashfoot qui manque le podium d'une encolure.

Le président de la République française se tourne alors vers lui, lui tend la main et dit en anglais:

— *Congratulations, mister Luce! You must be a very happy man today!*

Tom lui répond aimablement en français:

— Je vous remercie, monsieur Président.

Puis le directeur de la Société d'Encouragement, après l'avoir félicité lui dit, ainsi qu'à Bill, qu'ils doivent se rendre au rond de présentation pour la remise du trophée et pour la cérémonie de l'hymne.

Tom est étrangement absent dans toute cette mise en scène dont il est le personnage principal. Les flashes crépitent autour de lui. Il est très pâle. Bill s'en aperçoit et lui dit :

– Ça va bien, Tom ? ... l'émotion, hein ? ...

Tom répond machinalement :

– *We made it ! We made it...*

En route pour la cérémonie de la remise des prix, Tom est abordé par le cheik et sa suite qui ont assisté à la course d'une loge privée de la tribune du Jockey-club.

– Bravo, Mr. Luce ! Pour un coup d'essai, c'est un coup de maître. Je m'incline...

– Je vous remercie, bredouille Tom, à peine audible. La roue tourne, vous savez... et elle tournera encore.

Sur la petite estrade, Pat Killian encore dans sa casaque de course a rejoint Tom et Bill, et tout le monde reconnaît en eux le vrai tiercé gagnant de cette épreuve prestigieuse. Tout le monde des courses n'a d'yeux que pour eux. Une petite larme de joie perle à la paupière de Tom qui serre très fort dans ses bras le petit jockey un peu ému de se retrouver là. Un peu plus loin, la fanfare de la Garde Royale attaque les premières notes de l'hymne national américain. Puis le président de la Société d'Encouragement remet une œuvre d'art, en l'occurrence un fabuleux cristal Swarovski, à Tom Luce.

De parfait anonyme, Tom est devenu le héros du jour en quelques fractions de seconde et cette notoriété si soudaine semble l'affecter profondément. Son faciès prend les allures d'un masque et on dirait bien que c'est lui qui distribue des sourires stéréotypés, tandis que sa main en serre plein d'autres comme si tout son corps n'était plus que celui d'une marionnette. Il suit le courant et fend la foule qui se range spontanément à son passage en haie d'honneur jusqu'à la tribune du Conseil municipal où est prévue une petite réception de la part du maire de Paris. Tom semble bien las de toutes ces mondanités, et Bill remarque un grand changement par rapport à son attitude lors des festivités qui avaient suivi sa victoire de Deauville, lors desquelles il s'était montré beaucoup plus exubérant. Dès qu'il le peut, Tom prend Bill à part et lui dit :

– Mon vieux Bill, vous pouvez être fier de vous. Vous avez fait un sacré bon dieu de bon boulot. C'est à vous que je dois tout cela. Merci mille fois...

Bill lui renvoie sa politesse et se trouve un peu surpris, car jamais auparavant Tom ne lui avait parlé de la sorte. Puis Tom continue :

— Bill, occupez-vous du retour des chevaux... j'aimerais rentrer tôt... je suis un peu fatigué.

— Ne vous inquiétez de rien. Rentrez, je vous suis.

Dès que la grosse limousine a franchi la grille du parc de Lamorlaye, tout le personnel de la grande maison se presse sur le perron pour accueillir Tom, qui ne s'attendait pas à une telle réception. Le dimanche, d'habitude, beaucoup d'entre eux ont leur jour de congé.

— Nous vous avons attendu pour le champagne, Monsieur... cela s'impose, dit André qui coiffait le personnel domestique de la maison.

— C'est gentil... Eh bien, buvons un coup, mes amis.

Tom les voyait si sincères qu'il se donnait beaucoup de mal pour rester en leur compagnie ; en fait, après toutes ces émotions il aurait souhaité un peu de calme. Sur ces entrefaites, André lui dit que Bill vient de l'appeler. Ils sont bien arrivés à l'écurie... et là-bas aussi on aurait bien souhaité sa présence pour célébrer sa victoire. Et puis juste après on le demande personnellement d'Houston. C'est Tanya, qui s'était arrangée pour suivre la course par retransmission satellite et qui le félicite vigoureusement pour cette victoire.

Avec le soir, un peu de calme et d'apaisement retombe sur la grande maison. La plupart des employés sont rentrés chez eux et au haras, personne n'oublie que le lendemain, victoire ou pas, il faudra s'occuper des chevaux.

Tom s'est installé sur un canapé devant la cheminée où quelques belles bûches se consument.

— Pour dîner, quelque chose vous tenterait ? demande André qui voyait bien que son patron n'était pas dans son assiette.

Cette question pratique le sort d'un étrange rêverie.

— Je vous remercie, André. Je n'ai pas vraiment faim... plus tard peut-être. Apportez-moi plutôt un verre d'eau, et aussi un petit verre de cognac.

– Tout de suite, Monsieur,

– André, vous restez ici ce soir?

– Comme d'habitude, Monsieur. Je pourrai vous préparer le dîner plus tard, ne vous en faites pas pour moi.

Quand il revient avec les deux verres sur un plateau, Tom lui demande:

– Pourriez-vous appeler maître Berquat, s'il vous plaît?

À cette heure! Je doute de le trouver à son bureau. De plus nous sommes dimanche!

– Essayez de le joindre à son domicile. Dites-lui que c'est pour une affaire très importante.

– Voudrez-vous lui parler?

– Non, pas vraiment, Dites-lui qu'il vienne me voir ici. Insistez; je vous le répète, c'est très important.

André s'exécute et arrive à joindre l'homme de loi. L'atmosphère est lourde et intuitivement il comprend que quelque chose de grave va se passer, alors que tout laissait supposer une soirée de liesse.

Une vingtaine de minutes plus tard, André introduit le notaire dans la bibliothèque où Tom l'attendait, assis à son bureau.

Malgré qu'il ait été enlevé aux douceurs d'une soirée familiale, le notaire fait contre mauvaise fortune bon cœur et tout de suite félicite Tom, n'ignorant rien de ses activités.

– Quelle belle course! Bravo! annonce-t-il d'un air enjoué pour masquer l'interrogation qu'il se faisait de cette convocation inattendue. Mais je suppose que ce n'est pas pour cela que vous me faites venir à cette heure?

– Merci d'être venu, cher Maître. Asseyez-vous, je vous prie.

Et à l'adresse d'André qui s'éclipsait:

– Restez un instant, André. Il se peut que j'aie besoin de vous pour un petit service.

– Mais même pour un grand, Monsieur. C'est avec plaisir.

Le mystère est à son comble pour les deux hommes qui ont pris place en face de Tom.

– Je souhaite modifier mon testament. Et c'est la raison pour laquelle j'ai besoin de vos services.

– Mais Mr. Luce, rien ne presse. Nous aurions pu tranquillement causer de tout cela à mon étude dès demain. Vous savez, je ne conseille jamais à mes clients d'agir trop vite. Je suis sûr que vos fils vous ont encore fait des tours et vous voudriez...

De façon autoritaire, Tom lui tend un feuillet à son en-tête sur lequel est écrit un texte de sa main :

— Lisez.

Les deux hommes se rapprochent pour prendre connaissance du document en même temps et délivrer leur conscience d'une curiosité bien compréhensible.

Paris, le 3 octobre 1999

Ce document supprime toute autre disposition prise dans le passé eu égard à ma succession.

Par la présente, et devant témoin, j'utilise mon droit de veto pour résilier tous les trusts inter vivos que j'ai contractés. À mon décès, je cède tous mes biens à ma seule et légitime fille Élisabeth.

Je déclare avoir établi cet acte de mon plein gré, en toute liberté d'action et en pleine possession de mes facultés physiques et mentales.

Établi avec le témoignage valable de mon valet de chambre, André Lauclerc, et en présence de mon notaire, maître Berquat.

— C'est bien ce que je disais...

— Pouvez-vous faire en sorte que ce document soit authentifié dans les plus brefs délais, Maître ?

— Bien sûr, mais je vous répète que...

Tom l'interrompt une nouvelle fois.

— André, veuillez noter la formule que va vous dicter maître Berquat et apposer votre signature.

Le majordome se tourne vers le notaire et, en silence, se soumet à la volonté de Tom. Puis c'est au tour de l'homme de loi, en la circonstance homme de l'Art, de faire le nécessaire de sa main au bas du feuillet.

— Eh bien, Messieurs, je ne vous retiens pas davantage. Bonsoir et encore merci.

Et comme pour les rassurer, Tom puise dans ses ressources pour terminer d'un ton blagueur :

— Pensez bien, pour vos honoraires, à passer tout cela en heures supplémentaires... C'est valable pour vous aussi, André !

— Je n'apprécie pas du tout, Monsieur. Vous m'injuriez...

— Bonsoir, Maître.

— Bonsoir, Mr. Luce, je mets cela au coffre dès ce soir. Mais je compte sur vous pour que nous en discutions de manière plus approfondie...

– C'est cela. Je vous appellerai au bureau. Transmettez mes hommages à Madame... et aussi mes excuses.

André raccompagne le visiteur puis revient voir son patron, pensant que cette journée à multiples rebondissements allait enfin se terminer et que Tom Luce aurait enfin envie de dîner. Il le trouve agenouillé devant le coffre-fort. Tom vient juste d'en sortir un objet qu'il glisse subrepticement dans la poche de sa veste. Surpris de son arrivée il demande à André de lui passer l'enveloppe qu'il venait de cacheter à la cire et qui contenait le double authentifié de son rectificatif testamentaire. Tom sort un dossier qu'il met bien en évidence sur son bureau puis referme le coffre.

– André, je voudrais aller voir mes chevaux. Cela vous dérange de m'accompagner au haras?

– Pas du tout. Au contraire. Vous m'avez flanqué le bourdon avec cette histoire de testament. Je sors la voiture.

Tom met ses chaussures. Dans l'entrée, il remarque un joli bouquet de fleurs coupées; puis avant de sortir, il remet en place sur une étagère une copie du «stud-book», la bible des amateurs de pur-sang.

Il ne leur faut que quelques minutes pour sortir de la forêt du Lys qu'ils ont parcourue sans croiser âme qui vive. À l'entrée du haras, Tom dit à André:

– Attendez-moi ici, je n'en ai pas pour longtemps.

Tom avance dans l'allée dallée qui mène, à intervalles, aux stalles des chevaux. Les lads s'en donnent à cœur joie et fêtent bruyamment l'événement. Tom ne tient pas particulièrement à les voir. À l'approche du box de Mill Parade, son cœur bat un peu plus fort. Le cheval, aveugle dans l'obscurité, reconnaît sa présence et hennit de plaisir. Un lad s'inquiète de ce bruit et se dirige vers l'écurie. Tom se blottit dans l'ombre, puis part à reculons. Quand il est sûr de ne plus pouvoir être vu il reprend un pas normal et dans le silence de la nuit part en direction du grand ovale. Le cheval qui voulait son maître hennit encore une fois, mais cette fois Tom ne repasserait plus pour le visiter comme il le faisait toujours après dîner.

Un coup de feu claque dans la nuit. Des chiens se mettent à aboyer et les chevaux manifestent bruyamment dans leurs écuries.

Après toute cette journée, qui avait passé comme un rêve, André était en train de vivre une nuit de cauchemar. Le Commissaire de police lui posait mille questions. Tout semblait si étrange, insolite et pour finir, incompréhensible.

– C'est dans ce bureau qu'avec maître Berquat nous l'avons vu pour la dernière fois. Il souhaitait modifier ses dispositions testamentaires. Je comprends pourquoi maintenant.

Le commissaire, rompu à ce genre de situation, cherchait une lettre et il trouva le dossier. Machinalement il l'ouvrit et comprit tout de suite qu'il en faisait office.

Il s'agissait du dossier médical de Tom Luce. Depuis plusieurs semaines il se savait atteint d'un cancer évoluant très rapidement. Il avait le corps infesté de tumeurs cancéreuses et une opération de très mauvais pronostic était prévue dans les plus brefs délais par les chirurgiens de l'Hôpital Américain de Neuilly. Ces derniers temps, il ne s'en sortait plus que par plusieurs injections de morphine par jour qu'il se faisait lui-même, dans le plus grand secret, de manière à calmer les atroces douleurs qu'occasionnaient les cellules cancéreuses quand elles approchaient des terminaisons nerveuses.

Dans sa vie, Tom n'avait jamais transigé avec l'adversaire. C'était le plus fort qui l'emportait, l'autre disparaissait. Cette fois, et pour une seule fois, l'adversaire avait été le plus fort ; devant cette saloperie, il ne pouvait rien. Et comme il n'aurait pas aimé que le combat soit arrêté par décision de l'arbitre, il avait eu la force de jeter l'éponge lui-même.

Houston, Texas

Le programme de construction de la base terrestre d'UTOPIA avait été très bien respecté. Sur les 10 000 hectares d'anciens terrains pétrolifères mis à disposition par Tom, tous les bâtiments nécessaires pour la recherche, la construction et l'instruction étaient maintenant sortis de terre. Sous des hangars, vastes comme des cathédrales et nets comme des salles d'opération, des ingénieurs et des techniciens montaient et testaient en grandeur nature des modules de la future station orbitale. La recherche médicale et l'étude comportementale étaient centrées sur un énorme simulateur duquel toute l'équipe de biologistes, médecins et psycho-sociologues recueillait chaque jour une grande masse d'informations nécessaires à la viabilité humaine du projet. Enfin, la pièce maîtresse de ce complexe aérospatial, le centre de contrôle terrestre, venait juste d'être achevé.

Bâti à flanc de coteau, en forme d'astrodome, il serait le terminal hertzien du cordon ombilical virtuel reliant 24 heures sur 24 la colonie spatiale avec la Terre. Sur la toiture elliptique, la coupole d'un radio-télescope géant braqué au ciel saillait de sa courbure. C'est aussi dans ce lieu symbolique que se trouvait le siège social de la société UTOPIA.

Il y avait un grand vide avec l'absence de Kiyomi et la mort de Tom, et pour cette première réunion du conseil d'administration sur le site, afin de mieux honorer la mémoire de Tom, Tanya avait organisé la rencontre dans les locaux de la Oiler and Trust Corp dans le centre-ville d'Houston à l'angle de Lamar et de Bagby. C'est ici même, en 1837, dans un méandre de la rivière Buffalo Bayou que les premières maisons de la ville ont été construites et qu'immédiatement, allez savoir pourquoi, on a donné à Houston le surnom qu'elle a toujours de «Cité du Futur».

— Tom est mort, maître de son destin, toute sa vie il fut son propre maître, dit Gerry.

Spontanément tous les membres de l'Assemblée observent une minute de silence, à sa mémoire. Puis la vie reprend ses droits et Gerry lance la discussion. Il est convenu qu'une mission composée de Michael, Gerry et Tanya se rendra à Tokyo dans les meilleurs délais pour discuter avec le nouveau Conseil de régence de l'Ogura Securities. Puis survient la discussion sur l'un des aspects légaux de la mise en vente de concessions territoriales sur UTOPIA.

— C'est un cabinet d'avocats de Londres qui a soulevé le problème pour le compte d'un de ses clients, candidat pour un achat important d'espace industriel.

— Dans le cadre d'une législation, tout reste à faire, dit Gerry, même si UTOPIA devient le 51e État américain. Il reste qu'il se trouvera dans l'Espace. Je crois qu'on pourrait se débrouiller en adoptant un statut comme celui qui régit l'Antarctique. Plusieurs pays sont souverains dans des petites parts de gâteau, mais l'ensemble du continent est régi par une loi supérieure.

— Mais si nous avons l'aval du Gouvernement américain, cela aura pour conséquence de rassurer les investisseurs, reprend John. Où en sommes-nous sur ce chapitre?

— Nous pensons que le vote du Congrès se fera avant la mise en opération d'UTOPIA. Pour cela, il faudrait que le Consortium d'assurances se manifeste, car c'est lui qui fournit la garantie de livraison du projet. Cet aval est d'une importance capitale.

— Et sur ce point, nous comptons tous sur vous, John, dit Tanya. Vous êtes notre interlocuteur privilégié avec les gens du Consortium.

— Vous avez raison. Sachez qu'avec notre ami Alex, nous faisons le maximum pour aller dans le bon sens. Mais avec toutes ces dernières catastrophes, leur santé financière n'est plus ce qu'elle était. Auparavant, on se battait pour être sur la liste des *Names*. De nos jours, pour remplacer ceux qui s'y sont ruinés – et malheureusement il y en a, et ils engagent même des poursuites judiciaires contre le Consortium – et étendre la *List*, cela ressemble à une chasse au gogo qui n'a pas beaucoup de succès.

— Mais alors, peut-on encore compter sur eux ?

— Tout espoir n'est pas perdu. La conjoncture planétaire actuelle pourrait bien, hélas, trois fois hélas ! leur donner l'occasion de se faire apprécier dans une tout autre dimension : celle d'assurer le destin de l'Humanité.

— Vous voulez dire une assurance-vie...

— ... *de survie*, plutôt.

Après cette réponse inquiétante et provocante, John marque un temps puis propose à Max de continuer.

— Max, vous ferez cela mieux que moi. Répétez-leur donc ce dont vous m'avez entretenu dernièrement.

— Eh bien, effectivement, mes chers amis, tout n'est pas pour le mieux dans le meilleur des mondes. Les plus hautes instances scientifiques et médicales ont toutes de bonnes raisons pour nourrir la plus grande inquiétude face à de nouvelles agressions bactériennes et virales particulièrement résistantes. Le virus HIV et plus récemment l'AGROPA sont mortels ; maigre consolation, nous connaissons – tout du moins en théorie – les moyens de s'en prémunir. Par contre le virus de la grippe peut s'attraper et se transmettre comme un vulgaire rhume de cerveau. Eh bien, imaginons un instant que ces deux caractéristiques s'allient ! Inutile de vous faire un dessin. Et malheureusement cette hypothèse ne peut être tout à fait rejetée. Il est même du devoir des scientifiques de l'imaginer. On sait maintenant que le virus HIV a d'abord exterminé une race de singes avant de muter et de passer à l'homme. Juste avant de manquer de clients. Et je ne sais pas si cela intéresse quiconque de se retrouver à étudier si la prochaine victime, dans les mêmes conditions, sera l'épagneul breton ou le bombyx du mûrier !

Cette petite touche d'humour détend un peu l'atmosphère. Mais le fond du problème est bien toujours là. John reprend :

– La mise en quarantaine. Le principe n'est pas nouveau. Ce qui change, c'est l'ampleur du phénomène. Et à circonstance exceptionnelle, parade exceptionnelle. Il faut couper les ponts de manière radicale.

Joignant le geste à la parole, John fait un ciseau horizontal avec ses mains, puis finit son geste en pointant son index vers le haut.

– C'est charmant pour ceux qui resteront ! dit Tanya d'un air désolé.

Max croit bon d'ajouter :

– Bien sûr, il ne faut surtout pas jouer l'Homme ou la Science comme perdants d'avance. Nous savons tous les formidables ressources dont est pourvu le génie humain. Il faut y croire, sans pour autant mettre tous ses œufs dans le même panier.

D'un coup d'œil circulaire, Gerry vérifie que plus personne ne souhaite prendre la parole sur ce sujet et en conclusion profère :

– De la nécessité d'avoir toujours une bonne assurance ! qui, comme chacun le sait, ne paraît chère qu'après ! Je suis persuadé que le Consortium jouera cette carte d'avenir. Montrons-nous patients.

– Je crois qu'ils y viendront assez naturellement, confirme Tanya. Les chiffres parlent en notre faveur. Les sondages d'opinion nous sont chaque jour plus favorables et la presse est unanime à nous soutenir.

– Voilà qui fait plaisir à entendre, lui répond Gerry.

– Chaque mois, nous injectons trois milliards de dollars dans l'économie mondiale. Pour le pays, on estime à 125 000 le nombre des personnes impliquées directement ou indirectement dans le programme. Je sais que vous êtes tous impatients d'aller sur le site tout à l'heure. Vous pourrez constater par vous-mêmes le boom technologique et industriel que nous sous-tendons, dit Tanya.

– Comment sont les relations avec l'agence spatiale ? s'enquiert John à l'égard de Max.

– Au beau fixe ! Ils nous lancent tous les mois entre dix et douze tonnes de matériel à satelliser dans l'Espace et grâce à eux, nous avons maintenant constamment une trentaine de techniciens qui montent et expérimentent des équipements.

– Mais à quel prix ! commente laconiquement Michael.

Cette remarque surprend un peu l'auditoire. D'un ton sarcastique, Tanya lui répond :

— Évidemment pas à celui d'un Londres-New York en classe touriste. Nous sommes leurs seuls clients et jusqu'à plus ample information, l'agence spatiale est notre seul fournisseur possible. Auriez-vous une suggestion à nous faire ?

— Je suis persuadé que les Russes ou les Ukrainiens pourraient très bien les mettre en concurrence pour ce travail de déménageurs de l'espace.

— C'est sûrement une bonne idée, dit Gerry. Et puisqu'elle vient de vous, pour la peine chargez-vous donc des contacts commerciaux avec l'Institut Russe des affaires spatiales et son homologue Ukrainien. Max, vous veillerez aux considérations techniques. C'est très bien, mes amis, on avance. Nous avons parlé de sous et de machines. Parlez-nous un peu des hommes, Tanya. Où en êtes-vous avec les futurs résidants ?

— Volontiers. Nous avons une pré-sélection sérieuse se portant sur plus de 16 000 candidats. Pour un grand nombre, leur entraînement a déjà commencé. Je ne vous en dis pas plus, car cet après-midi vous pourrez visiter le centre de formation. Qui, entre nous, devrait plutôt s'appeler un centre de transformation. Pour le moment nous hébergeons 1 500 pensionnaires. Certains sont en huis clos depuis plus de six mois. Nous faisons des découvertes passionnantes sur le plan des comportements. Vous verrez !

— Vous savez y faire, Tanya ; nous avons tous hâte de voir cela, dit Gerry. Mais avant que nous partions, j'aimerais que vous nous fassiez le point sur les affaires de succession de ce regretté Tom Luce.

— Je vous rassure, nous sommes venus à bout, avec nos légistes, de toutes les implications légales de son testament et tout est bien clair à notre égard. Le côté prodigue n'a pas été retenu. Et sa fille Élisabeth, l'héritière, ne s'oppose à aucune des dispositions prises par son père envers UTOPIA ; ce serait d'ailleurs bien mal venu, car cette alliance est maintenant rentable pour la Oiler and Trust Corp en fonction de nombreux contrats qui ont été passés entre les deux firmes. Quant aux deux affreux Jojos, il s'en est fallu d'un rien qu'ils se retrouvent pompistes à la compagnie de leur père tant ils avaient mal joué le coup. Pour tout vous dire, j'avais fait en sorte qu'Élisabeth soit des nôtres aujourd'hui. Elle a apprécié l'intention, mais l'a fermement décliné. Je crois avoir compris qu'elle n'a aucune envie de se faire accaparer par les affaires de son père. Elle

292

est heureuse en famille à New York et semble peu disposée à ce que cette quiétude soit troublée.

– Là-dessus il n'y a rien à dire, commente John. Chacun trouve son bonheur où il veut. Respectons cela. C'est tout ce qu'il y a d'honorable. Je ne sais pas si vous êtes comme moi, mais j'ai des fourmis dans les jambes. Bougeons un peu. J'ai hâte de me retrouver au grand air. Quel est le programme, Tanya? Si bien sûr Gerry nous confirme que cette réunion est terminée.

– Tout à fait, John. Moi aussi j'ai hâte de voir tout cela. De toute façon on reste ensemble?

– Sauf pour le voyage; j'ai prévu deux hélicos pour nous rendre au site. Sécurité oblige! Pour le repas, j'ai fait une réservation au restaurant du Warwick Hotel sur Main. Ils ont un buffet qui est phénoménal et sont connus pour leur spécialité d'omelettes à la demande. Et puis, on y fait, à ce qu'il paraît, le meilleur café de toute la ville d'Houston. Comme cela je serai certaine que vous serez tous bien réveillés pour la visite, dit Tanya.

– Michael, c'est tout de suite qu'il lui faudrait un bon café, plaisante Gerry.

– C'est vrai, on ne vous a pas beaucoup entendu, dit Max. Quand on y pense, quelle aventure vous avez dû vivre en Arabie. Il faudra absolument que vous nous racontiez... cela doit être passionnant.

– Vous savez, tout cela est bien loin.

Ils se dirigent tous les cinq vers l'ascenseur.

*
*   *

L'hélicoptère remonte à basse altitude l'Interstate 45 qui relie nord-sud les deux villes principales du plus vaste des États de l'Union. Après avoir survolé d'immenses pacages de bêtes à cornes arrivant à colorer en brun foncé des pans entiers de collines, et des champs de pétrole hérissés de derricks avec leurs balanciers en perpétuel mouvement, l'appareil passe sur le lac Conroe et la Sam Houston Forest. Au-dessus d'Huntsville, il modifie son cap et suit un moment le cours de Trinity River.

À son bord, Tanya se détend un petit peu, pas fâchée d'abandonner pour quelques instants le poids du leadership de cette réunion qu'elle avait sur les épaules depuis le matin et consciente qu'il lui fallait encore en garder sous le pied pour l'après-midi chargée qui les attendait. John est assis en face d'elle et se laisserait bien tenter par une petite sieste. Mais Gerry veut profiter de ce huis clos un peu forcé pour une mise au point qui lui paraissait des plus importantes.

— Je trouve que vous avez été bien optimiste ce matin, ma chère Tanya, entame-t-il à brûle-pourpoint.

Cette apostrophe inattendue les surprend un peu tous les deux; John se redresse sur son siège et son regard va de l'un à l'autre, plein d'interrogations.

— Que veux-tu dire par là, Gerry?

— C'est vrai, enchaîne Tanya. Je ne vois pas à quoi vous faites allusion. Expliquez-vous, je vous prie!

— Je trouve tout simplement que vous devriez un peu plus mettre les points sur les «i», et rappeler avec plus d'insistance à nos chers collègues du Conseil d'administration, qu'il existe encore de trop nombreux passages à niveau sur la route d'UTOPIA. Nous devons garder en ligne de mire que notre objectif final est la mise en place d'une colonie spatiale dans un avenir proche. Les belles expériences, la relance économique, la reprise industrielle: c'est très bien, je vous l'accorde. Mais il faut dépasser ces stades préliminaires et ne pas s'y engluer, comme il semblerait que nous le fassions actuellement. On est tout le temps en train d'attendre après quelque chose ou quelqu'un. Le Consortium ne s'est pas prononcé à 100%, la Maison-Blanche voudrait un peu de recul pour évaluer les retombées des dernières opérations militaires, etc.

Le visage de Tanya prend, sans qu'elle puisse le contrôler, une expression surprise et impuissante. John qui a saisi tout le sens du discours de Gerry vient à son secours.

— Tu as raison, Gerry, et je me sens très concerné par ce que tu viens de dire. Je sais que tu vas avoir horreur de ce que je pense, mais malheureusement, c'est assez incontournable; par les temps qui courent, il faut nous armer d'un peu de patience.

— J'ai entendu cela mille fois, mes chers amis; et si je suis arrivé là où je suis dans l'automobile, c'est justement parce que mille et une fois j'ai répondu qu'il fallait passer outre. Chaque fois qu'on sortait un nouveau modèle, il fallait toujours attendre que la conjoncture, la concurrence, le salon de Genève... le prix du beurre et l'âge du capitaine! Moi, je décidais d'une date, et...

En disant cela Gerry mime le fait de mettre une clé dans un tableau de bord et d'activer un démarreur.

— Sois quand même assez honnête pour reconnaître qu'UTO-PIA, c'est bien autre chose qu'un nouveau cabriolet à lancer sur la route! Et puis cette fin de crise qui n'en finit pas de finir, et ce début de millénaire que tout le monde craint un peu de voir arriver! Avoue que ce n'est pas idéal pour faire avancer les choses. L'opinion publique est obnubilée par un esprit millénariste rampant, qui est bien là, et auquel personne ne s'attaque franchement. Car ce troisième millénaire, comme celui qui l'a précédé, se présente un peu comme une île mystérieuse que l'on attend sur un océan déchaîné à bord d'un bateau endommagé. Et dans ce cas on sait ce que l'on a et ignore ce qui nous attend. La Terre promise avec les plages et les cocotiers, ou le caillou aride avec une bande d'affamés anthropophages en guise de comité d'accueil!

Tanya apprécie le laïus de John qui vient un peu comme une main tendue.

— Et contre tous ces *a priori*, que pouvons-nous vraiment faire?

— Mais justement, il y a à faire. Il faut en profiter. Et je m'excuse de devoir vous le répéter, mais cette tâche vous incombe. Il faut que vous fassiez en sorte que, vis-à-vis de l'opinion, toutes ces fadaises soient mises au placard. Cette histoire de peur de l'an 2000 doit être ramenée à sa juste valeur. Ce n'est qu'une baliverne. Sur cette planète, la signification de troisième millénaire ne devrait représenter quelque chose que pour pas plus de 10% de ses habitants. Et encore! pour ces 10%, il faudrait dire que des études récentes montrent que dans le calcul historique de l'an 0 tel qu'il a été fait au Moyen-Âge, il y a tout lieu de penser qu'une erreur de quatre ans a certainement été commise. Donc, l'an 2000 serait derrière nous depuis quatre ans! Alors on ne va tout de même pas passer un siècle à se torturer les méninges sur un sujet qui n'en vaut pas la peine. Voilà l'action que je souhaiterais vous voir entreprendre en marge de vos activités normales, Tanya.

— J'ai bien noté. Message reçu 5/5, se contente de lui répondre Tanya d'un air résigné.

Comme ils arrivent dans le voisinage de la base terrestre, elle en profite toutefois pour clore ce chapitre assez discutable, à son sens, qui de plus tendait à l'avoir prise en défaut.

— Nous arrivons, leur dit-elle, en leur montrant d'importants lotissements, parfois même de maisons mobiles, qui se sont greffés sur de petites bourgades existantes qui ont poussé comme au temps de la ruée vers l'or. Dans le lointain, on distingue les grands hangars, mais déjà l'hélicoptère a amorcé sa descente. À la demande de Tanya, le pilote s'attarde en vol stationnaire pour mieux leur faire admirer l'architecture audacieuse du siège social et futur P.C. opérationnel au pied duquel il est prévu qu'ils se posent. La sphère blanche et immaculée de l'astrodome ressemble à une boule de billard crevant une façade de plaques de verre miroitant, lacées dans une tubulaire métallique rouge, très en biais.

– C'est magnifique! laisse échapper Gerry; mais il ne peut s'empêcher de revenir à sa préoccupation première : «Mais ne nous égarons pas, et rappelons-nous ce que nous sommes venus faire ici. Il faut que tout le monde fasse son maximum.»

L'hélicoptère est maintenant posé juste en dessous du promontoire gazonné sur lequel la construction semble trôner à la manière d'un château fort, protégeant l'entrée d'une vallée. Vue sous cet angle, la pureté de ses lignes ressort avec encore plus d'éclat. John reste quelques instants pour se repaître à loisir du beau spectacle qu'offre le site de cette construction. Gerry veut encore profiter de l'absence des autres membres pour épuiser son sujet.

– Vous ne trouvez pas, Tanya, que Michael est un peu bizarre depuis toute cette histoire?

– Eh bien, il y a un peu de quoi, s'interpose John qui avait entendu la remarque.

– Vous avez raison, et nous l'avons tous noté, dit Tanya. Puis après un moment, pendant qu'ils s'engagent à l'entrée du complexe scientifique elle ajoute un «ne vous inquiétez pas, j'en fais mon affaire» plein de sous-entendus.

*

*   *

Quand Max avait sa surdose technique après une journée passée au simulateur, mis à quia par le cortège d'hommes en blanc qui ne le lâchaient pas d'un pouce, c'est toujours à la ferme spatiale qu'il allait se détendre un peu et oublier tous ses soucis. Il s'arrangeait pour y être un peu seul et restait de longues minutes à observer la pousse d'une plante, le long d'un cylindre à l'intérieur des systèmes hydroponiques qu'ils avaient mis au point. Certaines espèces, sélectionnées pour leur croissance rapide, se développaient à vue dans ces conditions. Il admirait l'apparente simplicité de toutes ces métamorphoses. «Ici, au moins, pas de points qui se dilatent, de roulements qui se grippent ni d'électro-vannes qui se bloquent!», pensait-il, en appréciant que ses fonctions ne l'amenassent pas à devoir tenter d'en percer les mystères.

Dès qu'ils en ont fini avec la visite des différents sites pour la recherche et le développement, c'est donc vers cet endroit qu'il se fait un plaisir de diriger ses amis, impatient de leur présenter *de visu* les résultats très encourageants acquis dans ce secteur primordial du SCESV.[1]

Les serres spatiales avaient été aménagées au fond de grandes excavations souterraines de manière à bien les préserver des effets du bombardement cosmique et de la lumière solaire qu'elles ne connaîtraient pas dans leur forme non expérimentale. Un blindage les protégeait des perturbations telluriques pour la même raison. Pour y pénétrer il fallait revêtir une combinaison spéciale et un casque : avec le calme impressionnant qui y régnait, cette visite prenait encore un peu plus l'apparence d'une aventure spéléologique. D'étranges pinceaux lumineux monochromatiques balayaient certaines zones de manière irréelle.

— Nous testons plusieurs types de luminosité artificielle, commente Max à voix basse.

Puis il se penche sur une espèce de couveuse, bardée de sondes hydro- et thermométriques.

— Nous nous sommes aperçus que, débarrassées de toute contingence gravitale, les plantes ont une balance énergétique tout à fait différente. Leur rendement est amélioré, pour certaines espèces, dans des proportions inespérées. Et comme en plus il n'y a pas besoin d'insecticides et autres poisons pesticides, je peux vous garantir, mes amis, que les tests de dégustation de produits ne sont pas des corvées. Je vous ai d'ailleurs fait préparer des échantillons, pour connaître vos avis sur la question.

Puis ils se dirigent vers une animalerie. Tout en marchant, Max leur explique que la majeure partie des protéines animales sera d'origine aquicole.

— Pour les poissons, nos études portent surtout sur les moyens de contenir l'eau des bassins, car les vertébrés aquatiques connaissent depuis la nuit des temps le principe d'Archimède et savent donc s'accommoder d'une gravité légère. Ne cherchez donc plus la raison pour laquelle la pisciculture est, en termes de rendement, bien supérieure à toutes les autres formes d'élevage...

— Ni non plus pourquoi les poissons ne font jamais de crise cardiaque ! ironise Gerry.

— Et qu'en savez-vous ? en termine Tanya.

Après quelques bassins aux eaux noires, moirées, sans une ride à leur surface, l'atmosphère se fait un peu plus champêtre avec l'audition inattendue d'un caquetage dans le lointain.

---

1. Système de contrôle écologique de support de vie.

— Nous élèverons aussi quelques volatiles... surtout pour les œufs. Un œuf = un steak disait ma grand-mère.

— Eh bien tant mieux! Parce que pour moi, un breakfast sans œufs brouillés... ce n'est pas un breakfast, dit Gerry.

— Tu as raison, lui répond John. Et puis, une galette de céréale, même si c'est celle que nous a décrite Max, grillée à la broche sur un lit de braises dans la cheminée, c'est peut-être bon, mais cela manque de charme!

Puis, comme il s'aperçoit qu'on se dirige vers la sortie, il remarque à l'intention de Max:

— C'est tout pour les animaux?

— Pourquoi? Vous vous attendiez à trouver le salon de l'agriculture avec veaux, vaches et moutons? Non, là vraiment ce serait impossible. Ce sont des exterminateurs botaniques; et les petites herbes qu'ils engloutissent sur terre par tonnes, sans que nous nous en souciions, seront précieuses sur UTOPIA. Chacune d'elles, et chacune de leurs feuilles, est une usine chimique irremplaçable, capable avec un peu de lumière de fixer le gaz carbonique et de libérer de l'oxygène. Non là, vraiment, je suis désolé.

— C'est bien dommage. Tu te rappelles ce gigot de pré-salé que l'on s'était fait en Normandie l'été dernier? murmure John à l'intention de Gerry.

— Tu parles que je m'en souviens! Et ce cher Tom, qui n'avait jamais rien vu de pareil!

John cherche Tanya dans la pénombre et lui dit:

— Eh bien, dans tout cela, il y en a au moins une pour être d'accord... et contente!

— Je reconnais que cela n'est pas pour me déplaire, et encore moins pour me priver. Mais vous savez, s'il le faut vraiment, je serai capable de changer mes habitudes. Et je me demande si beaucoup d'entre nous le peuvent. Sur UTOPIA, c'est bien plus qu'une petite manie culinaire qu'il faudra savoir changer. Il faudra savoir trouver du charme autrement que devant un feu craquant dans une cheminée, s'amuser ailleurs que dans un gueuleton bien arrosé, se défouler sans écraser une pédale d'accélérateur.

— Ne vous fâchez pas, Tanya, je voulais juste plaisanter.

— C'est bien ainsi que je l'entends; mais votre remarque avait quand même pas mal de bien-fondé. Justement, nous devons maintenant rencontrer nos premiers conscrits. Certains sont déjà en immersion depuis une année. Vous allez voir que sur le plan des comportements, il y a encore beaucoup de progrès à accomplir.

298

Ils arrivent à l'air libre; devant la sortie, des voiturettes électriques les attendent pour les conduire au bâtiment où sont étudiés et testés les comportements humains.

Les voiturettes se mettent en route en émettant un sifflement caractéristique, un peu comme un aspirateur bouché.

— Tiens! cela me rappelle le golf, dit Gerry en s'étirant.

— Moi, j'ai plutôt l'impression de faire la visite d'un Futuroscope... d'un Disneyland du futur, lui répond John.

— Attendez un peu, dit Tanya. Vous n'avez pas vu le meilleur! Il vous reste encore à découvrir le domaine de l'*Homo extraterritorialis*. À ce propos, je tenais à vous dire que la Commission sémantique de l'Académie des Sciences a officiellement retenu, à notre demande, ce terme pour désigner l'habitant d'une colonie spatiale, et ce seront ceux d'UTOPIA qui auront le privilège d'inaugurer l'appellation.

— C'est très bien, mais ce ne sont que des mots...

— Connaissez-vous d'autres grandes aventures humaines qui aient commencé autrement?

Au détour du chemin une énorme bulle argentée faisant plus d'une centaine de mètres dans son plus grand diamètre découpe le paysage et se l'approprie dans son ensemble. La vision est surréaliste. John se retourne pour observer la réaction des occupants du deuxième véhicule. Michael hoche la tête et se penche à l'extérieur afin d'en saisir toute l'immensité. Puis la petite route part en pente douce vers l'entrée d'un sas souterrain. Max précise:

— La structure n'a aucune ouverture directe vers l'extérieur. L'atmosphère ambiante y est artificielle et maintenue en surpression grâce à de puissantes génératrices qui sont à plusieurs kilomètres d'ici. La paroi externe est en Gore-Tex anodisé et se tient d'ellemême, sans support, sous l'effet de la pressurisation interne.

Ils sont maintenant rendus dans un petit vestiaire où on leur fait revêtir une combinaison en matière synthétique beige clair dans laquelle est incorporée un auxiliaire respiratoire dont on leur explique rapidement le fonctionnement et la fonction.

— Nous allons évoluer dans un plasma gazeux un peu différent de celui de l'atmosphère terrestre. La teneur en azote y est un peu diminuée, mais par contre on y trouve un peu plus d'hélium, d'ozone et d'ions négatifs. Cela pourra vous incommoder et je vous indiquerai le moment de faire une pause. Ce masque est pourvu d'un catalyseur chimique qui bloque les gaz rares, explique Max.

En enfilant leurs tenues futuristes, ils remarquent qu'elles ont toutes été confectionnées à leurs mesures et que leurs noms y sont gravés sur la poitrine en haut et à gauche.

Dans le grand hall, le silence est impressionnant. Dans ce mélange gazeux particulier, les ondes sonores ne se déplacent pas à la même vitesse que dans l'atmosphère habituelle, et au bout d'un moment ils ressentent tous un phénomène d'impression sonore qui se manifeste comme un tout petit sifflement au niveau de l'oreille interne. Max leur explique que tout cela est normal et doit disparaître au bout d'un moment. La lumière est douce, bleutée et indéfinissable. La limite de la structure qui les entoure est invisible et se fond comme happée par de profondes ténèbres. Dans l'air flotte une odeur inconnue mais pas du tout désagréable. Dans ce décor qu'aurait certainement pu imaginer Jules Verne pour son *Voyage au centre de la terre*, ils n'ont encore pas vu âme qui vive. Quand soudain...

Un homme d'une soixantaine d'années avec une abondante chevelure blanche, semblant déboucher de nulle part, remonte une allée gravillonnée bordée de végétation ; il marche d'un pas ni lent ni rapide et semble totalement paisible. Il tient à la main un coffret en plastique gris, format 24×36 centimètres. Il ralentit à peine son allure en croisant le groupe et leur dit en passant :

— Bonjour Messieurs... – puis, apercevant Tanya – Vous êtes là, Tanya ? On ne vous voit guère en ce moment ! Je vous souhaite une bonne journée... À bientôt !

— À vous de même, Mr. Bartlett, lui retourne-t-elle.

Les visiteurs, après lui avoir répondu aimablement, le regardent s'éloigner avec beaucoup d'étonnement et d'émotion, avec ce sentiment particulier que doivent connaître les zoologues qui observent une espèce en voie de disparition. Si ce n'est que, là, il s'agissait d'un spécimen d'une espèce en voie d'apparition ! Quand il est complètement hors de vue, Tanya leur précise :

— Allan est physicien, spécialiste des particules élémentaires. C'est une excellente recrue. Il s'est parfaitement adapté à toutes les contingences matérielles et sociales. Il fera certainement partie des premiers départs.

— Il avait emmené de la lecture récréative pour sa promenade, et maintenant il retourne à ses recherches. Vous avez remarqué qu'il tenait quelque chose à la main ?

— Il n'avait qu'une boîte de plastique dans sa main, Max, dit John.

– En fait, déplié, c'est un écran à cristaux liquides, avec en mémoire l'équivalent d'une petite bibliothèque. J'ai fait l'essai ; au début cela choque... et puis on s'y fait, et même très bien ! Car sur UTOPIA, on ne pourra emmener de livres qui sont trop encombrants ; mais toute la littérature souhaitée sera disponible sous cette forme, microfilmée puis restituée par voie informatique.

– Je trouve cela très bien pour consulter un annuaire téléphonique ou l'horaire des trains ! Mais lire un livre digne de ce nom de cette façon barbare, je ne sais pas si je m'y ferai. Sur certaines choses, j'admets être resté très vieux jeu...

– Rassurez-vous, John, nous sommes plus d'un à l'avoir déjà remarqué ! l'interrompt Tanya pour le taquiner.

– Décidément, me concernant, vous n'en loupez pas une, Tanya. Je voulais simplement relever le fait qu'un livre n'est pas qu'une suite de caractères imprimés sur des feuilles attachées avec une reliure. J'adore lire... et pour moi ce plaisir commence dans mon salon quand je laisse traîner ma main le long des étagères de ma bibliothèque, un peu comme on mouille une ligne. Un livre, c'est comme un moment d'émotion qui passe ; ça vit ! Neuf, il respire la colle et l'encre fraîche, et au fil des ans on dirait qu'il s'imprègne de l'odeur des lieux et, qui sait, de l'essence de ceux qui s'y sont intéressés. Moi, quand je lis, il faut que je sente tout cela ; je touche, je reviens en arrière, vagabonde vers la fin, annote en marge...

– Merci pour ceux qui viennent après ! fait Tanya.

– En être se mérite, à mon sens, ma chère. J'ai horreur qu'on m'emprunte un livre, Tanya.

– Je vous trouve un peu bloqué, mais surtout très maniaque sur ce coup, mon ami. Il faudrait songer à épousseter tout cela si un jour vous souhaitez aller sur UTOPIA. Nous en parlerons plus tard, si vous le voulez bien ; pour le moment, pressons, car justement les toubibs nous attendent. Et pour commencer, nous allons rencontrer le Dr Gardner qui dirige le service de la recherche sur les comportements humains. Il doit nous présenter ses travaux et faire le point sur les résultats qu'il a acquis, leur annonce Tanya en leur montrant le chemin pour sortir du grand hall.

La salle où le directeur les attend est une classique salle de classe avec une estrade, un bureau et un tableau-écran d'un côté, et une dizaine de tables et chaises leur faisant face. Tanya fait les présentations et invite Gardner à la parole en précisant qu'il se bornera aux grandes lignes du sujet.

– C'est bien évident, confirme ce dernier. C'est en fait le rêve de tout socio-ethno-psychologue que de se voir proposer de modéliser une société idéale, et je vous remercie de m'avoir choisi pour cette tâche. Est-il nécessaire de préciser les nombreux écueils qu'elle sous-entend! Heureusement que l'Histoire est là pour nous tirer par la manche et nous rappeler que la dernière fois que cela s'est fait, c'était au début de ce siècle: des gens bien-pensants avaient imaginé une belle société marxiste-léniniste-socialiste. Résultat: des malheureux par millions avec, au pire, des malheureux-morts et, au mieux, des malheureux-déçus. Le dirigisme centralisé bureaucratique n'est pas la meilleure des solutions... mais n'est pas la pire. Alors voyez-vous, pour le cas de figure qui se présentera sur UTOPIA, nous avons fait le portrait-robot du client idéal. Il s'agit d'une personne autonome, ayant des compétences reconnues dans son domaine, capable de se concentrer pour concrétiser les objectifs sans l'aide d'une solution collective, mais le tout devant s'inscrire dans le même sens que le reste de la collectivité.

– Une fourmi, en quelque sorte, dit John.

– La fourmilière, la ruche ou encore la termitière sont d'excellents exemples de telles structures; mais avec encore quelques petits défauts à corriger, tels que la hiérarchisation, l'instinct expansif, etc., dit Gardner.

– Si Tom avait été des nôtres, dit Gerry, il aurait tout simplement dit: «On prend les meilleurs et on leur dit bien qu'il faut tous tirer la charrue dans le même sens».

Puis le Dr Gardner fait une énumération de certains cas particuliers en citant des exemples de parfaite intégration, de même pour les rejets inévitables et les leçons que lui et ses collaborateurs en ont tirées.

Tanya avait prévu que la visite du centre médical suivrait. Entre-temps, une pause respiratoire était au programme car tous avaient déjà ressenti certains effets des gaz ambiants sur leur ventilation pulmonaire.

– Vous avez intérêt à être en pleine forme, sinon le Pr Boukovsky vous gardera à l'infirmerie, dit Tanya pour plaisanter.

En marchant vers l'hôpital, Tanya leur parle un peu du maître des lieux qui a une fonction capitale pour le projet de mise en place de la colonie spatiale:

– C'est longtemps lui qui a dirigé toute la recherche médicale et biophysique pour tout le domaine aéro-spatial de l'ex-URSS; et plus particulièrement pour ce qui concernait les très longs séjours.

Son expérience est considérable et inégalée. Parallèlement à toute cette recherche fondamentale sur l'état d'apesanteur, il supervise la mise au point de procédés télé-chirurgicaux qui seront indispensables pour les besoins inévitables de maintenance humaine.

Un peu plus tard, après que toute l'équipe médicale leur a été présentée, le Pr Boukovsky les introduit dans son laboratoire pour leur faire suivre une petite démonstration de la technique qu'on y met au point. Dans la salle, plusieurs personnes s'activent autour d'un animal de laboratoire endormi sur une table d'opération; et dans une pièce à côté, un chirurgien en costume-cravate manipule des instruments et pilote une multitude de leviers et de boutons, les yeux rivés sur une batterie d'écrans de télévision à effet de relief, tout en communiquant verbalement avec beaucoup de détails avec ceux qui sont de l'autre côté.

— Et vous voyez, leur dit Boukovsky, qu'il y ait un mètre, ou des milliers de kilomètres entre les deux ne change pas grand-chose. En théorie, tout est possible; mais pour cela il faut encore beaucoup travailler, s'entraîner et former des équipes bien rodées pour développer les automatismes.

— C'est merveilleux, lui déclare Gerry. Bon courage pour la suite, monsieur le Professeur.

— Le tout est d'y croire... et puis d'oser! Vous en savez quelque chose, n'est-ce pas?

Le petit groupe de visiteurs se retire et laisse l'équipe médicale à ses travaux. Après cette incursion dans l'atmosphère froide et impersonnelle des laboratoires du centre de biotechnologie spatiale, l'air un peu frais du dehors, avec le soleil en prime, leur fait le plus grand bien. Cette fois, une navette Monospace les attend devant la porte.

— Où allons-nous maintenant, Max? demande Gerry. Ne me dites pas que vous avez encore un truc à nous sortir du chapeau!

— Vous ne croyez pas si bien dire. Je vous ai réservé le meilleur pour la fin. J'espère que vous vous êtes gardé un peu de place pour ce qui reste à venir. J'ai l'intention de vous faire visiter le Saint des Saints de cette base. Montez dans la navette, car il faut nous rendre à l'autre bout du site. Loin d'ici et aussi bien à l'abri des regards indiscrets.

— C'est vrai, remarque Tanya, vous m'en avez souvent parlé, mais ne m'y avez jamais conduite.

— Mais, bon sang! de quoi donc parlez-vous ainsi? s'étonne Gerry.

— Asseyez-vous, je vais vous expliquer.

Ils prennent place à l'arrière du minibus, assis face à face, et le chauffeur démarre immédiatement. Max engage l'explication qu'il leur avait promise.

— Je vais vous montrer le prototype de l'échangeur oxhydrique qui sera le poumon de la colonie spatiale et fournira l'oxygène à ses occupants.

— Ah oui ! Votre fameux petit joujou qui nous a coûté 1 milliard de dollars, précise John.

— Quand je vous aurai dit à quoi il sert et mieux encore à quoi il pourra servir, je suis sûr que vous ne regretterez pas votre mise, John. Je crois qu'on n'est plus loin, ouvrez les yeux.

Instinctivement, les quatre visiteurs regardent à l'extérieur, s'attendant à ce qu'une grande surprise visuelle fasse apparition. Quand, au détour du chemin, ils se retrouvent en face d'un bâtiment insignifiant d'une trentaine de mètres de façade, d'une hauteur de trois étages, avec des murs métalliques peints en vert foncé sans ouverture, ils sont, bien entendu, tous un peu déçus.

— Voilà l'engin, dit Max.

— On dirait un hangar pour remise du matériel agricole, marmonne John qui n'avait toujours pas digéré la légère addition d'un milliard de dollars.

L'entrée se fait par une minuscule porte sur le côté. À l'intérieur, on se croirait dans le poste de contrôle d'une centrale nucléaire. Trois techniciens en combinaison sont absorbés devant une armada de consoles et d'écrans. Ils surveillent le monstre et en épient le moindre souffle. De l'autre côté d'une grande baie vitrée, l'enceinte de confinement : des cuves, des containers, des tuyaux... et, pour les quatre intrus visiteurs, plein de mystère.

À voix basse, comme pour ne pas déranger, Max fait la présentation.

— Cette machine est unique en son genre. Elle a été construite à Denver par la société Martin Marietta d'après les travaux du Pr Harvey Wolfhaert, un ancien de chez nous... je veux dire, de la NASA. Je vais essayer de vous simplifier à l'extrême. Par ici, on fait entrer du CO_2 et divers produits hydrogénés qui sont, l'un et les autres, des résidus inévitables de toutes les réactions chimiques liées aux processus de développement de la vie organique ; et à l'autre bout de la chaîne, on se retrouve avec une production d'oxygène... *et* méthane ! Alors, John, toujours aussi cher, mon gadget ?

– Évidemment, la respiration, c'est quelque chose qui n'a pas de prix! Et le méthane, qu'allez-vous en faire? demande John.

Mille choses, ne vous inquiétez pas! Ce sera d'abord une énergie d'appoint pour tous les besoins usuels domestiques. Mais ce sont des détails. Par contre, et vous allez tout de suite comprendre la raison pour laquelle c'est la NASA qui était sur le coup de l'échangeur oxhydrique, l'oxygène et le méthane sont les deux composants des propergols qui propulseront les fusées interplanétaires de seconde génération; et on sait maintenant que leur avenir ne peut se concevoir en imaginant qu'elles emportent au départ tout le combustible nécessaire à toutes les étapes de leur mission. Il faudra donc les avitailler dans l'espace... Vous me suivez bien tous?

– UTOPIA, la station-service de l'Espace! Cela ferait un sacré slogan publicitaire, non? ironise Gerry.

– Vous comprenez mieux la logique de l'Agence spatiale, je suppose maintenant, enchaîne Max, et la bonne raison qu'elle avait de nous repasser le bébé; nos intérêts sont liés et je crois que personne n'aura à s'en plaindre.

– Science? Fiction? Avec vous, mon cher Max, on ne sait plus bien où on en est, dit John.

– Je n'aurai de réponse ferme à vous faire que dans quelque temps. En tout cas, nous ne sommes sûrement pas dans les deux à la fois. Tout ce que vous avez vu aujourd'hui est fin prêt pour la mise en service. Le lancement est pour bientôt. Vous pouvez me faire confiance. Toutes les petites briques de cet immense édifice ont été pensées, cuites et vérifiées; et chacune sera mise au bon endroit. L'erreur, je veux dire la grosse tuile qui mettrait tout en péril, est impossible au stade où nous en sommes. Le petit pépin... ça, c'est autre chose! Mais pour cela aussi, nous sommes en alerte permanente. On traque, on doute, on vérifie et revérifie... soyez-en bien persuadés.

– N'ayez aucune inquiétude à ce sujet, vous nous inspirez à tous une confiance illimitée. Et ce n'est pas la visite de ce jour qui pourrait nous faire changer d'attitude! déclare Tanya.

Ils sortent du bâtiment et reprennent chacun place dans la navette. Les commentaires vont bon train.

Étrangement, Michael n'a pas desserré les dents de la journée. Pendant toute la visite, son comportement est resté énigmatique, illustrant parfaitement les propos du Pr Boukovsky quand il commentait le fait qu'on puisse être à mille kilomètres des gens, tout en étant dans la même pièce qu'eux. Michael est ailleurs.

L'enthousiasme et la volubilité de Max pour tout expliquer et faire comprendre, l'ont laissé froid; la pugnacité de Gerry l'agace; John qui n'a pas arrêté de tourner autour de Tanya l'énerve. Tanya lui est étrangère. Sur le chemin du retour, comme à certains moments de la journée, il retourne en pensée avec cette bande de vagabonds du désert: ces guerriers insaisissables, fiers, illettrés mais libres et riches de mille trésors. Il revoit ces situations périlleuses vécues ensemble avec les temps forts des combats et les phases plus calmes qui les avaient précédés. Avec chacun d'eux, il avait partagé quelque chose de lui-même. Certains avaient même dû donner leur vie pour sauver la sienne. C'étaient maintenant plus que des hommes ou des amis qu'il avait laissés dans la savane soudanaise. Ensemble ils avaient connu une fraternité presque aussi forte que celle du sang: celle des armes. Et quand il sentait cet appel irrésistible, son esprit accaparé devenait hermétique.

Dans la soirée Michael avait prévu de retourner en Californie par le dernier vol, et ainsi éviter le *débriefing* du lendemain. Mieux valait ne pas y paraître plutôt que d'y faire piètre prestation. Il était toujours temps de leur faire part de son indisponibilité à poursuivre avec eux le projet. Et sans lui, pouvait-on encore en parler?

15

Pour ce dernier mois du millénaire, le Nord-Est des États-Unis a connu l'un des épisodes les plus froids de son histoire climatique. Par deux fois, des masses d'air glacial venues du Labrador ont été déviées par un anticyclone au large de Terre-Neuve et se sont engouffrées sur les États côtiers du Nord américain. Blizzards et vents polaires ont fait que sur les thermomètres, la barrière des −20°C a été franchie plusieurs fois en décembre. Les routes et les aéroports étaient souvent bloqués aux premières heures des matinées; mais dans la semaine qui précède Noël, les conditions climatiques se font plus clémentes et pour la première fois de son histoire, un épais manteau neigeux, qui ravit les enfants dans les cours d'école, recouvre Washington et rappelle ces deux semaines de colère et d'excès météorologiques.

La vie politique et économique est, comme de tradition à cette époque, au ralenti. C'est la «Trêve des confiseurs». Chacun est chez soi, au chaud, occupé aux derniers préparatifs pour les fêtes de fin d'année. Dans les magazines, tout le monde raffole des rubriques opportunes où l'on trouve des idées pour des cadeaux de dernière minute, ou encore des suggestions pour les repas de fête et la décoration des maisons. Aux journaux télévisés, le décor du plateau s'égaie de guirlandes et de paillettes multicolores, et les présentateurs profitent d'une actualité assoupie pour commenter dans la joie et la bonne humeur les faits et gestes de la vie quotidienne qui deviennent tout d'un coup si particuliers quand les canons décident à leur tour de prendre un peu de repos.

«... Mrs. Chandler de Worcester, Massachusetts, une toute jeune (elle a 101 ans) centenaire prendra l'avion pour la première fois de sa vie afin d'aller entamer pour la deuxième (et dernière!)

fois un autre siècle, chez ses enfants qui habitent l'Arizona. On la voit à l'écran, dans les couloirs de l'aéroport au milieu d'un groupe de reporters, refusant catégoriquement la chaise roulante qu'on voudrait lui imposer selon les usages de la compagnie aérienne...»

Le reportage est interrompu quasi brutalement. Il est un peu plus de 7 heures du soir. Pendant la diffusion des dernières images, un message s'inscrit en surimpression: *Nous interrompons nos émissions pour un flash spécial d'information...* Cette annonce est à peu près synchrone sur tous les médias audiovisuels habituels. Sur NBC, la régie finale diffuse d'un petit studio sobre dépourvu de toute fantaisie ornementale de saison. Le journaliste de garde annonce sans transition:

– Nous apprenons de source officielle par le Pentagone que l'US Air Force vient de rendre compte d'une mission de bombardement sur plusieurs objectifs militaires en Libye, au Soudan et en Iran selon des ordres émanant des plus hautes autorités de ce pays. Tous les appareils sont retournés intacts à leurs bases respectives. La mission est considérée comme un succès à 100%.

Suivent des images, malheureusement trop connues, d'explosions et de destructions terrestres en noir et blanc prises des bombardiers à haute altitude.

– Le Président s'adressera à la Nation dans une allocution télévisée que nous vous transmettrons en direct de la Maison-Blanche à 20h. Ne quittez pas l'antenne. À tout à l'heure. Bonsoir.

Difficile pour les programmateurs de continuer la diffusion sans tenir compte de cette intervention. À NBC, on passe un interlude insipide pendant qu'au service des nouvelles, on s'active dans tous les sens pour monter un petit sujet tentant d'expliquer l'intervention américaine. Tous les gros calibres de l'antenne sont rappelés précipitamment pour que l'analyse à chaud des événements puisse être présentée au pied levé. La tâche est bien délicate pour eux, devant parler de ce que tout le monde savait, de ce qu'ils savaient mais n'avaient pas pu communiquer, étant liés par le secret-défense absolu. On ressort les images dramatiques du torpillage du *George Washington* dans la rade de Monaco l'été de l'année passée; et voilà pour expliquer qu'une nouvelle fois, la Libye a été la cible des bombes américaines. On évoque l'attaque au Dar Fur, en appuyant bien sur le fait qu'il s'agissait d'un camp de terroristes, afin de charger le Soudan. Juste un mot pour signifier que certains pays de l'Islam, sous la pression des intégristes, ne respectaient pas la réglementation sur l'usage de l'atome à des fins militaires.

Dès 19h30, toutes les chaînes de télé sont sur le même coup. La plupart présentent une image fixe de la Maison-Blanche; puis celle-ci s'anime en temps réel avec tout le remue-ménage des visiteurs et des journalistes qui s'y rendent. Peu soucieux d'un horaire strict, c'est avec quelques minutes d'avance que l'hymne américain se fait entendre, annonçant le discours du Président. En plan serré, le visage du Président occupe tout l'écran.

— Mes chers concitoyens! Des circonstances graves m'ont amené à prendre, en votre nom et en vertu des pouvoirs qui me sont conférés, des décisions d'une importance extrême pour le maintien sur cette planète des libertés essentielles qui font l'honneur de nos principes démocratiques.

Le cadrage de prise de vue s'élargit et on aperçoit à sa droite le Secrétaire d'État à la Défense et à sa gauche le Général Commandant en chef des forces armées du pays, qui cache partiellement une carte géographique du bassin de la Méditerranée.

— Je m'empresse de vous rassurer et vous dire que ces opérations ont été un succès total. Aucune perte n'est à déplorer de notre côté. Nous avions fait en sorte qu'aucune vie civile ne soit exposée de l'autre côté; l'essentiel de nos objectifs consistait en des sites strictement militaires.

Il se tourne vers les deux hommes qui sont à ses côtés, qui accréditent ses dires d'un regard appuyé.

— Général, veuillez nous parler de cette opération!

— Certainement.

Il se lève, saisit une grande règle en bois foncé et dit:

— Nos experts avaient établi avec certitude que les débris des appareils qui s'étaient abîmés en mer après avoir attaqué et coulé le porte-avions *Washington* appartenaient à une escadre de chasse libyenne basée en Tripolitaine ou en Cyrénaïque.

En disant cela il pointe deux flèches sur la carte.

— Ce matin à 10h GMT, quatre chasseurs-bombardiers ont décollé du *Nimitz* avec pour mission de détruire ces deux bases. Au même moment, une autre escadrille se présentait dans l'espace aérien soudanais et dans les mêmes conditions a pilonné ce qui restait d'un camp d'entraînement terroriste supporté par l'Iran avec la bénédiction des autorités locales. Finalement, trois escadrilles de quatre bombardiers Stealth, capables de déjouer les défenses radars, ont décollé de notre base en Arabie, pour pénétrer l'espace aérien iranien et pilonner une série de sites d'installations nucléaires et d'entraînement terroriste.

Pendant son exposé, les illustrations et les résultats des raids aériens apparaissent, traduisant l'ampleur de la riposte américaine sur le plan des destructions.

Le Secrétaire d'État à la Défense, qui n'a pas encore parlé, enchaîne avec le chef d'État-major des armées :

– Les décisions ont été prises au vu d'une situation que nous ne pouvions sous aucun prétexte prendre à la légère. Une réunion du Conseil de Sécurité de l'ONU a été réclamée et nous y apporterons tous les éléments justificatifs de ces opérations militaires.

Puis, de nouveau le cadrage se fait sur le visage du Président ; il fixe avec détermination le rectangle noir et brillant de la caméra n° 1, braquée sur lui avec une ampoule rouge à son sommet, comme s'il voulait encore plus que ce message s'adresse en personne à chacun des 300 millions d'individus dont il a la responsabilité.

– Croyez bien, mes chers concitoyens, que ces derniers temps j'aurais aimé pouvoir briser le silence et l'isolement dans lesquels nous nous trouvions, et vous parler ouvertement de la situation et des enjeux graves qui en découlaient. Vous vaquiez tous à vos tâches, importantes ou plus modestes, à faire en sorte que ce pays soit une grande Nation. Pendant ce temps, la CIA et le FBI ont pu et dû déjouer plusieurs complots ainsi que l'amorce d'un attentat contre une grande ville américaine, d'une intensité et d'un mode encore inconnus à ce jour sur cette planète. Face à cet ennemi masqué, hideux et aveugle, de simples citoyens de ce grand pays se sont distingués et leur attitude héroïque a permis que nous esquivions le désastre. C'est encore un peu tôt pour vous les faire connaître, mais un jour, que je sais très prochain, il nous sera possible d'en parler, je vous le promets, et ils rejoindront au panthéon des grands hommes de cette nation la place qui leur revient. En tant que président des États-Unis, je peux vous affirmer qu'à l'heure actuelle toute menace grave est écartée, et les dispositifs pour que cet état demeure sont en place, bien boulonnés et bien huilés. Bientôt, j'aurai l'immense plaisir de m'adresser à vous dans des circonstances moins dramatiques et l'annonce heureuse que je vous ferai sera peut-être l'une des plus importantes qu'un Président des États-Unis ait eu à faire.

God bless America !

L'hymne américain retentit ; les trois hommes se congratulent et parlent hors antenne tout en enlevant leurs micros-cravates et les oreillettes.

Le conseiller Albert Campden a tout suivi, un papier à la main, en retrait des caméras fixes de télévision. Dès que les projecteurs sont éteints, il surgit le premier sur le plateau et va au devant du Président, le pouce levé :

— Tout est O.K., je crois que le message est bien passé.

Même pour un politicien bien aguerri, un passage-télé dans ces circonstances exceptionnelles est toujours une épreuve un peu dure. En si peu de temps, il faut alerter mais surtout ne pas faire paniquer l'opinion publique. Tout dire... sans trop en dire ! Enfin tant mieux si déjà Albert est content.

— Mais tu vois, Albert, je me sentirais tout à fait bien dans ma peau si je savais *où* ces maudits 15 kg de plutonium sont passés.

— Bien sûr ! Mais tout n'est déjà pas si mal. Ne nous plaignons pas.

Les deux hommes se parlent à voix basse tout en se dirigeant par un dédale de couloirs vers le grand bureau ovale où le Président devait recevoir le Secrétaire d'État aux Affaires extérieures et ses conseillers pour mettre au point leurs dossiers qu'ils allaient présenter devant les instances internationales onusiennes.

— Albert, il faut regarder les choses en face. Dans quelques jours il faudra nous considérer à nouveau en campagne électorale. Et au lendemain du premier lundi de novembre de l'an 2000, je souhaiterais bien que toutes ces menaces ne soient plus dans la mémoire des gens. C'est pour cela que ce soir, je suis bien content d'avoir remis les compteurs à zéro avec la menace extérieure.

— Et juste quand il le faudra, tu lanceras UTOPIA. Je crois que la copie est bonne... Le timing aussi !

— C'est pour cela qu'il ne faudrait pas qu'il y ait une fausse note.

— Dieu t'entende !

New York, New York, nuit de la Saint-Sylvestre

Le haut des grands immeubles de Manhattan se perd dans le flou d'une nuée de flocons de neige qui voltigent avant d'atteindre le sol, déjà un peu fondus. Au Rockefeller Center, pendant les fêtes de fin d'année, c'est l'animation et la décoration habituelles de saison. Juste à côté de la mini-patinoire, où quelques adolescents tentent sans grand succès des figures ou des passes de hockey, un gigantesque arbre de Noël d'une hauteur égale à un 4e étage brille de mille feux. La coutume viendrait des grandes forêts glaciales de l'Allemagne du Nord où, l'hiver, les Teutons crevant de froid *entorchaient* des arbres entiers pour tenter de se réchauffer un peu.

C'est au sommet du Rockefeller Center, dans les salons du Rainbow Room, que James O'Reilly avait prévu passer en famille cette soirée exceptionnelle, en compagnie d'une centaine de clients privilégiés qui avaient retenu leurs places depuis longtemps. Un orchestre de variétés accueille les premiers invités sur une musique très douce. James et Nancy O'Reilly sont aux anges avec leurs deux fils et leurs épouses, bien sûr, mais surtout à cause de la présence nouvelle, aux côtés de Tanya, de Michael que James s'empresse de présenter – non sans un brin de fierté – à tout le monde, comme son futur gendre. Pour une fois, il ne passait pas les fêtes de fin d'année à Gstaad, et cela lui faisait tout bizarre. Le dîner de gala se compose de mets délicats qui se suivent sans précipitation. Entre deux plats, des couples se retrouvent sur la piste de danse et tournent quelques pas de valse ou de tango. Le champagne, une admirable cuvée Veuve Clicquot, coule à flots. Les heures passent, l'atmosphère se réchauffe et l'excitation monte à mesure que l'on approche du moment fatidique. Une énorme pendule est suspendue au-dessus de l'orchestre. Surveillée constamment par plusieurs centaines d'yeux, elle ne risque pas pour le moment de se faire dérober !

À 23h30, les frères de Tanya sont au milieu de la piste et se trémoussent avec leurs épouses aux rythmes endiablés que produisent les musiciens. Tanya et Michael conversent agréablement avec les O'Reilly, un peu en retrait de toute cette agitation échevelée. À quelques minutes de l'an 2000, toute cette transe semble un peu baisser d'un ton. Comme si l'instant était grave. Les grandes lumières plafonnières s'éteignent dans un long decrescendo de plusieurs minutes et bientôt ne subsistent plus que les petites lampes sur table, insignifiantes jusque-là. Dans l'orchestre, tous les musiciens se sont arrêtés de jouer à l'exception du percussionniste qui, très discrètement d'abord, puis de manière de plus en plus affirmée maintenant, bat la seconde sur une cymbale. Sur la grosse pendule à fond blanc, les deux aiguilles sont presque confondues. Les cœurs battent dans toutes les poitrines. La salle est presque silencieuse...

Et d'un seul coup, tout semble exploser ! On dirait que le batteur a dix mains et qu'il a pris du 100 000 volts. L'orchestre part d'un coup dans une cacophonie monstre en fortissimo. La salle est à nouveau inondée de lumière et des cris de joie font résonner les grandes vitres de ses fenêtres. Tout le monde se congratule. Un peu à l'écart, à leur table dans un coin, les O'Reilly savent rester maîtres de leurs émotions. James et Nancy s'étreignent tendrement, tandis qu'à leurs côtés Michael et Tanya, malgré leur présence, se sont lancés dans des effusions buccales interminables. Les deux frères de Tanya reviennent de leur expédition du milieu de la piste de danse et toute la famille s'embrasse à qui mieux-mieux. On ne sait plus quoi se dire, ni que se souhaiter. Bonne Année? Heureux Siècle? Joyeux Millénaire?

Après ce paroxysme de joie et de bonne humeur, tout le monde se calme un peu et se contente d'une franche gaieté très communicative; dans les minutes qui suivent, on annonce à l'assistance que va leur être retransmise une intervention télévisée en direct du Président, sur un écran laser géant avec effet de relief. L'orchestre entame *Stars and Stripes* et tous se lèvent et écoutent; les hommes ont la main sur la poitrine.

À la Maison-Blanche, un air de fête semble aussi avoir soufflé. Le Président, First Lady à son côté, arbore un sourire jovial.

— Mes chers amis, après ces heures sombres que nous avons vécues ensemble, c'est une grande joie de vous retrouver pour ces moments heureux...

Derrière lui, la Première Dame est prise d'un fou rire en voyant son époux devenu soudainement si sérieux et le réalisateur l'écarte du champ de vision. Le Président formule des vœux, a une pensée pour les malades, les esseulés, les victimes des grandes injustices, et en profite au passage pour égratigner ceux qu'il désigne pour en être la cause. Il fait un rapide éloge de l'héritage légué par les ancêtres et envisage les générations à venir:

— Puissent-elles avoir la force de nos pères et mères et continuer de bâtir un avenir juste, libre et équitable!

Avec beaucoup d'habileté télégénique, il feint d'en avoir terminé, puis semble se raviser pour ajouter un détail:

— Ha oui! vous souvenez-vous de la bonne nouvelle que je vous avais promise? Pensez-vous que ce soit le moment de vous l'annoncer?

Dans la salle, une clameur gourmande monte, comme si le Président était dans la pièce et qu'il pouvait l'entendre. À la table des O'Reilly, où l'on se doutait un peu de ce qui allait suivre, toute la famille s'interroge longuement du regard. Michael ressent un choc, et Tanya est parcourue d'une onde émotionnelle qui la fige sur place.

– Bien voilà : avec vos efforts, votre imagination, votre courage et votre sens des libertés, le simple Président des États-Unis que je suis va vous offrir, mes chers concitoyens le plus beau cadeau qu'un pays puisse recevoir. Il s'agit du même bonheur que celui qui inonde une famille quand on lui annonce l'arrivée d'un nouveau membre, car j'ai l'immense privilège de vous dire que bientôt il faudra ajouter une étoile à notre drapeau. Et, cette étoile sera elle-même une étoile, puisque ce 51e État qui fera grandir notre si beau pays sera une station extra-planétaire, habitée en permanence. Son nom est UTOPIA. Vive UTOPIA !

Au sommet du Rockefeller Center, comme dans beaucoup d'endroits dans le pays, c'est une explosion de joie à l'annonce de cette nouvelle, qui pour bon nombre jusque-là n'était qu'une science-fiction parmi tant d'autres. Mais à la table des O'Reilly, passée la joie immédiate pour cette bonne nouvelle couronnant l'aboutissement d'un projet cher à leurs cœurs, surgissent des émotions bien particulières. James savait que si UTOPIA prenait forme et vie, sa fille y partirait sûrement et qu'il ne la verrait plus. Et, bien entendu, même chose terrible pour sa descendance qu'il attendait avec une telle impatience. Nancy regarde sa fille et dans cette vision ne peut réprimer une larme. James n'en mène pas large. Il embrasse longuement sa fille et lui dit :

– Bravo, ma chérie.

Regardant vers Michael, il ajoute : « Vous avez réussi. Je suis fier de vous. C'est merveilleux... », puis sa voix se casse. Pour lui, qui en avait vu bien d'autres dans sa vie et dans les prétoires, l'émotion était vraiment trop forte. Pendant ce temps, le Président continuait :

– Et pour une fois, cette terre que nous attacherons au giron ne sera prise à personne, ni même monnayée ; et pourtant il s'agit bien d'une conquête. La première peut-être qu'un homme ne fasse aux dépens d'un autre, si ce n'est de lui-même. Pour la gagner, nos seules armes auront été nos bonnes volontés, nos habiletés et notre courage. Nous devrons tous, pour la garder, faire en sorte qu'il en soit toujours ainsi. Pour le moment, c'est toute l'équipe d'UTOPIA et sa direction, Max, Kiyomi, Tanya, Michael, Tom, Gerry et John que nous devons remercier. Mais je fais le vœu qu'un jour il ne soit une rue ou un bloc d'immeubles à qui il n'y ait quelqu'un d'associé.

Dans le plan général qui suit, la famille du Président apparaît dans son entier. Leur joie fait plaisir à voir. Le Président conclut par un *God Bless America*.

Les serveurs apportent la traditionnelle bombe Alaska. Sur scène, un chanteur de couleur reprend le grand succès de Nat King Cole, *Fly me to the moon, in other words, hold my hand*. Michael et Tanya sont enlacés et vivent ces mots à leur façon, en les dansant langoureusement. Ils pensent bien sûr à UTOPIA. Une éternité s'offre à eux... et le bonheur en prime.

Nancy et James n'ont d'yeux que pour eux; Nancy éclate en sanglots sur l'épaule de son mari:

— Ils vont partir, James... je le sens, je le sais.

— Mais qui te dit qu'on ne les accompagnera pas?

Elle regarde son mari d'un air effaré, et lui lance:

— Veux-tu te taire! À dire des bêtises pareilles, on croirait que tu as bu!

Alors, ils se dévisagent longuement et dans un silence véhiculant tout un discours, il se lève et l'invite à le suivre sur la piste de danse.

TROISIÈME PARTIE

ANNÉE 2000

16

Depuis l'arrivée de Nabila dans la tribu d'Abdul, bien des choses avaient changé au village, à commencer par le comportement nouveau de son chef; on sentait clairement qu'en plus de sa présence il fallait aussi compter sur l'influence et le rayonnement qu'elle dégageait. Elle était installée dans une tente somptueusement décorée, à portée de vue de celle d'Abdul. Hayed avait reçu l'ordre d'en assurer la sécurité et avait promis d'en répondre sur sa vie.

Le matin, Abdul venait souvent pour la réveiller et chaque fois il se laissait ravir par les reflets subtils de la lumière du jour naissant sur les traits fins et racés du visage de Nabila.

– Tu es là, Abdul...

Quand elle prononçait ces quelques mots, elle découvrait ses dents supérieures qui tranchaient d'un éclat adamantin avec sa peau mate et foncée.

– Oui, bien sûr, c'est moi... Dors encore un peu... tu es belle, Nabila.

Généralement, ils restaient un peu ensemble et discutaient de ce qu'ils allaient faire dans la journée. Puis une femme leur amenait des infusions et des petits gâteaux que Nabila appréciait particulièrement.

Ce matin-là, une fois tout à fait réveillée, elle lui demande sans détour:

– Où vas-tu donc demain Abdul? et sans lui laisser le temps de répondre elle ajoute: «Pourquoi ne m'emmènes-tu pas avec toi? C'est dangereux?»

Abdul est un peu surpris par cette demande; surtout, il n'a pas l'habitude que quelqu'un s'inquiète de ses mouvements ou, pire, les surveille.

– Je ne vois pas pourquoi tu es inquiète ; ce n'est qu'un voyage de quelques jours chez mon ami le cheik Saqr Ibn Sallah, sa tribu est souveraine dans l'un des plus petits émirats du golfe Persique. Je ne tiens pas à ce que l'on sache que nous nous fréquentons. C'est pour cela que nous y allons en 4 × 4, par la route qui traverse les montagnes. Le voyage est long et fatigant. Tu seras bien mieux ici... et plus en sécurité. Personne ne doit savoir où tu te trouves pour le moment.

Nabila fait mine de se satisfaire de cette réponse, mais ne peut s'empêcher d'ajouter :

– Je sais bien qu'il se passe quelque chose avec ce cheik. La dernière fois que tu y es allé, tu es resté longtemps soucieux. Et ces derniers jours je te sens nerveux. Il faut que je sache, Abdul, ce que vous tramez ensemble.

– Ne sois pas inquiète, Nabila. Pour le moment, il ne se passe rien. Nous nous préparons, voilà tout. Autour de ce prince de sang royal, se regroupent de nombreuses tendances modérées et des bonnes volontés qui voudraient bien que cesse tout ce galimatias se réclamant d'un Islam progressiste et qui en fait mène droit au chaos. Les petits États du Golfe arabo-persique ont bien retenu la leçon de l'invasion du Koweit par l'Irak en 1990. Les ailes de la liberté ne peuvent malheureusement pas être distinctes des ailes protectrices que nous tendent «les grands frères». Mais qui sont-ils vraiment ? Devrons-nous encore longtemps n'avoir d'autre choix que celui des fous de Dieu et des suppôts du Dieu-Dollar ? C'est pour discuter de tout cela que je vais à Ra's al-Khayma demain.

– Tu vas me manquer, Abdul. Jure-moi que tu ne cours aucun danger !

– En t'emmenant, j'en courrais un insupportable !

– Et lequel, je te prie ?

– Toi si belle et eux si puissants... ils te garderaient peut-être ! Va savoir !

– Si tes amis sont comme cela, je ne les aime pas. Je ne veux pas que tu y ailles. Tu restes ?

– Nabila, ne gaspille pas tes forces inutilement. Aujourd'hui, j'ai décidé d'aller faire une petite excursion dans le désert avec toi.

– Une visite touristique, ici ?

– Tu ne crois pas si bien dire. Prépare-toi. Nous allons voir des tombeaux nabatéens. Je suis sûr que tu n'a jamais rien vu de semblable de ta vie. Dépêche-toi car il vaut mieux éviter les heures chaudes... les chevaux peineraient !

En disant ces derniers mots, Abdul a refermé le pan toilé qui sert d'entrée à la tente de Nabila, et se dirige d'un pas ferme vers l'écurie.

Pour éviter les projections de sable et les morsures du soleil, Nabila porte un turban et une tunique comme les Touareg qui la protègent presque totalement. La chevauchée est un peu longue et juste au moment où elle allait s'en plaindre, Abdul fait ralentir le pas à la petite troupe et prépare Nabila au spectacle qu'elle va bientôt voir. Tout d'un coup la platitude des savanes désertiques est brutalement interrompue par l'apparition d'immenses mégalithes qui se détachent dans le lointain. Au fur et à mesure qu'on avance, on a l'impression qu'il pourrait s'agir de dépôts fantaisistes faits par des mains de géant. La roche est rouge sombre; et quand on arrive très proche d'elle, c'est comme une falaise abrupte qui s'élève à plus de cent mètres du sol. Les vents érosifs y ont taillé une multitude de ravines vermiculées qui de loin font penser à une éponge. Mais sur une hauteur de 50 mètres et autant de large, on distingue nettement que la paroi a été planée et que deux portes monumentales y ont été sculptées. Le ciel est d'un bleu limpide et dans le silence du désert cette rencontre a quelque chose d'émouvant et de mystérieux.

– Voici la preuve, Nabila, que cette terre et les gens qui y ont vécu, il y a de cela plus de dix mille ans, avaient déjà acquis un sens religieux. Ce sont des tombeaux. Allons les visiter.

Il descend de cheval et Nabila l'imite tandis que les hommes qui les accompagnent restent un peu en retrait, sauf l'un deux qui semble plus au courant de l'affaire. C'est lui qui leur ouvre le chemin en leur tendant des flambeaux qui projettent des ombres inquiétantes sur l'entrée et les murs du tombeau.

Nabila hésite un peu avant d'entrer:

– Tu crois qu'on peut y aller?

– Mais bien sûr! Tu vas voir, c'est merveilleux! Nous avons un guide qui connaît très bien ce lieu. Suis-nous!

Après un passage étroit où on ne tenait pas à deux de front et sur le mur duquel on remarquait encore la trace de frappe des outils, les trois intrus débouchent dans une immense crypte qui semblait avoir été agrandie d'une cavité naturelle de la roche. De nombreux ornements funéraires sont encore présents et le caractère sacré de ce lieu est omniprésent. Nabila est vraiment impressionnée. À voix basse elle dit à Abdul:

– Tout semble intact... comme si nous étions les premiers à revenir dans ces lieux. C'est incroyable!

– C'est ton raisonnement qui est incroyable, Nabila! Pourquoi donc faudrait-il jamais qu'il puisse en être autrement? Il faudra bien un jour que tu cesses de raisonner en termes de trafic, gardiennage, police, exploitation touristique, taxes... Quand tu vas à l'hôtel, tu n'emportes pas les rideaux et les édredons?

– Évidemment.

– Au restaurant, tu ne piques pas les cuillères et les tasses à café? Eh bien, sur Terre, cela devrait être la même chose pour tout le monde. C'est elle qui nous abrite et nous nourrit... et nos enfants ont le droit d'en attendre le même service. Et leurs enfants aussi!

– Dieu t'entende!

– Aide-toi, le Ciel t'aidera! Ici, nous avons toujours fait en sorte que l'Étranger de passage soit le bienvenu; mais cela ne l'a jamais autorisé à tout saccager sur ce même passage... et à se servir sur le dos de ce que nous avons de plus sacré: nos morts, pour enrichir d'ignobles trafiquants avec la bénédiction des grandes nations civilisées ou dites telles.

Du doigt il désigne le guide qui s'apprêtait à les ramener vers la sortie par un autre passage.

– Et c'est parce qu'il y a des types comme lui, qui ont veillé au grain, que toutes ces richesses sont restées dans leurs écrins naturels. Et tout cela ils n'ont pas eu à l'apprendre dans une faculté, une mosquée ou dans un parti politique. Ils l'avaient en eux; comme ils ont bien d'autres choses d'ailleurs.

– Mais qui étaient donc ces Nabatéens avec ces coutumes mortuaires un peu pharaoniques?

– Mes ancêtres et certainement aussi un peu les tiens. Ce sont les descendants de Nabath fils d'Ismaël et ils peuplaient cette partie pétrée de l'Arabie. Aux premiers siècles de notre ère, ce sont eux qu'on appelle Sarracènes et par la suite, Sarrasins.

– Tout cela est fascinant, Abdul.

– Et ce n'est rien d'autre que notre histoire, Nabila.

Quand ils réapparaissent au grand jour, le soleil est en plein midi. La lumière est éblouissante et fait prendre au visage de Nabila une belle teinte mordorée. Abdul la contemple et se demande bien pourquoi il fallait ressortir et retrouver un monde par moment si laid.

Dans l'ombre de cette cathédrale naturelle, les hommes d'Abdul ont préparé de quoi prendre une frugale collation de fruits secs que tous absorbent en silence et recueillis.

En arrivant à sa tente, Nabila apprécie le bon bain chaud avec des vapeurs d'eucalyptus que lui a préparé sa domestique. Elle s'y prélasse avec volupté quand Abdul fait irruption. Un peu surprise, elle lui dit :

— C'est toi... je prends un bain. Que veux-tu ?

— Il faut que je te parles, Nabila. Viens dans ma tente dès que tu auras fini.

Intriguée par cette demande pressante et inhabituelle de la part d'Abdul, elle abrège ses ablutions et se rend chez Abdul. En présence de trois chefs de tribu et d'Hassim, il lui demande de s'asseoir et de l'écouter.

— Comme tu le sais, je partirai demain pour Ra's al-Khayma et il y a des choses que tu dois savoir. Il s'agit en fait d'un secret d'une importance capitale.

— Abdul, tu m'intrigues.

— Le tombeau que nous avons visité...

— Oui, eh bien ?

— ... il faut que tu saches qu'il ne fait pas que contenir l'esprit glorieux de nos ancêtres ; depuis peu, j'y ai placé ce que je pense être une partie de l'avenir de nos enfants.

Les quatre hommes restent impassibles, tandis que Nabila qui pense avoir compris prend un air effaré.

— Tu veux dire que...

— Oui Nabila ; tu as compris. C'est là que se trouve le combustible nucléaire que nous avons cru bon de ne pas restituer aux Occidentaux.

— Mais c'est horriblement dangereux. Cela peut sauter d'un moment à l'autre. Et dire que nous étions juste à côté.

— Rassure-toi, si personne n'active le système, rien ne peut arriver.

Puis il prend un gros melon d'eau d'une coupe de fruit et explique à Nabila comment la balle de plutonium matérialisée par le melon peut se faire frapper par la masse adéquate de polonium par l'intermédiaire d'une charge de lithium et entraîner le processus de fission nucléaire.

— Et que comptes-tu en faire ?

— Justement nous allons en discuter avec nos partenaires. Mon ami Ibn Sallah est très engagé, bien contre son gré d'ailleurs, auprès des autorités iraniennes, car de nouveaux gisements offshore ont commencé à produire au large de l'île d'Abu Musa et l'Iran a imposé une exploitation en communauté, préférant une fois de plus la loi du plus fort à celle du plus juste ; et de ce fait il a droit à certaines confidences. Le flirt avec le Pakistan n'est pas une nouveauté ; par contre on parle maintenant d'élargir l'union sacrée à la Chine.

Paraîtrait que la doctrine confucéenne s'en accommoderait pas trop mal! Et bien sûr la Corée du Nord est dans l'équipe. Tout ce beau monde a prévu de se rencontrer dans une réunion ultra-secrète avec tous leurs états-majors nucléaires à la centrale atomique de Kabuta. Chez vous, Nabila, au Pakistan, à une date qui est en train de se décider.

– Mon Dieu, quelle affaire! dit Nabila.

– Que veux-tu, la gangrène gagne du terrain. Il faut savoir neutraliser un orteil pour sauver le pied. Et si nous ne le faisons pas nous-mêmes, d'autres couperont la jambe.

Hassim et les trois chefs prennent congé. En partant, Hassim confirme:

– Sois tranquille Abdul, depuis des millénaires, les tombeaux de nos ancêtres n'ont jamais été profanés. Fais bon voyage et reviens-nous vite.

– *Salam Aleikoum*[1], mes amis.

Quand ils sont partis, Nabila dit à Abdul:

– Maintenant, je comprends mieux la raison pour laquelle tu étais soucieux.

– Parlons d'autre chose.

Après cette réunion, Abdul et Nabila prirent ensemble un souper léger, puis quand la nuit fut presque complète ils passèrent la soirée à se lire et réciter des poésies; l'une d'elles seyait particulièrement bien à la situation:

Chantez et dansez ensemble et soyez joyeux, mais demeurez chacun seul,
De même que les cordes d'un luth sont seules cependant qu'elles vibrent de la même harmonie.
Donnez vos cœurs, mais non pas à la garde l'un de l'autre.
Car seule la main de la Vie peut contenir vos cœurs.
Et tenez-vous ensemble, mais pas trop proches non plus:
Car les piliers du temple s'érigent à distance,
Et le chêne et le cyprès ne croissent pas dans l'ombre l'un de l'autre.[2]

---

1. Dieu vous bénisse.
2. Khalil Gibran, *Le Prophète*, Casterman, 1956.

Base terrestre d'UTOPIA, Texas

Derrière les portes hermétiquement closes de l'immense hall d'assemblage des *scram-jets* règne l'activité industrieuse et fébrile qu'on imagine dans une ruche d'abeilles à miel. L'obsession de la cadence et du respect du programme est omniprésente ; dans les bureaux d'étude, on a résolu théoriquement les plus incroyables casse-tête techniques, du genre : allongement de la structure volante de plus d'un mètre selon les phases de vol... et c'est ici que tout devait se concrétiser, avant de subir le verdict des essais grandeur nature !

À ce niveau de complexité et de gigantisme, le moindre détail pouvait avoir son importance. Le bâtiment avait de telles dimensions qu'il pouvait s'y générer un micro-climat ; et si le système de régulation climatique venait à défaillir, on pouvait craindre qu'il ne se mette à pleuvoir dedans, ce qui aurait eu des conséquences désastreuses pour la fabrication en cours.

À quelques kilomètres de là, les locaux des laboratoires et des centres de recherche montrent tout le contraire d'une ruche laborieuse. À l'approche du congé de Pâques, nombreux sont ceux qui se sont octroyé une petite avance... soi-disant pour mieux faire le vide et repartir en meilleure forme. Au centre de recherche avancée en bio-ethnologie spatiale, cette désertion temporaire est remarquable. Les couloirs ne sont plus des lieux de passage qu'on emprunte en courant et en se bousculant pour aller d'une porte de bureau à celle d'une salle de réunion. Tout est calme. Les vigiles en uniforme s'ennuient même un peu, traînant sans entrain du distributeur de boissons chaudes à la fontaine d'eau réfrigérée. Et pourtant, une tempête faisait rage...

Brutalement, une porte s'ouvre dans un couloir. Un homme dans tous ses états en sort en vociférant. Son visage rougi trahit la gamme entière de ses émotions où domine la colère, à en juger par ses paroles :

– Vous êtes des fous furieux, des apprentis sorciers ! Vous n'avez aucune conscience du mal que vous allez faire ! Mais pour qui donc vous prenez-vous ?... DIEU ?

Il rabat la porte d'un geste violent, pensant la claquer. Mais l'amortisseur, très bien conçu, absorbe le choc et son geste reste vain, tout comme sa tentative de vouloir éclairer ses collègues et les convaincre du fait qu'ils étaient peut-être en train d'aller un peu trop loin.

Il se dirige vers la sortie, sonne l'ascenseur d'un geste machinal mais se ravise et prend plutôt l'escalier pour échapper à l'observation du vigile de service. Il se sent les yeux rouges et les joues humides, les mâchoires crispées dans un rictus de colère.

Le vigile le regarde partir sans rien comprendre. Depuis qu'il fait ce métier, il n'avait encore jamais assisté à une scène pareille. Quand la porte s'est ouverte, il passait derrière; pour l'éviter, il a dû faire un écart et a renversé une partie du contenu de son gobelet de café sur la moquette du couloir. Il est furieux du dégât, et encore plus furieux en pensant qu'il aurait pu se brûler ou tacher son uniforme.

– Y va pas bien ce mec?!

Il était bien décidé à raconter tout cela ce soir quand il rentrerait à la maison. Mais pour le moment, il pensait surtout que dans quelques heures, il serait «off»...

Dans la petite salle où venait de se dérouler la discussion, la sortie de Stanley Lamont était le sujet de sérieux commentaires:

– Cela devait se terminer ainsi... je m'en doutais bien... depuis quelque temps son travail laissait penser...

– Oui, je le disais bien. C'est un anti... anti-tout, d'ailleurs! Je me demande ce qu'il est venu faire chez nous. Bon vent, monsieur Lamont!

– Je crois que c'est un quaker[1]; voilà pourquoi il a des positions aussi conservatrices...

Max Kopel, qui présidait la réunion et qui jusque-là avait été très discret, reprend ses assistants avec autorité:

– Allons, Messieurs, il faut nous ressaisir et revoir point par point les observations que nous a faites Lamont. Il n'a pas été les chercher dans la Lune. C'est certain qu'il apporte un éclairage particulier, mais tout de même, dans tout ce qu'il a dit il y a des choses qui me choquent. Tenez, par exemple, ces histoires de mutations génétiques, qu'en pensez-vous, Boukovsky?

Le responsable médical d'UTOPIA ne semble pas bien à son aise pour répondre à la question.

– Stan voulait parler du mécanisme d'adaptation que tout organisme vivant rencontre quand on modifie son écosystème. Vaste problème...

_____

1. Mot signifiant «qui tremble» devant la parole de Dieu. Nom donné aux membres d'une secte protestante, la Société des Amis, qui prêche, entre autres, la simplicité des mœurs.

– Certes. Sauriez-vous nous le résumer ? Stan parlait d'apparition de monstres... et rapidement !

– Expérimentalement, il a raison. Quand on essaie de faire en accéléré ce que la Nature fait en cent siècles, il arrive que l'on fabrique des catastrophes.

– Par exemple ? le presse Max.

– Un exemple ? Je ne suis pas spécialiste, mais tenez : prenons le cas d'un reptile nageur du jurassique. Sur la terre ferme, tout est calme, tout va bien et il se dit que tout compte fait il y serait bien mieux. Son cerveau enregistre le souhait et transmet l'ordre, à l'ADN des cellules concernées, de faire en sorte que ses nageoires caudales deviennent des membres postérieurs. Ce n'est que 10 000 ans plus tard qu'on verra peut-être un petit os apparaître... et il en faut encore bien plus pour que cela se fixe dans la lignée génétique. Ça, c'est l'évolution naturelle. Quand on veut forcer la dose – nous le faisons *in vitro* avec des batraciens – on multiplie les variations environnementales. Les mutations génétiques se font, mais au passage on récolte une collection de monstruosités qui sont rarement viables ; exceptionnellement, une lignée s'établit.

– Je m'excuse, mais le rapport avec UTOPIA ?

Surpris, Boukovsky s'énerve un peu et c'est presque en élevant le ton qu'il lui répond :

– Eh bien, c'est malheureusement un peu pareil. Le choc écologique est immense, inconnu et inappréciable. On a peut-être là tout ce qu'il faut pour récolter les monstres et éviter la lignée !

– Mais il est bien convenu que la reproduction sur UTOPIA ne devrait être que l'exception... et en plus ce n'est pas une préoccupation immédiate.

– Nous y reviendrons, si vous le voulez bien. Notez quand même au passage que c'est là-dessus qu'il a explosé, notre ami Stan. Mais avant de penser à la reproduction *des* individus, c'est-à-dire au remplacement des uns par d'autres, il faut penser à la reproduction *dans* l'individu, c'est-à-dire au renouvellement tissulaire ou encore cellulaire, si vous préférez.

– Est-il menacé ?

– Directement, nous ne le pensons pas, mais personne ne peut prédire de quelle manière son mécanisme régulateur sera affecté. Sera-ce immédiat ? ou médiat ? L'inconscient va accumuler un nombre incalculable de souhaits, pour reprendre l'image de notre reptile venant s'enhardir sur un rivage, et transmettre tout autant d'ordres ! Comment va-t-il réagir ?

– Pendant qu'on y est, quelle est votre opinion sur les naissances à UTOPIA?

– L'aspect purement médical sera une grande aventure. «Porter» un enfant en gravitation légère... si cela n'est pas la grande inconnue, je vous charge de m'en trouver d'autres! Vient ensuite le devenir de ces enfants...

– Évidemment, de quel droit aller les mettre dans l'éprouvette? C'est toute la question!

– Et ce n'est pas en claquant les portes qu'on y répondra! affirme un collaborateur pour réprouver publiquement l'attitude du Dr Lamont.

– Eh bien, Messieurs, nous avons de quoi méditer avant de nous endormir le soir, n'est-ce pas? dit Max en rassemblant ses documents. Je verrai quelle suite donner à la démission du Dr Lamont. L'incident est clos. Passez tous un bon congé de Pâques.

D'habitude, quand il ne voyageait pas, Max restait à UTOPIA Base Center où il pouvait disposer d'un logement de fonction plus que confortable. Mais pour une fois, il s'était décidé à le quitter quelques jours pour retourner chez lui, à Baytown, dans la banlieue d'Houston, où sa femme et sa fille continuaient d'habiter.

Il repasse à son bureau, laisse un message, récupère quelques notes, puis demande qu'on lui sorte sa voiture du parking.

L'Interstate 45 est très roulante à cette heure, ce jour et dans ce sens. Sa radio est branchée sur 97,4 KWUTOP, la station privée d'UTOPIA. Quand il commence à moins bien la capter, il passe sur une chaîne de musique country qui, au bout d'un certain temps, le lasse un peu. Alors, il la coupe et compose son numéro personnel sur le téléphone de bord:

– Jacqueline? c'est moi! Je suis à Huntsville, je serai là dans une heure. J'irais bien me régaler d'un poisson avec vous deux à la grillerie du Fisherman's Wharf. Ça vous le dit?

– ...

– Alors, dans ce cas, on ira demain. On a plein de temps, je ne repars que mardi matin. Amy est là?

– ...

– Passe-la moi, je te prie.

Max lui dit quelques mots sans importance, comme un père peut en avoir avec une grande fille de 16 ans, quand il ne la voit pas souvent. Bizarre ce besoin soudain qu'il a eu de parler avec sa fille...

Déjà, le fléchage mentionne le Sam Houston Freeway, ce grand périphérique qui contourne Houston. Bientôt, il faudra que Max prenne vers l'est s'il ne veut pas avoir à traverser le centre-ville; mais la circulation n'est pas suffisamment un problème pour le soustraire à la dernière contrariété qu'il venait d'avoir. Stanley Lamont occupait un gros poste. Et après tout, était-ce bien certain qu'il n'avait pas un peu raison?

Les parents de Max, un couple de chercheurs, avaient quitté l'Europe en 1937 juste avant qu'elle ne devienne un champ de bataille. Sans être à même d'entrevoir alors toute l'horreur que l'emprise des Nazis allait signifier, ils avaient au moins compris que le pouvoir en place constituait une entrave certaine à la liberté qui leur était nécessaire pour mener leurs travaux à leur guise. C'est pourquoi ils avaient émigré aux États-Unis. Après la guerre, ils étaient donc plus sensibles aux conséquences de la recherche pour le seul plaisir de la découverte quand le Monde apprit toutes les atrocités qui s'étaient commises au nom de la Science. À l'instant lui revient à l'esprit le projet des Lebensdorm : ces espèces d'élevages d'enfants qui avaient été imaginés dans le but de forcer un peu la main de la Nature. Avait-on le droit d'oser recommencer une telle expérience?

La réponse devait sûrement se trouver dans les sourires de Jackie et Amy qui l'attendaient impatiemment en faisant les cent pas devant la maison.

– Papaaaa! crie Amy, en se précipitant vers Max à peine descendu de voiture.

Londres,
Angleterre

John a profité de la réunion annuelle des filiales européennes de la Banque, à son siège de Londres sur le Strand, pour rencontrer Sir Alex, le président du Consortium d'assurances, à son bureau de la vénérable Institution, un immeuble hétéroclite de 50 étages au cœur de la City.

Il savait qu'avec leurs méthodes si particulières, eux qui couvraient depuis trois siècles les risques commerciaux les plus divers que les grandes sociétés pouvaient encourir, sans jamais faillir, sauraient imaginer et imposer une législation couvrant les risques industriels et financiers générés par UTOPIA, et par là même rassurer les investisseurs.

Au plancher[1], là où les courtiers opèrent pour le compte des *Names*, le titre UTOPIA ne se portait pas si mal. Ce qui était plutôt bon signe... et certainement bien mérité, puisque le programme respectait le calendrier publié. Pas étonnant qu'il soit devenu populaire dans le marché des assurances qui, ici au Consortium, a l'originalité d'être un monde à part combinant la rigueur un peu sèche des cambistes au flair plus subtil des «Book». Les parts de risque sur un produit se négocient le matin et pour une tranche de 24h. À 23h59′59″, ou bien on souffle et on passe au guichet ramasser sa prime journalière, ou bien il y a de la casse... et on met la main au portefeuille pour la réparer! Et le lendemain on remet cela, en tâchant d'avoir la main heureuse et d'éviter le chien jaune.

Le Consortium avait constitué toute une équipe d'experts pour cerner les risques que représentait cette nouvelle affaire; au vu de leurs rapports favorables, la décision du comité directorial avait été de hisser le montant de sa prime à hauteur de 6 milliards de dollars. Comme d'habitude, 50% des profits restaient à la Maison et le reste était redistribué aux *Names*.

John souhaitait bien conforter cette position; mais il attendait bien autre chose de cette visite à son ami Sir Alex, qui présidait aux destinées de la respectable Tricentenaire.

— Entrez, John. Installez-vous! lui dit-il en lui indiquant un magnifique canapé en cuir vert, capitonné et rembourré au crin de cheval. Que diriez-vous d'un gin-tonic? C'est un peu tard pour une tasse de thé, non?

— Allez, comme vous.. mais avec beaucoup de tonic. Je n'ai plus de voix, j'ai parlé toute l'après-midi... et ma journée n'est pas finie.

— Ce n'est pas rien, votre affaire de colonie spatiale!

— Justement, venons-y, mon cher Alex. Vous autres, Britanniques, avez été une grande puissance coloniale dans le passé. Et la première chose que vous avez faite en arrivant sur vos nouveaux territoires a été d'y faire respecter votre propre Loi. Très important, la Loi! Car c'est elle qui protège et qui rassure. Pour UTOPIA, nous pensons que bien des investisseurs se détournent de nous, justement par crainte de ne pas être protégés si un problème survenait.

— Mais je croyais que le Gouvernement américain...

---

1. La corbeille du plancher boursier.

– ... avait droit de regard... oui! Mais pas sur les affaires privées ou commerciales!

– Qu'attendez-vous de nous, au juste?

– Que vous preniez sous votre autorité la mise en place d'un Tribunal de l'Espace qui régirait le droit des sociétés désireuses d'avoir des activités commerciales sur UTOPIA en les protégeant contre toutes les réclamations possibles de la part de tiers.

– Mais ceci n'a jamais fait partie de nos attributions!

– Qu'est-ce qui empêche que cela le devienne? Une nouvelle dimension vient de s'ouvrir. Il faut innover. Rappelez-vous les consuls italiens du Xe siècle. C'étaient eux qui devaient arbitrer les conflits entre équipages lorsqu'ils survenaient loin des côtes italiennes. Plus tard, c'est l'Amirauté de votre pays qui a repris ce rôle, à l'apogée de la puissance maritime des Britanniques.

– Et qu'y gagnerions-nous?

– Beaucoup, Sir Alex. Nous sommes prêts à vous concéder, en échange de ce service, l'exclusivité sur un marché annuel estimé à 75 milliards de dollars. Je ne parle pas de votre situation de leader incontesté qui se verrait ainsi renforcée.

– Y a-t-il d'autres concurrents sur les rangs, si je peux me permettre cette indiscrétion? demande Sir Alex en repensant après un rapide calcul mental à ce qu'une prime de 3% sur le total des activités commerciales pourrait avoir comme incidence, soit boucher le trou creusé dans la trésorerie par les pertes faramineuses subies cette dernière décennie.

– Oui bien sûr... et hélas! Les Japonais sont là. Les Chinois aussi, et toutes les grandes compagnies américaines qui pensent déjà avoir des droits prioritaires sur le partage du gâteau.

– Et quelle serait la condition financière requise?

– Qu'en tout temps, nous puissions disposer pour UTOPIA d'une caution, déposée, d'un milliard de dollars pour le règlement d'éventuels sinistres.

– Bien. Je vais transmettre votre proposition et nous allons étudier la question avec le plus grand intérêt. Vous repartez ce soir?

John jette un œil à sa montre et fait non d'un signe de tête:

– Hélas non! Tant qu'il sera aussi long de sortir d'un centre-ville en voiture à l'heure de pointe que de franchir l'Atlantique en supersonique, je ne pense pas que cela sera possible! En tout cas pas ce soir. Je m'y attendais, je viens de louper le Concorde Londres-New York du soir.

– Eh bien, puisque c'est comme cela, je vous invite à dîner. Je passerai vous prendre à votre hôtel. Le Savoy, n'est-ce pas?

– Je vois que vous avez bonne mémoire, Alex ! répond John qui sait bien qu'en pareil cas, c'est le seul endroit où il pourra trouver un change et un pyjama jalousement gardés et entretenus à son intention par les bons soins de Gordon Murato, la clé d'or de l'hôtel Savoy de Londres.

Tokyo, Japon

Les Japonais sont décidément des gens bien organisés et très standardisés. Le travail occupe une place importante dans leurs vies et c'est avec acharnement qu'on les éduque pour payer ce dû à la société. En résulte que souvent la lutte commerciale s'apparente à une guerre. Après une longue journée de labeur dans un atelier ou un bureau, tout est prévu pour le repos du guerrier. Huit heures de « il faut », mais en récompense deux, trois ou plusieurs heures de « on peut » ; qui sont des on peut boire, ou peut rire, on peut s'amuser, on peut jouer, on peut tout faire... mais pas n'importe où !

Quand les lieux de travail ferment, le monde de la nuit s'ouvre. À Tokyo, le quartier chaud c'est Ginza. Pour satisfaire le *salaryman*[1] en manque de distractions ou l'*officegirl*[1] en veine d'aventures, la panoplie est complète : boîtes de nuit, bars karaoke[2], cercles de jeux, restaurants et clubs privés sont aussi là pour travailler. Et pour celui qui aura un peu trop insisté sur le saké ou encore mal pris ses marques, il y a toujours la possibilité de l'hôtel capsulaire où, pour le prix d'un repas ordinaire, on vous offre une niche pour la nuit, film porno et pyjama jetable inclus. Jusque-là, on est encore dans le domaine de l'avouable ; et c'est finalement tout ce qu'on vous raconte dans les guides touristiques. Mais il existe un degré supérieur beaucoup moins reluisant sur lequel les Japonais aiment moins s'étendre. C'est aussi à Ginza que fleurissent les lieux de débauche sexuelle, que se concentrent les trafics de drogue et d'armes et, bien entendu pour contrôler tout ce gentil petit monde, les terribles

---

1. Mot anglais désignant un « col blanc » ou une secrétaire, selon le cas, et utilisé tel quel au Japon.
2. Bars où les clients peuvent monter sur la scène et interpréter une chanson populaire avec l'aide d'un filtre de la voix pour la rendre juste et de musique d'accompagnement électronique.

yakuzas de la mafia japonaise, une des organisations occultes les plus maléfiques connues dans le genre.

Curieuse cette invitation transmise à Michael, Gerry et Tanya dès leur arrivée à l'hôtel, pour se rendre le soir même à 22 heures au *Club Godfather* en plein Ginza. Un taxi les conduit, en traversant pour y arriver un dédale de rues éclairées comme en plein jour par une multitude de néons et de lasers comme dans une fête foraine. Les trottoirs sont encombrés de rabatteurs en uniforme et casquette sur la tête, de filles en tenue provocante et de passants à la démarche louvoyante. Le standing du *Godfather* a l'air d'un ton au-dessus de tout ce qu'ils ont vu auparavant, mais pour autant ce n'est pas ce qui les rassure tout à fait. Devant la porte d'entrée, un auvent cossu surplombe le trottoir jusqu'à la chaussée. Deux chasseurs en habit, également portiers et à l'occasion videurs, les introduisent à l'intérieur de manière à peine polie. Tout de suite, ils s'annoncent à une hôtesse en souhaitant que leur recommandation les éloigne d'une piste de danse sur laquelle une bande d'excités se trémoussait au bruit plus qu'au son d'un synthétiseur de rock japonais.

Ils arrivent à la porte d'un ascenseur. L'hôtesse qui les accompagne enfonce l'unique bouton lumineux sur lequel est écrit en anglais «Penthouse». L'ambiance du dernier étage de la boîte est complètement à l'opposé de la salle du bas. Petite musique douce et atmosphère feutrée. Apparemment rien que des V.I.P parmi les clients. À part Tanya, aucune femme parmi ceux-ci, et celles qui font le service sont toutes des geishas en tenue traditionnelle ; leur rôle ne se limite pas à apporter les plats et prendre les commandes. Il y en a qui sont derrière les clients et qui leur massent la nuque et les épaules par des mouvements de leurs mains lents et à peine perceptibles. D'autres se sont assises à leurs côtés et les font manger comme s'ils étaient des enfants sans appétit. En voyant cela, Gerry et Michael échangent quelques petites plaisanteries entre hommes :

— Crois-tu qu'elles s'arrêtent là ?

— On verra bien ! N'est-ce pas Tanya ?

— Je ne sais pas de quoi vous parlez, mais je sais par contre que j'ai la détestable impression de me sentir un peu en trop ici ! Vous avez vu, je suis la seule. Et dans ce pays, on m'a toujours dit qu'il fallait surtout éviter d'être hors norme. Alors !

En arrivant à la table de Shoza Matsui, le doute sur la personne n'est pas permis. Le nouvel homme fort d'Ogura Securities est accroupi à la place centrale, imperturbable comme un nabab avec ses acolytes autour de lui. Gerry râle comme un damné car il avait dû se plier à la coutume et laisser ses chaussures à l'entrée de la salle. Il s'en plaint à sa voisine :

– Vous vous rendez compte si on me les prend !

– Eh bien, vous en rachèterez.

– Vous croyez que je trouverai une paire de 45 dans ce pays de nains ?

Matsui, qui sans en avoir l'air avait tout suivi de leur aparté, lui dit :

– Ne vous inquiétez pas, Monsieur Gerry. Ici, rien ne rentre ni ne sort sans mon contrôle !

– Nous plaisantions, lui répond Gerry sans se laisser impressionner par l'air sévère que voulait bien se donner Shoza. Mais qui sont ces messieurs à vos côtés ? Peut-on parler librement en leur présence ?

– Je vous trouve bien suspicieux ! Buvez donc cet excellent cognac, cela vous détendra !

Gerry et Michael échangent un regard et se comprennent sans un mot. Pas franchement sympathique le successeur de Kiyomi. Et s'il choisit de continuer sur ce ton, il va falloir lui mettre les points sur les «i». Histoire de baliser le terrain, Gerry choisit de lui faire une réponse peu aimable.

– Vous n'auriez pas un bon saké ? Tant qu'à avoir fait un si long voyage, autant profiter du dépaysement. Et puis pour le cognac j'ai mes habitudes.

Michael comprend le stratagème et embraie dans le même sens :

– Il a raison ! À Tokyo, c'est du saké qu'il nous faut !

Shoza n'apprécie guère mais joue le jeu. Il grommelle un ordre à un acolyte de droite qui se lève aussitôt pour satisfaire la demande des invités. Heureusement les geishas interviennent et d'un coup font en sorte, de leurs mains câlines et expertes, que la pression redescende. Les plats sont délicieux et les geishas connaissent l'art et la manière de leur faire prendre encore plus de saveur en les agrémentant de mélanges subtils et de choix parfaits avant de vous les porter en bouche d'un geste particulièrement harmonieux.

– Eh bien maintenant, avec le poisson, je prendrai volontiers un petit verre de cognac ! dit Gerry, bien dans l'intention de provoquer son vis-à-vis.

«Rira bien qui rira le dernier», pense Shoza. C'est aussi ce que pense Gerry qui trouve que la phase préliminaire a assez duré.

– Alors, vous êtes le nouveau patron d'Ogura Securities ?

– Si vous voulez, cela peut y ressembler.

– Y ressembler ou être pareil ? C'est qu'entre les deux il y a une sacrée différence !

– Pour vous peut-être, mais pas pour nous !

– Reste à savoir si vous êtes en mesure d'honorer les engagements que nous avions contractés avec Kiyomi Ogura. À propos, est-il indiscret de connaître les raisons de ce limogeage ?

– Monsieur Ogura a commis l'erreur de se montrer un peu trop laxiste... pour ne pas dire permissif avec vous. Il était convenu que les fonds versés devaient nous permettre d'obtenir l'exclusivité sur certaines productions du secteur manufacturier, et vous voudriez que l'on se contente de miettes !

– Nous pensons que vous avez fait une grave erreur en évinçant Kiyomi. Il n'avait jamais été question que quiconque s'appropriât de quelque manière une exclusivité ; et Kiyomi avait réussi à obtenir bien plus que ce que nous nous étions fixé comme limite. Libre à vous de vous désengager du programme UTOPIA si bon vous semble. Les juristes se feront fort d'examiner les torts et de fixer les modalités d'indemnisation pour les parties concernées. UTOPIA peut très bien se passer de vous !

– Je vous trouve bien insolent, monsieur Gerry ! Et aussi bien mal renseigné. Vous verrez qu'à l'avenir vous n'aurez plus l'occasion de vous montrer si arrogant avec nous.

– Expliquez-vous !

– Ne soyez pas si pressé ! Les mauvaises nouvelles arrivent toujours trop vite.

Le ton de la discussion avait franchement tourné au vinaigre. Shoza n'avait eu aucun égard pour Tanya, qu'il avait totalement ignorée, ce qui avait eu pour conséquence de la mettre d'une humeur exécrable. Après tout, pour ce qu'elle faisait à cette table, elle serait mieux ailleurs. Elle s'extirpe de la table basse et fait comprendre à une geisha qu'elle cherche le chemin des toilettes des dames.

Michael, sans grand enthousiasme, tente une nouvelle approche :

– Transmettez à vos associés que nous maintenons les dernières offres que nous avions conclues avec Kiyomi.

– Je regrette, Messieurs, mais vous semblez ne pas bien comprendre que vous n'êtes plus en position de nous imposer quoi que ce soit.

Puis il se lève et quitte la table, imité comme par ses ombres par ses acolytes en ajoutant, sarcastique :

– J'espère que vous avez passé une excellente soirée... et bu du bon saké !

Restés seuls à table après le départ de Shoza Matsui, Gerry dit à Michael :

— Le saké n'était pas mauvais, mais lui, quel sale type ! Rien à voir avec Kiyomi ! Et dire que c'était son homme de confiance. J'ai l'impression qu'il est bien placé pour connaître les raisons qui ont causé la mise à pied de Kiyomi. On ne tardera pas à le savoir. J'ai bien l'intention de rencontrer Kiyomi et de connaître un peu mieux le dessous des cartes. Allez, on lève le camp !

— Mais où est passée Tanya ?

— C'est vrai, il y a déjà un bon moment qu'elle s'est absentée !

Dix bonnes minutes passent encore. Trop, c'est trop. Michael flaire l'embrouille. Il se lève d'un bond et se dirige vers la porte des toilettes des dames. Une geisha tente de s'interposer en lui montrant avec insistance le signe universel apposé sur la porte. Il la repousse et y entre, suivi par Gerry qui lui aussi commence à envisager le pire. Le petit carré de soie que Tanya portait autour du cou traîne par terre et à côté un gros tampon d'ouate. Michael le renifle et reconnaît tout de suite l'odeur caractéristique du chloroforme. Il se précipite à la fenêtre et l'ouvre pour constater qu'elle donne sur un petit escalier de secours métallique.

— Mais c'est impossible ! Ils n'ont quand même pas osé faire cela. Vite, Gerry il faut appeler la police !

— D'ici, mais tu n'y penses pas ! Tu as vu où on est ? On s'est fait prendre dans un vrai guet-apens. Partons de là au plus vite ! Il n'y a plus qu'une seule personne pour nous tirer de ce mauvais pas. C'est Kiyomi. Allons le retrouver au plus vite !

*
*   *

Dans sa chambre de l'hôtel New Otani Michael est avec Gerry à se morfondre en attendant que John, de New York, lui donne les informations nécessaires pour se sortir d'affaire. En tout premier point le moyen de rencontrer Kiyomi, puisque par le central de l'Ogura Securities, plus rien n'était possible.

Finalement, dans le silence obsédant, la sonnerie du téléphone retentit :

— Un appel de New York...

— Passez-le tout de suite... Allo ! John ! tu as le renseignement ?

— Voilà son numéro de téléphone privé. Cela a pris du temps, c'est la CIA qui nous l'a trouvé : c'est de l'ultra-confidentiel ! Bonne chance les gars, faites pour le mieux !

...

– Kiyomi! Dieu merci, vous nous entendez! C'est Michael...
Tanya a été enlevée...

– Ne parlons pas de tout cela au téléphone. Je serai dans moins
d'une heure moi-même dans le hall de votre hôtel. Restez dans votre
chambre jusqu'à ce moment-là. Ne parlez plus à personne, et surtout
ne prévenez pas la police.

– Kiyomi, vous croyez que Tanya est en danger?

– Je pense qu'ils veulent en faire une monnaie d'échange.

– Kiyomi, il faut que vous sachiez que Tanya et moi, nous
devons...

– Alors raison de plus pour ne pas perdre une minute. Michael,
faites-moi confiance, je vais peser de tout mon poids dans la balance.
À tout de suite!

Le Monospace Toyota fonce à toute allure sur l'autoroute surélevée qui traverse Tokyo et prend la direction de Tsukiji Shijo, dans
la baie de Tokyo, où se situe la plus grande halle aux poissons du
monde. Kiyomi a présenté son neveu Heiji et tous quatre ont pris
place face à face à l'arrière du *van*, qui est luxueusement aménagé
et bardé de tous les derniers gadgets en matière de télécommunication embarquée. À l'avant, le conducteur et son passager restent en
contact permanent avec la voiture qui les précède et la camionnette
qui les suit à distance respectable. Kiyomi terminait son explication:

– ... j'ai alors tout de suite compris qu'*ils* étaient là-dessous.

– De qui voulez-vous parler? demande Gerry avec une pointe
d'inquiétude dans la voix.

Alors, gravement, Kiyomi lâche avec peine ces trois syllabes:
– Les yakuzas!

En disant cela, Kiyomi a l'air d'avoir prononcé un mot terrible,
un mot que d'habitude on n'emploie pas. Gerry et Michael ne comprennent pas tout de suite ce que cela veut dire, mais bien vite, avec
stupeur, ils se rendent compte que Kiyomi vient d'évoquer par son
nom local la terrible, l'impitoyable, mais aussi la toute-puissante
mafia japonaise. Ya-ku-za signifiait 8-9-3, combinaison de trois
cartes perdantes dans des jeux que colportaient les *bakuto*, ancêtres
des yakuzas modernes, à l'époque du Japon médiéval. Pour sauver
Tanya, Kiyomi était bien décidé à abattre toutes ses cartes et faire
en sorte que yakuza soit bien, et à jamais, une formule perdante.

– Si nous prévenons la police, ils la tueront! C'est la règle,
c'est la Loi!

– Mais alors, que pouvons-nous faire? dit Michael un peu effaré de ce qu'il venait d'entendre et qui lui faisait un peu penser aux effrayantes manières du Ku Klux Klan.

– Les combattre sur leur propre terrain... avec les mêmes armes. Au Japon, on compte plus de 3 000 bandes de ces chenapans qui entre elles ne se font pas de cadeau. Voilà comment nous allons nous y prendre, profitant de cette faiblesse.

– Vous y êtes introduit?

– Pas vraiment... mais dans le monde des affaires il est impossible de les méconnaître. Ils ont inventé le *jumkasuyu*[1], «l'huile qui lubrifie la société». Je répugne à la simple idée de traiter avec eux. Mais là je vais faire une exception. Il y a des choses qui ne se font pas. Il y va de l'honneur de mon pays. Cette malheureuse Tanya n'a rien à voir avec toutes ces combines. C'était notre linge sale. Fallait pas y toucher, autrement qu'en famille. L'heure de faire la lessive est arrivée.

Heiji qui n'avait pas encore parlé prend la relève de son oncle. Il se penche vers Michael et Gerry et leur dit d'une voix douce et bien assurée:

– Tanya est retenue dans les bureaux de la Jakajima Fish Corp, l'une des plus grosses affaires de mandataires en produits de la pêche sur la place de Tokyo. Le patron est une grosse huile de la mafia japonaise et c'est l'ami intime de Shoza Matsui. Ils ne se doutent de rien, car la halle aux poissons est leur fief, leur terrain de chasse privé et incontesté.

– Mais alors? dit Michael paralysé par l'angoisse à l'idée de cette partie qui semblait perdue d'avance.

– Justement, enchaîne Heiji, il était grand temps que cela change!

Il est 4 heures du matin quand le Monospace arrive dans le voisinage de l'immense criée. Au bout d'un moment, il devient impossible de progresser plus avant tant la foule et les activités diverses sont devenues importantes. De chaque côté des étroits passages, des petits marchands proposent des plats chauds qui mijotent au bain-marie. Le spectacle est saisissant, surtout pour les deux Américains. Mais ni l'un ni l'autre n'y pensent. Pour le moment ils s'efforcent de ne pas se perdre de vue dans cette marée humaine où personne ne semble les avoir remarqués. Sans s'en rendre compte, machinalement, Michael s'est agrippé au garde du corps qui était

---

1. Pot-de-vin.

avec eux et qui semblait connaître la halle comme le fond de sa poche. Il ne veut même pas imaginer ce qui arriverait s'il se trouvait désolidarisé du groupe, dans cet environnement si bizarre.

À proximité des hangars de la Jakajima Fish Corp, d'un coup il y a beaucoup moins d'agitation et d'activités... surtout que le petit groupe, qui est maintenant d'une vingtaine de personnes, vient d'atteindre une porte arrière donnant sur un petit quai de chargement pour des camions. Les hommes de Kiyomi indiquent à Michael et Gerry de se courber et les placent à l'abri derrière des amoncellements de caisses de poissons. Un petit escalier droit métallique conduit vers des bureaux en étage, à partir desquels tout l'entrepôt pouvait être surveillé. Michael a les yeux rivés dessus, car Heiji vient de lui dire que c'est là que Tanya est détenue. Au bout de 10 minutes, les hommes de Kiyomi passent à l'action et gravissent un à un l'escalier, sans qu'aucun des employés ne remarque quoi que ce soit.

Michael est pétrifié dans son coin. «Mon Dieu faites qu'il ne lui arrive rien! Ce serait trop bête et si injuste!» Puis des coups de feu claquent. Michael se recroqueville et ne veut plus rien voir. Quelle horreur! Quelle erreur de leur part que d'être venus se jeter dans la gueule du loup! Gerry le secoue par la manche:

– Michael! Michael! Ils l'ont retrouvée, la voilà!

Alors enfin, à ce moment-là il ose regarder par-dessus la barricade et aperçoit Tanya dans les bras d'un homme qui dévale l'escalier à toutes jambes. C'est un des hommes de Kiyomi. Gerry et Michael se font une grande tape de la main, mais la mitraille un peu partout au-dessus de leurs têtes leur rappelle qu'ils ne sont pas encore complètement tirés d'affaire.

Dans toute la confusion qui suit l'attaque-éclair et la délivrance de Tanya, tout à coup, Michael entend un cri d'une voix qu'il connaît bien; incapable de se contrôler, il surgit de sa cachette et saisit Tanya qui reculait vers eux, abritée par un homme de main qui vidait chargeur sur chargeur en direction des fenêtres du bureau. Bien à l'abri derrière les caisses de thon, couchés à même le sol, sans se rendre compte qu'ils pataugeaient dans une boue puante, mélange de sciure, de saumure, d'eau de mer et de jus de poisson, Michael tient Tanya dans ses bras et pose sur ses lèvres un baiser:

– Dieu soit loué, ils ne t'ont fait aucun mal! lui dit Michael.

Tanya pousse un cri, car quelque chose d'inattendu vient de lui frôler la nuque, pendant qu'elle se laissait aller dans les bras de Michael. Elle se retourne brusquement pour se retrouver nez à nez avec la gueule d'un énorme mérou rosé qui venait de tomber d'une caisse éventrée par un coup de feu.

Tout se calme un peu et les hommes de Kiyomi leur font signe qu'ils peuvent se replier vers la sortie du hangar.

Le jour se lève sur la capitale nippone. De la voiture qui file sur l'autoroute surélevée, la vue sur la baie est magnifique. Michael tient toujours Tanya dans ses bras.

— Où va-t-on maintenant? demande-t-elle.

— Au Godfather si tu veux, on n'a pas eu le temps hier d'apprécier leurs desserts! À moins que tu ne veuilles essayer leurs petits déjeuners! On peut y aller... c'est Shoza qui régale!

— Quand je pense à ce salaud! gronde Gerry.

New York, New York

Deux ans après leur première rencontre à la Banque, les membres du Conseil d'UTOPIA se retrouvent dans la fameuse salle où s'était tenue leur première réunion. Tom n'est plus là, mais avec le temps, on a fini par se faire à cette idée. Par contre l'absence de Kiyomi ne peut passer inaperçue.

— C'est quand même incroyable, ce que vous nous racontez là! s'exclame John. Vous imaginez cela, Max? D'un pays dit civilisé! Des gangs qui règlent leurs comptes, comme ça, dans la rue, à ciel ouvert! Et la police qu'on ne prévient même pas!

— Il paraît qu'il n'y aura même pas enquête, ajoute Gerry. Les morts yakuzas ne comptent pas. Tout ce qui les concerne est en marge du reste. On a vraiment eu chaud! Et de la chance de vous ramener cette chère Tanya.

— Mais qu'espéraient-ils d'une telle manœuvre? fait John.

— Paraît que c'était une manière de nous intimider... de marquer leur territoire.

— Je me demande comment va s'en sortir Kiyomi. Il a une pieuvre autour du cou. Enfin, c'est son problème. À lui de le résoudre. Nous lui faisons confiance. Avant que Max nous passe les dernières magnifiques images en provenance d'UTOPIA, je tiens à vous faire part de mon tout récent entretien avec Sir Alex, notre interlocuteur du Consortium. Il va donner un avis favorable à la demande que nous avons faite pour qu'ils assument en exclusivité les risques encourus par nos investisseurs ainsi que la présidence du Tribunal de commerce de la colonie spatiale.

Puis il sort une clé magnétique de sa poche et la glisse vers Max en lui disant :

— Je sens que vous allez nous éblouir !

— Jugez par vous-mêmes ! Effectivement les dernières retransmissions ne peuvent plus laisser indifférents. Dernièrement encore, il était difficile de se faire une idée de tout ce Meccano de l'espace, en plein assemblage...

Et puis, les images apparaissent. Le doute n'est plus permis. Les contours de la station orbitale sont bien définis et les immenses sphères se détachent nettement.

— Je vais maintenant me mettre aux commandes d'une caméra installée sur un robot stationnaire en bordure d'UTOPIA.

Zoom avant. On distingue, tout autour du lacis tubulaire, des robots par centaines, à la tâche comme des fourmis qui auraient entrepris de construire une forteresse en bâtons d'allumettes.

— On dirait un ballet, dit Tanya.

— Quelqu'un remarque-t-il quelque chose de particulier ? demande Max.

— Euh... non, dit John. Enfin, on a moins l'habitude que vous.

— Eh bien, tant mieux, commente Max... Et sur cette vue ?

— Ah là, oui ! On en compte sept, affirme Michael.

— La fameuse septième sphère...

— Celle que le Pentagone a exigée.

— Inutile d'ébruiter cela... ce n'est sûrement pas le bon moment, dit John.

— Je vous rassure, pour un bon bout de temps encore, on fait ce qu'on veut des images. Par la suite... Voilà la zone d'activité la plus intense : le spatioport, qui est aussi le seul endroit habité d'UTOPIA pour le moment. Il y a 6 cosmonautes qui y restent en permanence.

— Et la centrale nucléaire ? Où en est le projet ? demande Gerry.

— Il fait son chemin. Pour la première évolution d'UTOPIA, nous pouvons nous en passer. D'ailleurs nous le devons aussi, puisque les textes de l'Agence Internationale de l'Énergie Atomique interdisent l'utilisation de la fission nucléaire dans l'Espace. Tenez, voici les capteurs photocellulaires qui fournissent l'énergie en interceptant et convertissant les rayons solaires transcosmiques. Par la suite, dès que le processus nucléaire au thorium, qui est je vous le rappelle exempt de radioactivité et de déchets nucléaires, sera au point, nous pourrons l'inclure sur UTOPIA et songer alors à considérer la colonie spatiale comme un objet motorisé, qui pourra se déplacer dans le cosmos. Mais cela est une autre histoire... une autre aventure !

— Max, vous avez le don de savoir nous faire rêver !

— Je n'en ai aucun mérite. À quoi donc servirait la Science si on oubliait que c'est peut-être même sa fonction la plus noble ?

Sur le triple écran, les images de la station s'éloignent jusqu'à ce qu'elles ne soient plus qu'un point dans l'infini et le mystère du vide interplanétaire. La retransmission en direct depuis UTOPIA est terminée et la lumière revient dans la salle de conférence.

— Eh bien, mes chers amis, ma chère Tanya, il ne me reste plus qu'à vous féliciter pour le sacré bon boulot que vous avez tous fait. Je suis fier de me trouver à la tête d'une si belle entreprise.

Sentant que tout avait été dit, John trouve le mot de la fin :

— Que diriez-vous d'une petite coupe de champagne avant de nous séparer ?

— Excellente idée, John. Justement, Michael et moi devons vous annoncer une bonne nouvelle, cela ira très bien avec ! continua Tanya.

Bien vite, le pot en l'honneur de Michael et Tanya tourne à la petite fête et le bureau de John est envahi. Toutes les anciennes relations de travail de Tanya sont là pour la féliciter. Dans la confusion et le bruit des verres qui s'entrechoquent, John qui était tombé des nues en apprenant la nouvelle s'approche de Tanya :

— Quelle surprise ! ! ! Vous... et Michael ! Vous en avez laissé plus d'un comme deux ronds de flan. Je pensais qu'on était tous un peu des vaccinés... rangés des affaires...

— Eh bien voilà ! Comme quoi il ne faut jamais se croire à l'abri. Guéri totalement.

— Un train peut en cacher un autre ! Je sais tout cela... mais dites-moi : vous comptez vivre ensemble avec Michael ?

— Mais bien sûr ! Pourquoi croyez-vous que l'on se marie ? Michael vient d'acheter une magnifique maison sur la baie de Galveston. Vous viendrez nous voir ?

— Bien sûr, bien sûr !... tâchez d'être heureux, je vous fais tous mes vœux...

— J'espère bien que vous serez avec nous, le mois prochain, pour nous les faire au bon moment.

— Comptez sur moi, Tanya !

Pendant ce temps, Gerry avait bloqué Michael dans un coin pour une conversation autrement plus sérieuse :

– ... on est très embêtés avec cette affaire! Les services de la Présidence nous harcèlent à cause des 15 kilos de plutonium qui manquent à l'appel. Si par malheur nous avions un attentat terroriste à l'arme nucléaire sur notre propre sol, l'onde de choc serait telle qu'il faudrait s'attendre à une démission du Président; et cela pourrait remettre en cause notre programme. La politique n'est pas une science exacte!

– Vous me dites cela...

– Pour connaître votre opinion! Vous étiez sur place quand le combustible a été récupéré?

– Et vous croyez que j'ai eu le loisir de compter et surveiller les containers?

– Il faut pourtant que l'on puisse en avoir le cœur net.

– Mais pour cela, il faudrait...

– Y retourner... y retourner... vous avez raison, je n'osais pas vous le demander.

17

À 6 heures du matin, Nancy O'Reilly, la maman de Tanya, se réveille brusquement. Un coup d'œil à son réveil et elle se rue à la fenêtre.

– James! James!... c'est une catastrophe!

Son mari qui dormait à poings fermés, comme un gros bébé, du sommeil du juste, qui soit dit en passant doit bien ressembler à celui d'un heureux père le jour où il marie sa fille, est à son tour réveillé en sursaut par la remarque bruyante de sa femme. Par réflexe il regarde sa montre et grommelle, à moitié endormi :

– Qu'est-ce qui te prend? tu as vu l'heure?

– Mais James! C'est aujourd'hui que Tanya se marie!

– Et alors! Il est 6 heures du matin! Tu as déjà peur que nous soyons en retard?

– Ça ne risquerait pas. C'est terrible, James... il pleut.

Sa voix se perd dans un sanglot. Cette nouvelle jette à son tour James O'Reilly hors de son lit vers la fenêtre.

– Ce n'est rien, Nancy. Juste un petit grain. La météo a dit que cela allait se lever. Et puis ce ne sont pas trois gouttes de pluie qui vont les empêcher d'être heureux!

– Pour cela, tout à fait d'accord. Mais pour la garden-party, j'ai comme l'impression que l'affaire est à l'eau.

– Bof! on fera un buffet à l'intérieur. Ma chère et tendre épouse, je trouve qu'en prenant de l'âge, vous avez une bien fâcheuse tendance à tout dramatiser.

– Voilà bien une parole d'homme. On voit bien que tu ne t'es occupé de rien pour la réception des invités. J'espère que Michael ne fera pas pareil avec Tanya.

– Nancy, la cérémonie est prévue pour cet après-midi, 4 heures. Il est encore temps que la pluie s'en aille, qu'elle revienne et qu'elle reparte enfin. Pourquoi une telle phobie? À trop y penser, tu vas nous amener la grêle!

– Eh bien, admettons que je m'en fasse pour rien. Et puisque tu es dans le secret des dieux, j'aurais tort de m'en faire. Avec tout cela, je suis trop énervée pour me rendormir... et puis j'ai tant à faire!

– C'est cela. Mais moi, je me recouche.

Comme l'avait prévu James O'Reilly, à l'heure dite, l'après-midi, le ciel a été dégagé de toute menace pluvieuse par un léger vent d'ouest aussi efficace qu'opportun. La chapelle de Stony Brook, d'habitude un peu austère avec ses grosses pierres en granit et son toit d'ardoise, a pris un air de fête. Du fait de l'affluence inhabituelle pour cette si petite église, il a fallu renoncer à certaines immenses corbeilles de fleurs qui ont été disposées au dehors. C'est un grand jour pour la paroisse de Stony Brook et pour son pasteur, le Révérend White, qui est un peu débordé par les événements.

Tanya est radieuse et la cérémonie est émouvante. Nancy et James n'ont d'yeux que pour elle. Du côté des O'Reilly, personne ne manque à l'appel; les deux fils, leurs épouses et la famille de ces dernières qui a fourni les demoiselles d'honneur, et puis les associés de James et leurs familles.

Au milieu de toute la smala O'Reilly, Michael est un peu esseulé. Sa sœur est venue de Californie, ainsi que quelques grosses huiles de Silicon Valley. Nabil Mostacci a également fait le déplacement de Genève, mais Abdul n'est pas là. Le «gang» UTOPIA est aussi présent au grand complet à l'exception de Kiyomi qui veille au grain. John n'a rien compris au film; au début, il croyait même qu'il s'agissait d'un canular. Julia aurait damné son âme plutôt que de manquer le mariage de Tanya qu'elle regardait toujours un peu avec les yeux d'une petite sœur. Dans ce concert heureux, l'absence de Tom se fait ressentir cruellement. Il est dans l'esprit de tous.

Nancy O'Reilly est aux anges. La garden-party est une réussite totale. Après quelques beaux rayons de soleil en fin d'après-midi, le soir tombe, mais la température reste douce et clémente. Dès qu'il peut s'isoler un peu, Michael sort de sa poche une lettre que lui a remise Mostacci de la part d'Abdul.

Michael, mon Frère,

Quand tu liras cette lettre, tu seras tout à la joie et au bonheur de ton union avec Tanya, cette autre moitié de toi que t'a envoyée Dieu, que tu as su découvrir et avec laquelle tu prolongeras vos deux vies d'une progéniture que je vous souhaite nombreuse.

Pour ma part, je connais également le bonheur d'une présence féminine à mes côtés, depuis que Nabila m'a rejoint. Mais pour le moment, Dieu ne l'a pas mise sur mon chemin pour le bonheur immédiat que tu connais. Nous avons auparavant une mission sacrée à accomplir au Pakistan, et Dieu seul sait si nous en reviendrons.

Nous savons qu'il faut à tout prix – fût-il celui de nos propres vies – mettre un frein à la montée de l'intégrisme islamiste qui s'est étendu comme un feu de broussailles dans les pays musulmans depuis 25 ans. Cette mission sera aussi un soulagement attendu par l'Occident qui immédiatement conclura à la fin de ce danger expansif; mais surtout nous comptons bien restaurer un déisme et une pensée orientale plus proche du fondement même de l'islamisme et des préoccupations sociales des millions de musulmans pour lesquels cette religion est une lumière quotidienne, l'obturation d'un vide et l'occultation d'un néant qu'ils ne se sentent pas assez capables d'affronter sans elle.

Dire que le Coran est la pensée du pèlerin, sa conscience personnelle, et qu'il est interdit de s'interroger et de réfléchir, n'est qu'une interprétation particulière de la lecture du Coran. C'est celle des collectivistes qui rejettent, au nom de Dieu, toute forme d'individualité et de liberté, les associant à des manifestations sataniques. Pour gouverner, conquérir et asservir, croire en cela et y faire croire est évidemment très pratique. Mais pour ces gens comme nos frères du désert, et ils sont nombreux tu peux me croire, imposer de tels dogmes est une vraie imposture. Ils ignorent les arcanes politiciennes et en eux brûle la flamme de l'enthousiasme qui mettrait feu aux sables du désert. Leur vie est avec Dieu et ils ne peuvent concevoir leurs existences sans l'assurance de sa présence impalpable au-dessus de leurs destins, remplissant l'infinie nudité du désert. Et pour ce Dieu qui ne leur demande rien, qui n'impose pas plus que ne le fait la nature, qui ordonne tout sans jamais le commander, qui pardonne et comprend, ils sont prêts à chaque instant au sacrifice de leurs vies. Voilà la vision que nous souhaiterions pouvoir conserver et proposer de notre prophète Mahomet. Rien à voir avec un

Coran qui survolte les bidonvilles et ne pense qu'à mettre le feu aux poudres un peu partout de par le monde.

Que la volonté de Dieu s'accomplisse. Qu'importe si pour cela, Nabila et moi-même devons aller si vite de l'infini du désert à celui encore plus grand du ciel. Promets-moi, quoi qu'il nous arrive, de ne jamais nous pleurer ; mais tâche quand même de nous saluer, si d'aventure de ta planète UTOPIA tu croises un tapis volant !

Je t'embrasse, mon Frère. Je sais que nous nous reverrons au Paradis des Justes.

Ton frère, Abdul

Michael reste un peu abasourdi par le contenu lourd de cette lettre qui ne correspondait pas du tout à ce qu'il attendait d'un télégramme de félicitations.

En une fraction de seconde, il se retrouve en pensée dans les sables du Dar Fur. « Aucun doute, et quel que soit le danger, sa place est à ses côtés. Où cela, déjà ? Au Pakistan. Pourquoi pas ? Mais pour quoi faire ? Est-ce bien son combat à lui aussi ? Un doute l'assaille. En un tel jour, a-t-il le droit de se laisser aller à une telle escapade mentale ? Tanya... »

Justement elle surgit, un peu comme une furie :

— Michael, tu es là ? On te cherche partout. Les invités veulent te voir. Tu liras la lettre de ton copain un autre jour. Allez, viens !

— Tu as raison ma chérie... un autre jour.

Rub'al-Khali, Arabie

Depuis qu'il s'était retiré dans le désert, personne ne pouvait communiquer avec Abdul sans passer par Nabil Mostacci. Quand Michael lui a fait part de ses intentions, Nabil lui a tout de suite dit :

— Va le voir, Michael ; d'abord cela lui fera terriblement plaisir, et puis cela sera bien plus efficace.

— Finalement, tu as raison. C'est d'accord. Fais-moi le plaisir de m'organiser une rencontre avec lui. Les termes de sa dernière lettre me tracassent encore l'esprit.

Pour la visite de son ami Michael, Abdul avait préparé les festivités grandioses d'une fête tribale. Rien ne serait trop beau pour célébrer son amitié et honorer son épouse. Et puis ce serait aussi l'occasion de leur faire rencontrer Nabila; le village entier serait en liesse.

Dès que Michael et Tanya arrivent, l'accueil est très chaleureux. Tanya et Nabila s'adoptent tout de suite mutuellement. Au bout d'un moment de conversation, elles se rendent compte qu'elles sont toutes deux, à quelques années d'écart, anciennes élèves d'Harvard. Abdul entraîne Michael sous sa tente et, comme le soir tombe, cela lui rappelle de bien curieux souvenirs. Puis ils vont rechercher les femmes et les asseyent en bonne place pour assister à une magnifique fantasia qu'Abdul avait souhaitée pour commencer la soirée. L'adresse des cavaliers est stupéfiante. Ils sont plus de quarante à évoluer dans un rodéo équestre à couper le souffle. Des coups de fusil claquent et ponctuent les ruades des chevaux. On se rappelle bien vite que le *qabili*, l'homme de tribu, est avant tout un guerrier. Le courage physique, l'adresse et le goût des armes sont à la base de chaque geste et de chaque détail du costume. Tous les *qabili* arborent avec fierté la traditionnelle *jambja*, poignard recourbé au manche très ouvragé.

Quand la nuit est bien tombée, des centaines de torches enflammées trouent les ténèbres et nimbent les cieux d'une auréole flamboyante dans laquelle viennent se perdre les fumées des *kamouns*[1] où grillent des dizaines de méchouis.

Tanya est allée se changer chez Nabila; avec l'aide des femmes du village, on l'a fardée, maquillée et habillée comme une *badiya*. Une soie légère et transparente lui voile le visage. Quand elle revient auprès de Michael, il ne la reconnaît pas immédiatement tant la métamorphose est saisissante.

– Vous êtes ravissante, la complimente Abdul.

– Vos amies ont des talents de fée, lui retourne Tanya, qui prend tout ce travestissement avec la joie d'une enfant un jour de Mardi gras.

Michael a aussi de son côté retrouvé une *gandoura* en cachemire, et ces costumes locaux les aident bien pour se fondre spirituellement avec les gens qui les entourent, les fêtent et dont ils sont les héros.

Les *djarboukas*, sorte de vase en terre cuite dont le fond est une peau de chèvre tendue, sont frappées par des dizaines de musiciens qui rythment le pas de danses vives, presque toujours d'inspiration

---

1. Genre de barbecues traditionnels.

guerrière ; et par moment on croirait que les sables du désert se mettent à vibrer.

Par moment, Michael s'attarde sur le visage de Tanya, et il la dévisage comme une inconnue, complètement sous le charme exotique qu'elle exhale. Il la regarde rire à gorge déployée quand on lui propose de venir s'essayer à une danse du ventre. Il voit aussi son beau visage tendu d'émotion quand elle tâche de suivre les déclamations envoûtantes d'un poète tribal quand il se livre à la pratique de cette belle langue au service d'une des plus belles réalisations de l'art islamique consistant à rappeler tout ce qui incarne l'idéal commun.

Entre deux prestations, tout le monde va et vient dans le village et s'approche de grandes tablées communes que l'on aborde assis par terre sur de grands coussins. Michael est tout à fait à son aise au milieu des *qabili*. Il en reconnaît de l'expédition au Dar Fur et n'en finit pas alors d'accolades fraternelles. Et sans qu'il puisse s'en empêcher, ses pensées vont vers les absents.

— À propos, demande-t-il à Abdul, je n'ai pas vu Omar. Où se cache-t-il ? J'espère qu'il n'est pas resté avec ses chameaux ? Je voudrais lui présenter Tanya.

— Ne t'en fais pas pour lui. Il est très bien là où il est. Tu le verras demain.

— Pourquoi ? Il est où pour le moment ?

— Il monte la garde à l'entrée du djebel.

— La garde ? Un jour de fête ? C'est nécessaire ?

— Disons que c'est prudent.

Il laisse les femmes partir un peu devant et continue :

— Il se passe des choses en ce moment dans le désert. Et pour couronner le tout, un de mes hommes prétend avoir reconnu Homayoun dans un village. Il était accompagné d'une trentaine d'hommes inconnus dans la région.

— Homayoun ? Celui du Dar Fur ? Je croyais qu'on l'avait laissé criblé comme une tranche de gruyère dans le char d'Oleg.

— Ça, c'est la théorie, la pratique n'exclut pas qu'il n'y soit pas monté... et qu'il puisse réapparaître.

— Ce soir ? Ici ? Tu crois cela ?

Abdul lève les yeux au ciel. Michael reste silencieux, puis d'un seul coup, sans réfléchir, dit à Abdul :

— Fais-moi plaisir, Abdul. Pour rien qu'un moment, fais-le remplacer. J'aimerais le voir tout de suite.

– Eh bien, s'il n'y a que cela pour te rendre heureux ! Hussein ! Hussein ! crie-t-il assez fort à l'adresse d'un homme qui passait tout à côté. Va me chercher Omar ! Dis-lui qu'il y a une surprise pour lui. Trouve à le remplacer pour le reste de la nuit.

L'homme part en courant, sans répondre. Il sort de la zone lumineuse et entre sans hésiter et sans éclairage dans la pénombre en direction du poste de garde occupé par Omar. Michael et Abdul continuent leur conversation tout en s'écartant un peu du centre du village où la fête tribale bat son plein.

Il n'était pas parti depuis plus de cinq minutes, que déjà Hussein est de retour au pas de course, affolé et appelant de toutes ses forces :

– Abdul ! Abdul ! C'est terrible...

Abdul et Michael se pressent à sa rencontre. L'homme a du mal à récupérer son souffle.

– Qu'y a-t-il ? Parle !

– Omar... il a disparu... les deux sentinelles ont été tuées... j'ai retrouvé son fusil enfoui dans le sable et son chameau erre dans le désert... ils se sont battus... mais Omar n'est plus là.

Abdul écoute la triste nouvelle. Ses yeux brillent de colère. Il flaire un grand danger et envisage une riposte immédiate à cette agression.

– Fais venir Hassim. Trouve-moi dix hommes et autant de chevaux. Vite !

Puis il rappelle Hussein qui semblait un peu paniqué par ce qu'il avait vu. Son ton est impressionnant d'autorité.

– Personne ne doit savoir cela au village. La fête *doit* continuer, comme si de rien n'était. Compris ?

Hussein part en courant. Abdul se retourne vers Michael et lui dit sèchement :

– Suis-moi !

Ils foncent tous les deux vers la tente d'Abdul en prenant soin de ne pas se faire remarquer par les participants de la fête.

– Qu'est-ce qui se passe ? C'est grave Abdul ?

– Peut-être même plus que cela encore. Omar est un des seuls avec Hassim et moi à savoir ce que renferme le tombeau nabatéen. Ce n'est pas un hasard si c'est lui qu'il a capturé. Il savait.

– Il ? De qui parles-tu ?

– D'Homayoun ! Il faut faire vite.

– Omar ne parlera pas.

– Tu crois cela? Homayoun est un flic. Et encore, de la pire espèce. C'est pas Hercule Poirot ou Sherlock Holmes. C'est plutôt le genre Gestapo, Guépéou, Pasdar et *tutti quanti*. Ils ont mieux que le penthotal. Contre cela on n'a rien à faire.

Dans sa tente, Abdul se précipite sur son émetteur ondes-courtes et s'entretient avec d'autres chefs de tribu, leur donnant des ordres très précis. Pendant ce temps, des chevaux ont été sellés et les attendent à la sortie du village.

– Michael! retourne à la fête. Raconte ce que tu veux aux femmes. Il ne faut pas que la fête s'arrête, sinon ils le remarqueraient et se méfieraient. Nous n'avons que cela comme atout. Je compte sur toi pour le conserver jusqu'au bout.

Les hommes sautent sur les chevaux. Dans la précipitation, Michael n'a pas eu le temps de répondre... qu'il comptait bien déso-béir à Abdul. Il enfourche une monture et se joint à la petite troupe qui fonce dans le désert vers le tombeau nabatéen.

En chevauchant à bride abattue dans la nuit noire, Michael se porte à la hauteur du cheval d'Abdul, au moment où ils ralentissaient à l'approche de l'énorme mausolée qui paraît encore plus impres-sionnant dans la pénombre.

– Excuse-moi Abdul, je n'ai rien entendu de ce que tu m'as dit tout à l'heure.

Abdul est un peu surpris et feint de le croire:

– Ça n'est pas grave. Je voulais que tu restes au village, Michael; je sens que cela va être très, très chaud... Ou ça passe... ou ça casse.

Puis ils font leur jonction avec les autres Bédouins qu'Abdul savait plus proches et qu'il avait envoyés pour tenter de devancer les événements. À voix basse, un chef de clan lui dit que cinq hommes ont pénétré dans le tombeau et qu'une vingtaine d'autres font le guet au dehors. Abdul décide qu'il faut les attaquer tout de suite. Homayoun est fou, et il a peut-être prévu une action kamikaze sur le matériel nucléaire.

Les Bédouins se fondent dans la nuit et surprennent les guet-teurs, ne leur laissant aucune chance. Michael et Hassim pénètrent dans le tombeau à la suite d'Abdul qui connaissait bien les lieux et pouvait s'y mouvoir les yeux fermés. Par moment, des cailloux roulent sous leurs pas et le cliquetis de la roche résonne dans cette caverne. Il faut alors s'arrêter et attendre un petit peu. Bientôt, dans le lointain du corridor, une lueur apparaît. Les trois hommes rampent jusqu'à une fente lumineuse donnant sur la grande salle qui avait été ouverte dans la roche 5 000 ans plus tôt. Le spectacle est surréaliste. Le monument funéraire où se trouvait la bombe a été éventré sans ménagement à l'aide d'une barre à mine, et le caisson métallique qui la renferme en a été extrait. Omar est K.O. debout, sans expression, les yeux mi-clos et semble sous l'emprise d'une drogue puissante. Il répète comme une litanie les ordres que lui donne Homayoun, puis les exécute comme un automate.

— Le retardeur de mise à feu, Omar. Agis dessus et arme-le. Je te l'ordonne.

Les yeux toujours fermés, Omar semble faire de gros efforts pour se soumettre aux ordres qu'il n'arrive plus à juger comme fous et démentiels. Il est maintenant tout près de la bombe et commence à en palper le mécanisme électronique d'engagement. Il est comme une marionnette de chiffon entre les mains d'Homayoun.

Des coups de feu claquent et font un bruit terrible dans cet espace clos, qui n'avait jamais été conçu pour abriter les effets de la folie des hommes. Les trois accompagnateurs d'Homayoun s'écroulent sous les balles précises d'Abdul et Hassim, qui avaient décidé d'épargner Homayoun tenant presque dans ses bras le corps décérébré et asservi d'Omar. Homayoun se réfugie, en l'enserrant encore plus, d'un saut en arrière dans une petite crypte. Omar a dans sa main une commande ultra-sonique. Homayoun hurle :

— Vous allez tous mourir ! Je vais tout faire sauter ! Omar m'obéira. Vous ne pourrez nous arrêter.

Abdul tente de s'adresser à Omar :

— C'est moi, Abdul, ton chef. Ton seul Maître après Dieu. Ne l'écoute pas. Jette cette télé-commande.

— Il ne peut plus vous entendre. La commande est armée. Dans trois minutes, tout va sauter. Je serai vengé, vous êtes tous maudits, vos fils et vos ancêtres aussi !

Alors, sans réfléchir, Michael appelle Omar.

— C'est moi, Omar. Je suis Michael. Ton ami Michael. Pose cette commande et viens nous rejoindre.

Omar ouvre les yeux et son esprit s'éclaire alors qu'il reconnaît tout de suite la voix et l'arabe hésitant de Michael. La drogue perd de son effet. Homayoun a un réflexe de curiosité et son visage sort du couvert une fraction de seconde, juste le temps de s'inscrire en plein centre de la mire infrarouge qui équipe le fusil à lunette d'Hassim.

Abdul se précipite sur le caisson métallique, tandis que Michael s'en approche également avec un flambeau à la main. Hassim s'assure qu'Homayoun est bel et bien hors d'état de nuire. Quant à Omar, il semble épuisé et il tombe lourdement sur le sol, privé de connaissance. Déjà les hommes de l'extérieur qui ont entendu des coups de feu arrivent pour porter aide avec des flambeaux. Abdul leur dit :

— Occupez-vous d'Omar. Donnez-lui de l'eau et assurez-vous qu'il peut respirer à son aise. Quant à ceux-là, ils n'ont rien à faire dans cette demeure sacrée. Jetez-les dehors et laissez les chacals s'occuper de leurs dépouilles. Dieu se charge déjà de leur âme.

Quand ils rentrent au village, la nouvelle y est déjà parvenue que pendant la fête il y avait eu du grabuge et une tentative d'attaque par des forces extérieures. Tanya attend Michael avec impatience et se demande comment il a pu lui fausser compagnie pendant cette soirée qui lui est apparue comme hors du temps. Ne sachant pas la gravité des choses, elle aborde son mari un peu comme on gronde un gosse qui a fait des bêtises quand ses parents avaient le dos tourné.

— Alors tu étais parti faire claquer des pétards dans le désert avec tes petits copains ?

— Tu as raison, ma chérie. On a été jouer avec un sacré gros pétard...

Il a bien fallu deux jours à tout le monde pour se remettre de la fête et des émotions guerrières. Omar une fois remis a tenu à remercier Michael. Il dit que sous l'emprise d'une injection intraveineuse que lui a faite un homme d'Homayoun, une partie de son cerveau fonctionnait au ralenti, tandis que l'autre échappait à tout contrôle. La voix de Michael et ses imperfections de langage ont fait comme un déclic, et voilà comment le plus grand déclic qu'espérait Homayoun pour se venger ne s'est pas produit.

Puis l'hélicoptère personnel du cheik Ibn Sallah vient se poser au pied des dunes pour les emmener à son palais de Ra's al-Khayma. Le cheik passait dans tout le Moyen-Orient pour être l'un des personnages les plus raffinés de l'heure. Son émirat avait su préserver le charme, le mystère et le faste des Mille et Une Nuits.

Miss Francis allait quitter le bureau de Gerry après lui avoir remis la télécopie qui venait de leur arriver de Londres. Gerry la parcourt des yeux et demande qu'on le branche en télévidéophonie avec John à New York. Dès que la connexion est faite, il présente le document à l'œil vitreux et particulièrement inexpressif.

– Lis!

Londres, le 30 novembre 2000

Monsieur Gerry Limata,
Chairman,
UTOPIA.
RE : UTOPIA/ assurances sur la propriété et responsabilité commerciales

Suite à nos récentes discussions et au nom du Conseil de direction du Consortium que je représente, j'ai le plaisir de vous annoncer que nous avons approuvé un programme d'assurances sur la propriété et la responsabilité commerciales de la colonie spatiale établie sur UTOPIA. Ce programme sera offert en exclusivité à tout le secteur commercial et industriel, couvrira les risques de toute nature et ce, sans restriction.

Tout litige intervenant entre l'une ou l'autre des parties concernées sera réglé par un Tribunal de l'Espace établi sur la station et qui sera seul habilité pour juger les conflits de nature commerciale.

Le Consortium établira une réserve discrétionnaire de 1 milliard de dollars de dépôt et garantie.
Sincèrement,
Sir Alex Halley-Smith.
Président du Consortium d'assurances et de réassurances

– Tu as fini?
– Mais... je crois que tout cela mérite une petite virée au Four Seasons.
– Je raccroche et je mets Miss Francis sur l'affaire. Salut John!
– À bientôt, Gerry.

À la Maison-Blanche, comme partout au monde sur des millions de téléviseurs, on attend avec impatience la première retransmission publique en provenance d'UTOPIA. Comme pour ce mémorable jour de juillet 1969, quand l'Homme avait marché sur la lune, les gens se sont réunis les uns chez les autres pour assister à l'événement. Le mot était faible. Plusieurs réseaux avaient annoncé qu'ils suspendraient l'antenne, reconnaissant qu'il était impossible de rivaliser avec CNN qui avait su enlever l'affaire; et d'ailleurs à quoi cela pouvait-il servir de le contester? Ceux qui avaient persisté avaient la possibilité de retransmettre la chaîne câblée avec son sigle en incrustation fixe sur les images.

La mise en gravitation légère avait commencé et il fallait de grandes précautions pour filmer les scènes depuis la station orbitale. Sue Chang, la présentatrice-vedette de la chaîne avait suivi toute une formation au Texas et elle décrit du mieux qu'elle le peut les sensations extraordinaires qu'éprouve son organisme, dans un tel environnement. Le réalisateur s'arrange pour que la Bannière étoilée soit bien toujours visible et omniprésente... même si on n'a pu éviter que ce soient des caméras japonaises qui filment!

Le Président intervient en duplex de son salon de la Maison-Blanche. À ses côtés, John Matthews et Gerry Limata sont aux places d'honneur et le monde entier connaît maintenant les visages de ceux qui passent pour être les concepteurs de ce coup d'audace gigantesque de dimension planétaire.

De la colonie spatiale, Michael et Tanya se font également connaître et se permettent un message pour leurs familles à Stony Brook et Palo Alto.

Kiyomi, lui, regarde tout cela, seul avec son épouse, sur l'écran géant du salon de sa belle maison des environs de Tokyo. Quelque chose l'empêche de savourer ces images comme celles d'une victoire, car il lui reste encore une affaire à régler. Une sombre affaire!

Le lendemain, dans toute la Presse, les sondages sont unanimes. L'opinion publique s'est ralliée sans équivoque au grand projet; et voilà bien l'ultime test de la véritable démocratie que de pouvoir transformer la volonté populaire en Loi. La proposition présidentielle faite au Congrès d'approuver la création d'un 51e État rattaché à l'Union, UTOPIA, passe comme une lettre à la poste.

Dès l'officialisation de la nouvelle, la première Bannière étoilée à 51 pièces que l'on voit est celle qui flotte – bien artificiellement

356

d'ailleurs – sur UTOPIA. Partout dans le pays la modification allait suivre. Sur tous les drapeaux on cousait, en haut et à droite du carré serré des 50 étoiles symbolisant les 50 États, une 51e un peu à part de toutes les autres. Dans tous les pays, des timbres étaient frappés, on imprimait des tee-shirts et à Hollywood on disait que le scénario du film était déjà prêt. Les astronomes amateurs braquaient leurs lunettes en direction de la nouvelle planète, qui brillait dans le ciel au milieu des autres étoiles.

Tokyo, Japon

Il n'y a qu'une chose qu'un Japonais n'ait jamais le droit de perdre : la face. Il peut perdre son honneur, son argent, sa vie... mais pas la face. Et quand il avait quitté son bureau de l'Ogura Securities pour la dernière fois, l'été dernier, Kiyomi avait aussi perdu à jamais le droit d'y revenir. C'était la loi immuable et il n'était pas question de la discuter.

Au Japon aussi, on avait suivi les premiers jours de vie à bord de la station orbitale et la classe dirigeante était finalement bien contente que le Japon ait pu se tailler une belle place dans le projet. Tout le mérite en revenait à Kiyomi et personne dans l'archipel ne songeait plus à le contester. Il avait fait son devoir et donné un sens à sa vie. Maintenant il pouvait partir, mais avant il souhaitait par-dessus tout laisser place nette.

Pendant des mois, il a travaillé sans relâche, dans l'ombre, et il est prêt pour recueillir les fruits de son labeur et faire payer le prix fort à ceux qui l'ont trahi.

*
* *

Tous les directeurs sont assis autour de la grande table ovale dans la salle de conférence de l'Ogura Securities et attendent, selon la coutume, leur président qui arrivera une minute ou deux après pour s'asseoir au fauteuil. Juste avant d'entrer dans la pièce, Shoza Matsui bute sur Kiyomi qui est accompagné de son neveu Heiji. Sa surprise est totale !

– Que fais-tu ici ? ose lui dire Shoza.

– C'est plutôt à moi de te dire cela. Entre Heiji !

357

Leur présence jette la stupeur dans la salle du Conseil, un peu comme si le fantôme d'un disparu faisait une réapparition. D'une voix autoritaire, Kiyomi leur annonce :

— Messieurs, voici votre nouveau Patron. C'est un Ogura.

Kiyomi lui ajuste le fauteuil, reste debout et dit :

— C'est à toi Heiji. Dis-leur ce qu'ils doivent savoir... Tu peux rester, Shoza, cela te concerne !

Heiji présente le dossier sur lequel il avait travaillé avec son oncle avec beaucoup de maîtrise et d'autorité. Les faits sont accablants pour Shoza. Par des tours de passe-passe financiers dont il avait le secret, Kiyomi s'était arrangé pour que la gestion de Shoza soit devenue impossible et que ses implications honteuses avec la mafia japonaise soient révélées au grand jour. Quand il comprend que l'étau s'est resserré sur lui et qu'il ne peut plus rien y faire, il quitte la salle à reculons, très discrètement. Seul Kiyomi s'en aperçoit ; il le regarde sans pitié se retirer lentement et mollement comme la tête d'un escargot qui retourne dans sa coquille.

...

Sur le bureau magnifiquement lustré du président, une main inconnue a déposé un coutelas. Sa lame aiguisée comme celle d'un rasoir, chauffée et huilée, scintille comme si elle se trouvait dans le halo d'un projecteur.

Shoza va à la fenêtre. Il voit au loin la baie de Tokyo et tout en bas la rue pleine de voitures et de piétons. Il sait aussi que les terribles tueurs des yakuzas l'attendent.

Shoza a tout perdu... même la vie... c'est l'heure du *seppuku*...[1]

---

1. Hara-kiri, suicide lent et douloureux à la japonaise consistant à s'enfoncer la lame chaude d'un coutelas dans l'abdomen et à remonter le fer de la lame vers la droite.

Michael avait gardé sa bonne vieille manie de démarrer sa journée sur une tasse de café noir, qu'il agrémentait d'une coupelle de petits légumes frais découpés en morceaux. À ses côtés, Tanya reposait dans un hamac et semblait flotter en l'air; elle attendait, sereine, confiante et patiente que se passent encore quelques jours avant cet événement que toutes les femmes jugent comme le plus fort de leur vie: celui où elles vont donner jour à une autre vie.

Sa grossesse avait été passée au crible par une armada d'embryologistes qui étudiaient, supputaient, *projectivaient* et vérifiaient tous les télé-bilans qui leur arrivaient en temps réel, relayés par le centre médical d'UTOPIA. Tanya se contentait de promener le stylet de l'échotomographe sur son ventre ballonné et voulait tout ignorer de l'incidence médicale et scientifique pour que cet événement, unique et heureux pour elle et Michael, garde tout son mystère.

Une chose était maintenant certaine, c'est que les neuf mois rituels depuis la conception étaient passés depuis longtemps. Les experts l'avaient tout de suite prévu. En gravité légère, la période gravide serait à coup sûr modifiée. Mais sera-ce le seul changement? Le bassin de Tanya avait un peu changé de forme, et tout le monde avait prévu une gestation plus longue du fœtus; on savait que sur Terre il sortait un peu prématurément de façon à ce que la boîte crânienne puisse passer, mais qu'il avait tout à gagner d'un séjour un peu plus long dans le ventre de sa mère.

Ce matin-là, un an jour pour jour après la conception...

– Michael... je crois que je perds mes eaux!

Dans ces moments-là, que ce soit sur terre, sur mer ou comme aussi cela s'est produit, dans les airs, nous savons tous que c'est le père qui aurait tendance à perdre un peu le nord. Michael laisse vérifier que dans l'espace, cette règle tendra aussi à se généraliser.

– Tu as mal? Dois-je appeler pour qu'on te transporte?

– Mais non, ne fais rien de tout cela. Je ne souffre pas! Michael, calme-toi. Tout va bien. C'est merveilleux!

Tanya enlace Michael très affectueusement, ce qui a pour effet immédiat de le calmer complètement et de le rendre capable de savourer pleinement l'instant présent, unique et mémorable. Discrètement, il prévient les gens de la petite antenne chirurgico-obstétricale.

359

– Venez tranquillement, nous sommes prêts. C'est fantastique. Tout ira bien, monsieur McDougall.

L'heureuse nouvelle tant attendue parvient dans l'instant au centre médical de la base terrestre où toute l'équipe médicale était aussi sur son pied de guerre, avec de nombreuses sommités médicales invitées pour cette Première mondiale. Le Professeur Tucker, président de l'Académie nationale d'obstétrique, murmure en hochant la tête :

– *365 jours !* 365 jours exactement... et quelques heures... pas encore six, dit-il en regardant sa montre. Il cache à ses proches une émotion très forte. Dans sa tête, ses pensées vont à mille kilomètres à l'heure : «Le hasard n'y est pour rien... 365 jours et 1/4 ; une année terrestre entière et jour pour jour. Je m'en doutais...» Puis il se rend promptement à la place qui lui était assignée devant un écran de télévision, très excité à l'idée de ce qui va suivre et qui va représenter un des sommets de sa vie professionnelle. Déjà, il ne voit plus ses collègues aux postes voisins et leur répond machinalement. «Et si la Vie avait décidé aujourd'hui d'en dire un peu plus sur son grand mystère?» Le Pr Tucker piaffe devant son poste, tripote son réglage, alors que l'image fixe de la salle de travail est déjà tout à fait excellente, et son visage d'habitude calme est parcouru de petites grimaces nerveuses...

Tanya est allongée sur un lit, dans une chambre qui n'a rien à voir avec une salle d'opération. Elle est épanouie. Tucker se rappelle alors quand il avait commencé sa carrière qu'il était courant d'aller accoucher les femmes chez elles et qu'une naissance était une joie collective pour la communauté et la famille. Michael est maintenant tout à fait à son aise. Comme prévu, Tanya ne ressent pas les contractions utérines et avec l'aide de Michael elle exerce une pression avec ses mains sur le bas de son ventre. Elle sourit et va même jusqu'à rire quand il lui dit :

– On dirait qu'on presse un tube de pâte dentifrice !

Soudain, ils arrêtent la manœuvre car la tête d'un bébé apparaît... puis le reste du corps s'expulse en douceur des entrailles de Tanya.

– C'est une fille ! s'exclame Michael, qui la saisit délicatement dans ses mains gantées, puis la dépose sur le ventre de Tanya.

Michael est ivre de bonheur, et sa joie se communique à toute la salle de contrôle sur la base terrestre.

L'enfant est merveilleusement belle. Sa peau n'est pas fripée et déjà, juste après le premier cri, elle esquisse un sourire, un petit gazouillis et essaye de ramper sur le ventre de Tanya, à la recherche d'autres expériences sensorielles.

Le Pr Tucker regarde sa montre et ne peut s'empêcher de confirmer la chronologie exceptionnelle de l'événement. Via le système audio-visuel, Michael explose de joie et remercie le Professeur pour son assistance à distance. Celui-ci est encore un peu réservé. Il dit à Michael :

– Soyez un peu patient, Michael... l'histoire a peut-être une suite... heureuse bien sûr.

Le cordon ombilical a été coupé et Michael est accaparé par... par qui ? à propos... « Phoebé ! ce sera Phoebé parce qu'elle est brillante comme toi, Tanya », dit-il ne prêtant qu'une oreille distraite aux dernières paroles du Professeur.

Tanya l'appelle.

– Michael ! J'espère qu'il te reste un peu d'inspiration pour les noms. Regarde !

Une deuxième petite tête apparaît... puis des épaules... des bras ! Mais cette fois, ceux-ci à peine sortis se mettent en œuvre et appuient sur le ventre de Tanya pour aider à sortir le reste. Sur place et aussi sur terre, tout le monde est écroulé de rire, car le bébé se met tout de suite à quatre pattes et part gambader sur le lit encore tout maculé de sang et de liquide amniotique. On dirait que seul le cordon ombilical le retient, comme un petit chiot est retenu en laisse.

– C'est un garçon ! hurle Michael. Il le prend dans ses bras, pour l'amener à son tour sur le ventre de Tanya. Il fait un clin d'œil à sa femme et lui dit :

– Facile ! Ce sera Élios. Élios et Phoebé ! Nous sommes bénis par les dieux, Tanya, dit Michael qui l'embrasse tendrement.

– Mais Michael, qui te dit que la distribution est finie ?

– C'est vrai, dit Michael, un peu affolé. Il se tourne vers les caméras, sachant qu'à terre, cette naissance gémellaire avait été prévue au vu des échographies. Tout de suite, le Pr Tucker le rassure :

– Mon cher Michael, soyez tranquille. Votre bonheur... et aussi vos ennuis s'arrêtent bien là. Je vous remercie au nom de l'humanité tout entière pour ce don que vous nous avez fait. L'*homo extra-territorialis* est né aujourd'hui. Que lui souhaiter d'autre que bonne chance, sagesse et prospérité ?

Puis il repart dans ses réflexions intimes. Il sera encore de longues années à méditer sur le sens de cette naissance. D'autres devront encore venir pour en confirmer toutes les significations. Des réponses allaient venir.

Plus tard dans la soirée, Michael et Tanya sont de retour chez eux avec les bébés et peuvent enfin en profiter pour eux seuls, sans avoir à les partager avec une multitude d'yeux électroniques. Tanya ne tarde pas à s'endormir. Alors Michael reste devant les deux petits berceaux. Pour être mieux à leur hauteur, il s'agenouille et regarde l'image de l'Espace transmise sur le moniteur mural de la pièce: « Ô Toi, Maître de l'Infini, sache que ce n'est pas pour te défier que nous sommes venus ici sur UTOPIA, mais pour mieux Te connaître. Voici nos enfants à Tanya et à moi. Fais qu'ils aient le courage et la force de nos Ancêtres; qu'ils connaissent l'Amour, car leur vie sera longue et souvent difficile. Et Toi Lumière et Vie, Maître de l'Infini, je T'implore: aime-les aussi. »

Épilogue

Vu d'UTOPIA, à 450 km d'altitude, ce ne fut, sur la surface ronde et couleur de nuit de la Terre, que comme si la flamme d'un briquet s'était allumée pour quelques fractions de seconde.

Sur les téléscripteurs du monde entier, les agences de presse donnaient l'information suivante :

Ce matin à 11h05 GMT, importante explosion de la centrale nucléaire de Kabuta, à 40 km au sud-est d'Islamabad, capitale du Pakistan. Nous ignorons l'origine de cette explosion. Aucune revendication sérieuse n'est parvenue pour le moment...

Gstaad, mai 1995

LISTE DES PERSONNAGES
& NOTES HISTORIQUES

Personnages principaux

GERRY   *Gerry Limata*, grand patron de l'industrie automobile à Détroit, président du Conseil du programme UTOPIA.

JOHN   *John Matthews*, banquier à New York, administrateur du programme UTOPIA.

KIYOMI   *Kiyomi Ogura*, président d'Ogura Securities, à Tokyo, administrateur du programme UTOPIA.

MAX   *Max Kopel*, astro-physicien à Houston, administrateur du programme UTOPIA.

MICHAEL   *Michael McDougall*, informaticien et président d'une grande société californienne d'informatique à Palo Alto, administrateur du programme UTOPIA.

TANYA   *Tanya O'Reilly*, cadre à la Banque à New York, et directrice générale du programme UTOPIA.

TOM   *Tom Luce*, propriétaire de The Oiler and Trust Corp, à Houston, administrateur du programme UTOPIA.

ABDUL   *Abdul Shah*, partenaire investisseur dans la société californienne de Michael McDougall et chef d'une grande tribu de Bédouins d'Arabie.

Autres personnages

Campden, Albert, conseiller et confident du Président des États-Unis.

Cunnington, Bill, entraîneur des chevaux de Tom Luce.

Halley-Smith, Sir Alex, président du Consortium des assurances à Londres.

Hassim, lieutenant d'Abdul Shah.

Hayed, homme de confiance et conseiller d'Abdul Shah.

Homayoun, chef d'un camp terroriste au Soudan.

Koichi, Saito, président de la Marubeni, compagnie maritime japonaise, et membre du conseil d'administration d'Ogura Securities.

Matsui, Shoza, vice-président d'Ogura Securities, camarade de classe de Kiyomi Ogura.

Mostacci, Nabil, banquier à Genève, premier bailleur de fonds de Michael McDougall.

Personnages réels nommés dans le récit

Armstrong, Neil, (1930-), astronaute américain. Il est le premier homme à avoir marché sur la Lune, le 21 juillet 1969.

Bakhtiar, Shabour, (1961-1991), premier ministre d'Iran (1979), il fut assassiné à Paris en août 1991.

Beau de Rochas, (Alphonse, 1815-1893), ingénieur français, il mit au point la théorie de la transformation de l'énergie thermique en énergie mécanique qui fit naître le moteur à 4 temps.

Khomeyni, (Rubollah, 1902-1989), ayatollah iranien exilé en Irak en 1964 (réfugié en France en 1978-79); il inspira la révolution qui triompha du shah en février 1979 et revint en Iran pour devenir chef de la République islamique d'Iran nouvellement proclamée.

MacArthur, général, (Douglas, 1880-1964), Commandant en chef des Alliés, vainqueur au Japon en 1945. Il commanda aussi les forces de l'ONU en Corée en 1950-51.

Pahlavi, Mohammad Reza, (1919-1980) dernier shah de la dynastie iranienne de ce nom, chassé du pouvoir en février 1979 par la révolution islamique.

Rafsandjani, (Ali Akbar Hachemi, 1934-), président de la République islamique d'Iran élu en 1989.

Rothschild, Grand nom d'une «dynastie financière» de rayonnement international commencée par Meyer Amschel R. (1743-1812), en Allemagne.

Zitrone, Léon, journaliste français contemporain.

Gibran, Khalil, (1883-1931), écrivain libanais et l'un des principaux représentants de la renaissance des lettres arabes.

Raid sur Entebbe. En 1976, à l'aéroport de cette ville alors capitale de l'Ouganda, un commando israélien a délivré en une heure les 103 otages retenus par des pirates de l'air palestiniens.

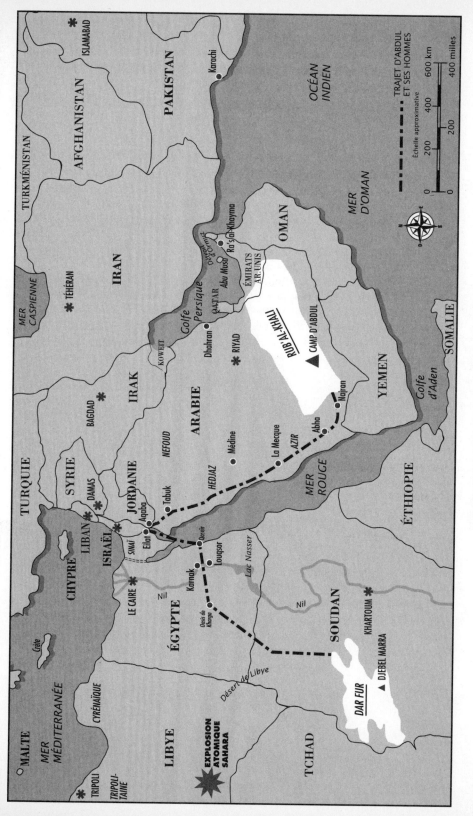

LE MONDE ISLAMIQUE ET SA ZONE D'INFLUENCE

Cet ouvrage a été composé
en caractères Times Roman
par Composition Marika inc.
de Lévis, Québec, Canada
en mai 1995

imprimerie gagné ltée

IMPRIMÉ AU CANADA